D1287480

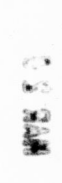

Antes del orgullo

Recuperando la memoria gay

Antes del orgullo
Recuperando la memoria gay

Jorge Luis Peralta (ed.)

egales
editorial

BARCELONA — MADRID

ESTUDIOS UNIVERSITARIOS LGTBQ

Director
Rafael M. Mérida Jiménez (Universitat de Lleida)

Comité científico
Juan Vicente Aliaga (Universitat Politècnica de València)
Óscar Guasch (Universitat de Barcelona)
Dieter Ingenschay (Humboldt-Universität zu Berlin)
Alfredo Martínez-Expósito (University of Melbourne)
Alberto Mira (Oxford Brookes University)
Marta Segarra (Centre National de la Recherche Scientifique, París)
Meri Torras (Universitat Autònoma de Barcelona)
Gracia Trujillo (Universidad de Castilla-La Mancha)

© Jorge Luis Peralta (ed.), 2018

© Editorial EGALES, S.L., 2019
Cervantes, 2. 08002 Barcelona. Tel.: 93 412 52 61
Hortaleza, 62. 28004 Madrid. Tel.: 91 522 55 99
www.editorialegales.com

ISBN: 978-84-17319-60-1
Depósito legal: M-8175-2019

© Imagen de cubierta: Carlos Valdivia Biedma

Imprime: Ulzama Digital. Pol. Ind. Areta, calle A-33
        31620 Huarte (Navarra)

SUMARIO

INTRODUCCIÓN: ANTES DEL ORGULLO[1]

Jorge Luis Peralta

Las aproximaciones históricas a la disidencia sexo-genérica suelen partir de la premisa tácita de que «todo pasado fue peor»: la referencia irónica de David Halperin en su libro *How to Be Gay* (2012) a los «Malos tiempos» [Bad Old Days] que precedieron a la revuelta de Stonewall, en junio de 1969, cuestiona la existencia de un supuesto corte entre dos épocas que, en rigor, no habría sido tan absoluto como se tiende a creer. Al poner un énfasis excesivo en las diferencias —que no son, desde luego, pocas— entre formas de vida y subjetividades anteriores y posteriores a la «liberación», se ha prestado una atención mucho menor a las continuidades y puntos de contacto, quizá porque los aspectos que perduran o trazan afinidades entre pasado y presente pueden incomodar o poner en entredicho la lógica progresista —y en ocasiones «heroica»— que sustenta el discurso historiográfico en torno a la disidencia (homo)sexual.

No se trata de negar o minimizar, por supuesto, las importantes transformaciones ocurridas en múltiples frentes y que suponen, en general, un clima más tolerante e inclusivo para quienes desafían las normas de género y sexualidad; sino de relativizar la idea de que la

[1] Este trabajo forma parte del proyecto «Diversidad de género, masculinidad y cultura en España, Argentina y México» (FEM2015-69863-P MINECO-FEDER) del Ministerio de Economía y Competitividad de España y se ha desarrollado en el seno del GRC 2017 SGR 588.

historia, o mejor dicho la*s* historia*s*, relacionadas con la disidencia se desarrollan sobre una línea que avanza siempre en sentido ascendente. Heather Love ha cuestionado enfáticamente lo que denomina el «giro afirmativo» de los estudios queer en los últimos años: su libro *Feeling Backward. Loss and the Politics of Queer History* (2007) pone el foco sobre los sentimientos negativos —pérdida, vergüenza, melancolía, depresión, culpa— que distinguieron la experiencia de sujetos disidentes en otras épocas y que, según argumenta, no han desaparecido por completo en la actualidad. Aunque sucesivas olas liberadoras hayan pretendido dejar atrás el historial de marginación y abyección que marcó a lesbianas, homosexuales y trans de antaño, ese historial continuaría estructurando la experiencia queer en el presente; reconocer y abrazar esta negatividad incluso podría dar pie, según Love, a la posibilidad de articular estrategias políticas más efectivas que aquellas que se apoyan sobre el pilar incuestionado del «orgullo». En la misma dirección apunta la colección de ensayos compilada por Valerie Traub y David Halperin que lleva por título *Gay Shame* (2009), cuyo punto de partida fue identificar tópicos que «el imperativo del orgullo gay dejó fuera de la investigación legítima, o sencillamente reprimió —tópicos vergonzosos, o tópicos por los cuales el propio orgullo gay nos haría sentir avergonzados de investigar. Y tratamos de imaginar una comunidad queer basada no solo en afirmaciones colectivas sino también en experiencias residuales de vergüenza».

Convendría, entonces, pensar el pasado sin imponerle el sello de esa categoría —«orgullo»— que marcó un antes y un después para tantas trayectorias disidentes, individuales y colectivas. Preguntarnos, en definitiva, qué hubo antes del orgullo, cuáles fueron las estrategias para vivir —y en muchos casos, sobrevivir— de «maricas» y «jotos» de otras épocas, qué discursos y prácticas los ayudaron a reconocerse y afirmarse en su *rareza*. Ese pasado puede resultarnos muy ajeno, pero también muy familiar: un equilibrio adecuado entre el reconocimiento de lo que puede haber de similar, pero también de lo que pertenece de forma irreductible a cada momento histórico, contribuirá sin duda a una comprensión más matizada. Como sostiene Mariela Solana (2016: 155), las figuras del pasado pueden invocar identificaciones y des-identificaciones: «El punto es contar con una pluralidad de modelos, relatos e imágenes del pasado como para estimular la imaginación ontológica y política, del presente y del futuro».

Si el título propuesto para el volumen manifiesta por un lado su voluntad de interrogar la era preorgullo, por otro podría parecer que se abandona al anacronismo, por el uso de un término, «gay», que parece ir de la mano del progreso o la «modernización» de antiguas categorías identitarias estigmatizadas —que no son, por lo tanto, su equivalente, sino su prehistoria—. No desconocemos los intensos debates que esta palabra, así como sus usos, valoraciones y (re)interpretaciones, han suscitado en el ámbito de los estudios sobre género y sexualidad en lengua española; una reciente compilación de ensayos publicada en esta misma casa editorial (Falconí, 2018) plantea, precisamente, una multiplicidad de aproximaciones a los modos en que «gay» se ha empleado y significado en Latinoamérica. No obstante, fomentar la recuperación de una «memoria gay» no implica un movimiento anacrónico, es decir, imponerle al pasado una categoría cuyos devenires locales (para el caso, México y Argentina) fueron muy diversos a los de los países y culturas de donde proviene el término. Si algo caracteriza a «gay» es que moviliza numerosos significados, y no solo aquel en que aparece como sinónimo inmediato de consumismo, asimilación y normalización neoliberal de las disidencias. En «gay» sedimentan también los procesos y experiencias de sujetos que, como José Porras, transitaron la curva vital que va desde la «vergüenza» al «orgullo»; que él y muchos/as otros/as utilicen esa palabra para hablar de su pasado —incluso si *efectivamente* su uso se difundió posteriormente— es porque encuentran en ella la clave de una transformación significativa. Entendida entonces como insignia de una nueva época/generación, «gay» puede capturar sentidos muy diversos: incluso aquellos que se remontan más allá del «orgullo», hasta llegar a nuestros días. Recuperar una «memoria gay» supone reconocer lo que esta palabra implicó para quienes se movieron entre dos paradigmas opuestos: el de la homosexualidad como estigma o patología y el de la homosexualidad como opción legítima y reconocida. En suma, «gay» tiene la ventaja de que puede aludir a un espectro muy amplio de varones disidentes, desde los «afeminados» a los «masculinos», desde los que manifiestan abiertamente su sexualidad a los que (todavía hoy) prefieren ocultarla, así como a generaciones heterogéneas que —a partir de los años 70 y 80— fueron apropiando y resignificando la palabra, alternándola con expresiones locales: *marica, puto, chongo, tapado, entendido, joto, chichifo, chacal, bufarrón, mayate*, entre muchas otras.

El presente volumen se hace eco de estas preocupaciones y apuesta por realizar un ejercicio plural de memorialismo gay y lésbico. La evocación autobiográfica de José Santa Ana Porras Alcocer (1942-), *Memoralia de aceras olvidadas. Una semblanza gay de la Ciudad de México*, traza una cartografía de las homosexualidades masculinas mexicanas con sus espacios y referencias literarias y culturales paradigmáticas: de la mano de la prodigiosa memoria del autor, vuelve a cobrar vida ese «mundo dentro del mundo» que cobijó a tantos disidentes sexuales a lo largo de la segunda mitad del siglo XX, y que guarda significativos puntos de contacto con el modo en que otras ciudades propiciaron también deseos y prácticas no heteronormativas. La memoria múltiple activada por esta autobiografía reverbera en los ensayos reunidos en la segunda parte, que recuperan y expanden, geográfica y temporalmente, algunos de sus puntos neurálgicos.

La convocatoria a los y las diferentes colaboradores/as partió de la premisa de que no se trataría de un libro académico al uso: se invitó, por lo tanto, a difuminar las fronteras entre los géneros, a incorporar —como cada autor/a prefiriese— su propia memoria personal, sin perder de vista el horizonte de la reflexión teórica. El objetivo no era «analizar» las páginas autobiográficas de José Porras, sino utilizarlas como plataforma o punto de partida para ofrecer diferentes acechos a la vida «gay» desde la década de 1960 en adelante, tanto en México como en Argentina. Conviene destacar, en este sentido, que este volumen se ha gestado en el marco del proyecto de investigación «Diversidad de género, masculinidad y cultura en España, Argentina y México» (FEM2015-69863-P MINECO-FEDER), financiado por el Gobierno de España, y que nuclea a investigadoras/es de esos tres países. *Antes del orgullo* viene a sumarse a otras publicaciones del grupo,[2] cuyo objetivo fundamental es «realizar una investigación sobre la masculinidad a partir del estudio de las representaciones literarias, artísticas y cinematográficas en España, Argentina y México (sobre todo desde 1970 y hasta la actualidad) creadas por lesbianas, gais, bisexuales, transgéneros y transexuales».[3] En este caso particular, el foco en los dos países latinoamericanos que integran el proyecto propicia la valoración de las afinidades y diferencias entre dos contextos con importantes y ricas culturas homoeróticas, cuyas capitales —Buenos Aires y Ciudad de México— han sido claves para el desarrollo de subjetividades disidentes ya desde comienzos del siglo XX.

---

[2] Entre las que pueden mencionarse los monográficos *Among Others: Queer Perspectives in Hispanic World*, para la revista *InterAlia. A Journal of Queer Studies* (2017) y *Literatura, masculinidades y diversidad sexual*, para la revista *Anclajes* (2018), así como los volúmenes *Masculinidades disidentes* (Icaria, 2016), compilado por Rafael M. Mérida Jiménez, o *Cuerpos minados. Masculinidades en Argentina* (EDULP, 2017), coordinado por José Maristany y Jorge Luis Peralta.

[3] Tomo esta cita de la página web del proyecto, en donde se pueden consultar las publicaciones y actividades realizadas: www.dicumas.udl.cat/

Los recuerdos de José «Pepe» Porras, nacidos al calor de una invitación de Rafael M. Mérida Jiménez y de un lento proceso de escritura y edición, disparan diversos recorridos de lectura entre los/as investigadores/as y escritores convocados/as. Humberto Guerra, especialista en autobiografía, delinea cuatro aspectos a su juicio centrales de las memorias de nuestro autor, ubicándolas en el contexto más amplio de la autobiografía «gay» mexicana. Mauricio List evoca su propia trayectoria como sujeto «gay», activista y académico, y reconstruye algunos hitos que las páginas de Porras «se dejaron en el tintero», centrándose, sobre todo, en los cruces entre masculinidades y homosexualidades en la capital mexicana a partir de los años 80. El sociólogo José Ignacio Lanzagorta, por su parte, profundiza la dimensión espacial —clave en el relato de la *Memoralia*— valorando, en particular, las transformaciones y significaciones de la mítica «Zona Rosa». La mención de Porras de Nancy Cárdenas, figura insoslayable del «artivismo» lésbico-gay mexicano, se amplía en la semblanza que ofrece de esta autora Elena Madrigal, indagando cómo militancia y creación se fundieron en la obra teatral *El día que pisamos la luna*, representada en los años 80 pero todavía inédita.

El escritor argentino Rubén Mettini Vilas, radicado en España desde finales de los años 70, encontró en la autobiografía de Porras un incentivo para desenredar la madeja de sus propios recuerdos, pero con una diferencia clave: mientras la *Memoralia* es sobre todo una exploración de la ciudad —y por tanto, de espacios *exteriores*— su experiencia como «gay» en la Argentina de los años 60 y 70 se desarrolló, más bien, en *interiores*. Y en ellos nos sumergen unas páginas que consiguen dar cuenta de una trayectoria que pudo ser la de muchos otros, pero que resulta también excepcional, por el modo en que el autor gestionó su «disidencia», al margen no solo de los discursos estigmatizantes de la época, sino también de ciertos circuitos urbanos que fueron refugio paradigmático de la comunidad homosexual (calles, baños públicos, bares). Esa espacialidad, sus códigos y prácticas, precisamente, serán las que explore otro escritor argentino, Alejandro Modarelli, cronista por excelencia de la cultura LGTBI de su país desde el ensayo coescrito con Flavio Rapisardi, *Fiestas, baños y exilios* (2001) hasta los volúmenes *Rosa prepucio* (2011) y *La noche del mundo* (2016). Repasando las «glorias del mal vivir» de las «maricas» de antaño, Modarelli recuerda tanto los zarpazos de la represión como los placeres clandestinos que afloraban entre sus grietas. Nostálgico de un universo no cooptado todavía por los falsos brillos de la era neoliberal, el cronista reivindica la potencia revolucionaria que forjaban cuerpos y deseos insumisos, y que hicieron de la ciudad el mapa de sus gozosos devaneos.

Literatura y cine constituyen dos piedras angulares de la «educación sentimental» de Pepe Porras. El sociólogo argentino Ernesto Meccia, autor de dos libros sobre los «últimos homosexuales» —varones que, como Porras, pasaron del paradigma de la «homosexualidad» al de la «gaycidad»— se demora en un aspecto puntual de la cinefilia gay argentina: el culto de una de las divas más rutilantes del cine clásico nacional: Mecha Ortiz (1900-1987). Específicamente, el sociólogo aborda la «invención» de Ortiz como diva de la comunidad homosexual a partir de los años 40; pone el foco, en este sentido, en una de las películas más emblemáticas que protagonizó, *Safo, historia de una pasión* (1943). Los modos en que el cuento mexicano de los años 60 y 70 fue visibilizando progresivamente el homoerotismo masculino son analizados por Saúl Villegas Martínez, quien recupera varios títulos mencionados por Porras para trazar una breve genealogía de esta clase particular de relato. Consigue mostrar, así, los vaivenes de una representación que se hizo eco de las transformaciones sociales, a veces reproduciendo estereotipos, a veces anticipando futuras rupturas. En una línea similar, mi propia contribución aspira a establecer líneas de contacto entre novelas mexicanas y argentinas de la era pregay, tensionadas entre combatir la heteronormatividad y ceder a algunas de sus presiones. Entrecruzando la lectura de varias novelas de la década de 1960, me interesa valorar estos textos pioneros como valiosas piezas de un archivo «gay/marica/joto/cuir» latinoamericano.

El diálogo entre Porras y su pasado, por un lado, y el de los diferentes artículos con ese recuento autobiográfico, por otro, no tienen otro objetivo que impulsar —y atesorar— una memoria gay que corre el riesgo de perderse. El título de un documental de Sébastien Lifshitz estrenado hace algunos años, *Les Invisibles* (2012), que desvelaba testimonios de gais y lesbianas ancianos/as, apuntaba —de forma ambigua— tanto al pasado como al presente: esos hombres y mujeres «raros/as» fueron invisibles en su momento (porque la sociedad prefería no verlos y/o porque debían ocultarse) pero también son invisibles ahora, porque sus historias parecen no contar. Cometeríamos un error, sin embargo, al suponer que esas vidas no tienen nada para decirnos, que son «cosa del pasado». Las ciudades, los discursos y las prácticas que los/as disidentes de antaño (re)crearon, muchas veces en abierto desafío a la norma, son parte crucial de nuestras propias identidades, o incluso de nuestro derecho a reclamarnos ajenos a cualquier tipo de identidad. Las «aceras» de Pepe Porras, y todas las otras aceras —reales e imaginarias— que atraviesan estas páginas, son también nuestras aceras, nuestras historias. No dejemos de recorrerlas.

Referencias bibliográficas

FALCONÍ, Diego (2018): *Inflexión marica. Escrituras del descalabro gay en América Latina*, Egales, Barcelona / Madrid.

HALPERIN, David (2012): *How to Be Gay*, Belknap Press of Harvard University, Cambridge. [Trad. española: *Cómo ser gay*, Tirant lo Blanch, Valencia, 2016]

— / TRAUB, Valerie (eds.) (2011): *Gay Shame*, University of Chicago, Chicago.

LOVE, Heather (2007): *Feeling Backward: Loss and the Politics of Queer History*, Harvard University, Cambridge.

SOLANA, Mariela (2016): *Historia y temporalidad en estudios queer: implicaciones políticas y ontológicas*, Universidad de Buenos Aires, Buenos Aires.

PRIMERA PARTE

MEMORALIA

José Santa Ana Porras Alcocer

Edición de Rafael M. Mérida Jiménez

PRESENTACIÓN[4]
Rafael M. Mérida Jiménez

Puedo asegurar que cuando, hace casi una década, propuse a José «Pepe» Porras la redacción de algo así como unas memorias de su juventud «gay» en la Ciudad de México, no pensé que llegaría este día. Fascinado por sus detalles y chismes en torno a los espacios ya desaparecidos de la sociabilidad jota en el DF al ritmo de nuestros paseos, escuchándole recordar los libros, las canciones o las películas que conformaron su otra educación sentimental durante la década de los 60 y 70, sentí el deseo de que ese universo no cayera en el olvido. A partir de entonces iniciamos un toma y daca de correos —muchos menos fueron nuestros encuentros— que acabó gestando el texto que hoy publicamos: debo confesar que me siento muy feliz de haber lanzado esta invitación y de haber ejercido, casi, de ginecólogo y de comadrona por razones de orden personal (dada mi amistad) y académico (una de mis líneas de docencia e investigación son los estudios de género y soy «investigador principal» de un proyecto oficial sobre diversidad sexual, masculinidad y cultura). También de pura militancia en favor de una memoria histórica tradicionalmente

---

[4] Este trabajo forma parte del proyecto "Diversidad de género, masculinidad y cultura en España, Argentina y México" (FEM2015-69863-P MINECO-FEDER) del Ministerio de Economía y Competitividad de España y se ha desarrollado en el seno del GRC 2017 SGR 588.

ignorada o negada, cuando no vilipendiada, en las geografías hispánicas a lo largo del siglo XX.

Por puro egoísmo individual y colectivo, entonces, debiera agradecer a Pepe Porras su extraordinaria bonhomía y pedirle perdón por todos los fórceps que fui aplicándole. Esta *Memoralia de aceras olvidadas* es un hermoso regalo que nos hace a todos, seamos o no mexicanos. Teniendo en cuenta, además, su edad (nacido en 1949) y su ya quebrantada salud, sus páginas se me antojan un tesoro y un legado.

Esta presentación debiera ser de otro tenor si a esta publicación no se hubieran sumado otras voluntades y experiencias, otros saberes. Por ello será muy breve y servirá solo para expresar mi agradecimiento sincero, también, a quienes colaboran en el volumen con textos de muy diversa extensión y entidad, con total libertad, azuzados por la «semblanza» de Pepe Porras: por orden alfabético serían Humberto Guerra, Mauricio List, Elena Madrigal, Ernesto Meccia, Rubén Mettini, Alejandro Modarelli y Saúl Villegas. Dejo en último lugar a Jorge Luis Peralta, quien ha sido el mejor motor imaginable para crear sinergias y complicidades.

Cuando estábamos cerrando el proyecto editorial, pedí a Pepe unos mínimos datos biográficos. Me regaló un texto que no puedo, ni debo, desaprovechar, pues tal vez sea la mejor introducción a su *Memoralia*. Con él acabo:

Vine al DF a principios de 1965, a estudiar el bachillerato, por lo que concluí aquí mis estudios secundarios, debido al tipo de calendario escolar, tipo A, en mi natal Huitzuco, Guerrero, y desde entonces no he cambiado de lugar de residencia. Mi vida escolar, familiar, laboral, profesionista y médico-hospitalaria ha sido en esta «muy noble y muy leal Ciudad de México», antes Distrito Federal y muy antes México, solamente, cuando, por mi orfandad, regresé a mi pueblo en 1962, a estudiar la secundaria, después del cuatrienio 59-62, fundamental para la infancia banquetera, callejera, camionera y cinera que añoraría en Huitzuco. Hoy tenemos un solo calendario escolar en la república, de agosto a los meses del verano del año entrante, según el sistema o nivel de estudios; vivimos, unánimemente, en la ciudad más grande del país y revelamos la misma sensibilidad y apego por nuestra urbe milenaria.

Desempeñé diferentes oficios: desde «trabajador doméstico», cadenero, vendedor de piso, agente de ventas, vendedor ambulante, mecanógrafo, oficinista, corrector de tesis, reseñista, profesor de bachillerato hasta colaborador en libros de texto, responsable de revistas académicas e impartidor de cursos a profesores de nivel medio y básico de ésta y otras ciudades del país.

Estudié la Licenciatura en Letras Hispánicas (1971-1975), en la Facultad de Filosofía y Letras de la UNAM, con mucho entusiasmo y mucho respeto por mis asignaturas y mis profesores, aunque mis calificaciones no lo demuestren, pero en este país se trabaja para estudiar, de día y de noche; bueno, cada tercer noche. La noche no laborable, la describo en la *Semblanza...*, lo cual tiene sus repercusiones. Sin embargo, la preparación que nos avengamos en la vida, nos motiva a seguir estudiando, de manera autodidacta o en colectivo, buscando asesores o sirviéndonos de la tecnología, formación colaboracionista interminable que, como todo, se vive en privilegio o en conflicto, breve o ampliamente, solo o acompañado. Y así obtuve la licenciatura en el año 2000, con la tesis *Una lectura feminista a «Nada», de Carmen Laforet.*

Como profesor, participé en las antologías literarias del bachillerato para el Colegio de Ciencias y Humanidades, plantel Vallejo de la UNAM: *Autores hispanoamericanos contemporáneos* (1986), *Autores españoles contemporáneos* (1990), *Autores modernos universales* (1991), *Autores clásicos griegos y latinos* (1993) y *Narrativa femenina contemporánea* (1995); en consecuencia, impartía los cursos correspondientes a profesores de nuevo ingreso o de carrera magisterial. Colaboré como reseñista en la revista *Culturemas* (México, 1985). Fui responsable de la edición de los *Cuadernos de Epistemología* y la revista *Aleph*, del CCH-Vallejo-UNAM (1994-1995).

Después de treinta años de trabajo como profesor u oficinista, me jubilé en el año 2016 y hoy disfruto de mi pensión, atiendo mis dolencias o enfermedades que hace años me aparecieron y estoy más tiempo en casa, sin olvidar mis paseos matutinos o vespertinos, ahora con mi amigo y compañero de 35 años de vida en pareja, a mis 69 años, pues nací en 1949.

Ya para despedirme, les invito a que lean las últimas páginas de *El monarca de las sombras*, de Javier Cercas, en las que nos dice de alguna manera que todo nos forma en la vida: familia, libros, estudios, parientes, paisanos, sangre e historia, cercanías y lejanías, ancestros y descendientes, amigos y enemigos, calles y ciudades, fobias y preferencias, pasiones y vergüenzas; eso sucedió con él, conmigo y, seguramente, con todos nosotros.

Muchas gracias.

¡Un millón de gracias, Pepe, por tu generosidad personal y por tu memoria prodigiosa!

MEMORALIA DE LAS ACERAS OLVIDADAS. UNA SEMBLANZA GAY DE LA CIUDAD DE MÉXICO

José Santa Ana Porras Alcocer

1. Nostalgia de una sombra ambulante por las calles de una urbe fantasmal

[...] Esta ciudad de ceniza y tezontle cada día menos puro,
ciudad de acero, sangre y apagado sudor.
Amplia y dolorosa ciudad donde caben los perros,
la miseria y los homosexuales,
las prostitutas y la famosa melancolía de los poetas,
los rezos y las oraciones de los cristianos.
Sarcástica ciudad donde la cobardía y el cinismo son alimento diario
de los jovencitos alcahuetes de talles ondulantes,
de las mujeres asnas, de los hombres vacíos. [...]
Te declaramos nuestro odio, magnífica ciudad.
A ti, a tus tristes y vulgarísimos burgueses,
a tus chicas de aire, caramelos y *films* americanos,
a tus juventudes *ice cream* rellenas de basura,
a tus desenfrenados maricones que devastan
las escuelas, la plaza Garibaldi,
la viva y venenosa calle de San Juan de Letrán.
Te declaramos nuestro odio perfeccionado a fuerza de
sentirte cada día más inmensa,
cada hora más blanda, cada línea más brusca.

EFRAÍN HUERTA, *Los hombres del alba* (1944)

[25]

Si bien es cierto que la década de los 60 fue la más difícil y peligrosa para los habitantes de esta ciudad, también es cierto que *Those were the days...* (*sing it* Mary Hopkin) de aquella ciudad maravillosa de andanzas callejeras, cantineras y calenturientas, para los adolescentes *novourbanos*,[5] venidos del rancho a la capital. Aquí se podía vivir, aquí se podía existir como homosexual y como profesionista, porque en los pueblos hasta el médico amanerado, el toribio o el maestro maricón era asesinado —al igual que el maestro comunista—.[6] En mi ciudad no, y digo mi Ciudad de México, y no *DeEfe*, porque como decía mi abuela: *eso es de nacos, de mecos y de pelados o de políticos*, y de estos hacía su distinción entre *el bajo peladaje* y el *alto peladaje*. Y digo mi ciudad, continúo, aunque no haya nacido aquí, pero aquí he vivido más de cincuenta años y aquí he realizado *todas mis vidas posibles* (*dixit* Beatriz Rivas): estudiante, maestro, vendedor ambulante, cantante, cadenero, agente de ventas, travesti, oficinista y escribidor; aunque travesti lo he sido siempre y lo hemos sido todos porque siempre estamos investidos de algo para ganarnos la vida y más en una ciudad como la nuestra, donde *el que no trabaja no traga*. Bueno, a excepción de la clase política, que esa sí traga y traga bien: la de derechas reunidas y la de izquierdas reconciliadas, la izquierda aderechada y la derecha izquierdizada, y otras más que aún no logro entender en su identidad, su esencia y su fundamentalismo.

---

[5] Jóvenes recién llegados del pueblo a la capital, pero también juego de palabras que alude a Salvador Novo, joven de urbe en su ensayo *Nueva grandeza mexicana* (1946), una elegía a la Ciudad de México, donde transcurrió su vida gay, contada en sus memorias *La estatua de sal* (1998).

[6] «Toribio»: contrario al toro, es decir, que recula y no embiste, que se hace hacia atrás y no hacia adelante, que no acerca el pene, sino que se lo acercan. En los estados del norte del país, los toribios eran los bailarines de grupos de ballet o coreografías de rumberas y exóticas. Estos jóvenes usaban pantalones entallados de gran colorido, con camisitas de puntas amarradas, de escarolas y mamboleras. Seguramente, no se trataba de hombres homosexuales, pero los machistas mexicanos así los consideraban.

Durante los años 60, fumar era un placer. Fumar, beber, mamar, coger, o debo decir follar, palabra más coloquial en España, porque aquí hemos regresado a la falacia: los ministros y los magistrados se han dedicado a censurar nuestro lenguaje. Después de los dos últimos sexenios de falange, ya se verá lo que hoy somos. Y no es que antes del 2000 viviéramos en el país de las libertades, pero hoy sí estamos instalados en el *newcon*, en el retroceso y en el puritanismo velado en la televisión, la radio y las publicaciones; bueno, hasta en el aula escolar (donde se presumía de libertad) hoy existe entre docentes y alumnado la delación premiada debida a la lealtad a quienes detentan el poder, a quienes pertenecen a las asociaciones de padres de familias y de alumnos, además de los módulos de asesores y tutores, nuevas prefecturas escolares para el maestro homosexual, fuente de seducción de adolescentes, y para el alumno perteneciente a la comunidad LGBTTTI.

En aquella década también había maestros seductores y, como *lolitas*,[7] desplegábamos nuestra sexualidad hasta ellos, iniciando así nuestra educación sentimental, pero yo no recuerdo ningún caso de persecución o muerte en la primaria, secundaria o preparatoria, niveles que cursé en los 60. Era mayor el miedo del gobierno a los estudiantes comunistas y de la Iglesia católica a los anticlericales; no importaba un asunto de maricones, cuya solución quedaba en los métodos policiacos: golpizas, extorsión, chantajes quincenales, saqueo domiciliario y, trágicamente, el asesinato en un callejón o en un departamento o una autopista. Por cierto, la licenciatura la concluí años después, debido a mi azarosa vida amorosa en los años 70, como la de mis inolvidables *comadres*.[8]

---

[7] Jóvenes quinceañeros gais que gustan de cautivar al profesor.
[8] Compañeros de vida homosexual, amigos, no amantes; confidentes y solidarios en conflictos económicos y sentimentales.

El testimonio de nuestra vida y pensamiento en esa década se puede rastrear en el cine urbano, entre 1955 y 1965, cuyo relato se inscribe en las lecciones de moral de las películas juveniles, en las que la homosexualidad no sucede en ningún personaje, mucho menos el lesbianismo. Cine que copia el machismo y la heterosexualidad obligatoria de las películas rancheras o de caballitos. Cine en el que los *bugas* se casan,[9] se redimen, se llenan de hijos y trabajan como hombres, en cosas de hombres, entre hombres (mecánicos, médicos, policías) y no son modistillos, cocineros, mecanógrafos, sastres, cantineros, maestros, enfermeros, decoradores de interiores, peluqueros, cortapelos (aún no se hablaba de *estilistas*) o algún licenciado de dudosa reputación: oficios estos, preferidos por *maricones*. En contrapartida, surgía un cine urbano, en blanco y negro, en algunos países, que desde los años 55-56 hasta el 69-70, ya en color, nos exhibe como una juventud insubordinada, drogadicta, anticlerical y parricida. Películas de Estados Unidos como *El salvaje* (1953), de László Benedek; *Rebelde sin causa* (1955), de Nicholas Ray y *La jungla de la pizarra* (1955), de Richard Brooks; *King Creole* (1958), de Michael Curtiz; de Italia: *La noche brava* (1959), de Mauro Bolognini (guion de Pier Paolo Pasolini, basado en su novela *Ragazzi di vita*, 1955); y de Francia: *Sin aliento* (*À bout de souffle*, 1960), de Jean-Luc Godard; *A pleno sol* (1960), de René Clement; *Jules et Jim* (1962), de François Truffaut y *París nos pertenece* (1962), de Jacques Rivette.

Y, aunque nuestro cine no alcanzó tales niveles de representación, sí se logró recuperar al público mexicano con películas que mal copiaban aquellos *outsiders* y en las que se agregaban otros elementos: el campus universitario, la llegada del rocanrol, la drogadicción, los torneos deportivos, las carreras en motocicletas y jóvenes generaciones de comediantes en historias como *La locura del rock and roll*, de Fernando Méndez y *Viva la juventud*, de Fernando Cortés,

---

[9] Un «buga» es un macho o heterosexual.

ambas de 1956; *Los años violentos* (1959), de José Díaz Morales; *Los jóvenes* (1960), de Luis Alcoriza; *Mañana serán hombres* y *Ellas también son rebeldes* de Alejandro Galindo, ambas de 1961; *Juventud sin Dios* (1962), de Miguel Morayta; *División narcóticos* (1962) y *El mundo de las drogas* (1963), de Alberto Mariscal; *Juventud sin ley* (*Rebeldes a go-go*, 1965), de Gilberto Martínez Solares; *Los caifanes* (1966), de Juan Ibáñez; *Cinco de chocolate y uno de fresa* (1967), comedia de Carlos Velo; *El terrón de azúcar*, de Tito Davison y *Cristo 70*, de Alejandro Galindo, ambas de 1969 y *Jóvenes de la zona rosa* (1970), de Alfredo Zacarías, entre otras. Cine que, pese a su atrevimiento, no logró superar la censura, en algunos casos, por lo que algunas películas fueron *congeladas* o borraron sus huellas, siendo difícil recuperarlas, como *Los años violentos*, *División Narcóticos* y *El mundo de las drogas*, pioneras del relato del narcotráfico, sin olvidar *Santo, contra la mafia del crimen* (1971), de Federico Curiel. Una acción insólita será la adaptación mexicana de la película alemana *Muchachas de uniforme* (1931, de Leontine Sagan), de tema lésbico, que realizó Alfredo B. Crevenna, en 1950, con Marga López, Rosaura Revueltas, Irasema Dilián, Alicia Caro, Patricia Morán y María Douglas, film desaparecido y recuperado para el 6.º Festival Internacional de Cine Gay de la UNAM, organizado por David Ramón, Mauricio Peña y Joaquín Rodríguez, en el cinematógrafo del Museo del Chopo de la UNAM (enero de 2011).

Ninguna novela o película de la década se dio a la recreación de los métodos policiacos contra los homosexuales, pero sí recreaban redadas, persecuciones callejeras, huidas, arrestos y extorsiones en *bares bugas*. Dos lograron fama de películas atrevidas, aunque no del tema que me ocupa, sino de la vida nocturna durante los 60, del mundo oculto de las drogas y los desenfrenos: primero, *Los caifanes* (1966), de Juan Ibáñez (lejos de *La noche brava* de Mauro Bolognini); después, *El terrón de azúcar* (*The Big Cube*, 1969), de Tito Davison. La primera con Julissa, Enrique Álvarez Félix, Sergio Jiménez, Óscar

Chávez, Ernesto Gómez Cruz y Tamara Garina. La segunda con Lana Turner y Víctor Junco —hasta la fecha, nadie se explica la participación de la bella platinada; seguramente ya no tenía trabajo en Hollywood—. Ambas películas contaban con un elenco juvenil mexicano de *avant-garde*. En esta última: Alma Muriel, Regina Torné, Carlos East y José Roberto Hill, que ya no eran jovencitos. Un drama de la *Mexican high society* con casa en Las Lomas y Acapulco, donde los *destrampes* sexuales, el alcoholismo juvenil, los hippies, la psicodelia, el LSD y otros narcóticos encuentran cabida en personajes urbanos, estereotipos del cine mexicano, dirigidos por Tito Davison, quien da otra lección de moral, al llegar los policías a investigar el narcomenudeo, el crimen y a un travesti alcoholizado, acompañado de otros personajes amanerados. Renglón aparte vale recordar *Cinco de chocolate y uno de fresa* (1967), en la que Juan Ferrara y Michel Strauss aparecen en una escena vestidos como meseras de Sanborns. Y es que la década mexicana de los 60 empezó a salir de un letargo en blanco y negro, con películas almibaradas, a pesar de las condiciones socioeconómicas manifestadas en las calles con los movimientos magisterial, ferrocarrilero, médico, azucarero, estudiantil, antes del 68. Un artículo de Sara Sefchovich (2008) nos ubica en la ideología de la década:

> *Se afirma que el 68* «cambió la historia del México moderno». ¿No será que creemos eso porque sucedió en la capital y porque quienes lo vivieron tienen hoy voz en los medios y lugar en la política y entonces hacen que se considere tan importante? Se afirma también que *fue una revolución libertaria, sexual, contracultural, semilla de la democracia.* ¿No será que es un recuerdo hecho de nostalgia pero también de intervenciones *a posteriori*, pues, como dice Carlos Martínez Assad, esa claridad en los métodos y objetivos de la que se habla hoy no era tan clara entonces? En todo caso, lo que tenga de momento significativo, que sin duda lo fue, no es por único sino precisamente al contrario, porque

forma parte de una larga historia de movimientos y conflictos sociales en el país, lo cual, por lo demás, es el proceso normal como se conforma la historia. Y por lo que se refiere a las nuevas costumbres y modos de pensar, tampoco los inventó sino que *detonó cambios que ya venían fraguándose y los hizo evidentes,* lo cual también es el modo como se resuelven siempre en la historia las tensiones que surgen entre lo nuevo y lo que se deja atrás y que provocan los saltos. [las cursivas son mías]

Durante los años 60, la policía urbana tuvo un lugar importante en nuestra vida callejera, cotidiana o nocturna, política y sexualmente hablando, por lo que surgieron aquí las primeras manifestaciones y movimientos que se extendieron como ondas a provincias, pues esta ciudad siempre ha sido el ombligo del país y se llega a ella por todos los caminos del territorio y aun ahora, cuando las capitales de los estados son cosmopolitas, la Ciudad de México continúa siendo la primogénita en todo: en bodas gais, en epidemias, en derechos humanos, en manifestaciones políticas, en movimientos sociales, en políticas públicas, etc.

Los espacios concurridos por nosotros, en aquella década de los 60, fueron los transportes urbanos, los baños públicos, los hoteles, los cines, las cantinas, los pasajes, los pasos a desnivel, los balnearios, parques y glorietas, los sanitarios de los estadios, de los grandes almacenes, de la plaza de toros, de las terminales de autobuses, del aeropuerto, de las Arenas, del lienzo charro, de los autocinemas, de los vestidores deportivos, los puentes peatonales del Circuito La Raza y Tacubaya, los pasos a desnivel de la Calzada de Tlalpan, los balnearios Bahía y Las Américas y, si me apremian, hasta ciertos atrios míticos, aunque los lugares pródigos por excelencia hayan sido el metro y los campus universitarios, públicos o privados. Y no olvidemos aquellos lugares emblemáticos de los años 40 o 50, que tenían mala fama o buena (según se viera) y que sobrevivían a las modas, las heridas urbanas, los ritmos musicales y los crímenes pasionales en algún hotel denigrado para siempre. Y recordemos las avenidas promisorias para el insomne y el turista, o el sitio de reconocido prestigio político, social, religioso, tradicional o de divertimento que nos brindaba la oportunidad de un furtivo encuentro sexual anónimo.

La escasa narrativa mexicana de crimen pasional escrita en los años 60 va desde el amor en las sombras hasta el amor público, y aparece en la nota roja de los periódicos tabloides de la época como *Alarma!* y *Alerta,* o en las fotonovelas sangrientas como *Casos de Alarma!* Recuerdo el tema homosexual en estas publicaciones o en otras, representado con tintes morbosos o ridículos y no con seriedad: si no me creen, vean el maravilloso libro de Susana Vargas (2014) titulado *Mujercitos.* En cuanto a novelas de la década de los 60, tres son las más conocidas: *El diario de José Toledo* (1964), de Miguel Barbachano Ponce, *Los inestables* (1968), de Alberto X. Teruel y *Después de todo* (1969), de José Ceballos Maldonado, cuyos protagonistas algo tienen de su predecesor, el enigmático Roberto de la Cruz de la novela *Ensayo de un crimen* (1944) de Rodolfo Usigli. Por último, en 1962, el nombre de una pieza teatral llamada *La calle de la gran ocasión,* de Luisa Josefina Hernández, sirvió para que nuestro club sesentero distinguiera la *especificidad* de la avenida San Juan de Letrán, actual Eje Central Gral. Lázaro Cárdenas, y aún *habemus gentes* que todavía la recorremos con nostalgia, sobre todo en las primeras horas de la madrugada o de la medianoche, buscándolo *a él,* en la calle donde yo cantaba «Mi gran noche», de Raphael (quien, por cierto, fue recordado con su canción «Digan lo que digan» por la compañía La Cebra Danza Gay, cuyos 18 años de creación fueron festejados el 22 de junio de 2014, con la obra *Negra noche blanca,* en el Teatro de la Ciudad, siempre con una propuesta militante).

A lo largo de San Juan de Letrán se encontraban los lugares más visitados por todos: la casa Nieto, la Torre Latinoamericana, la gran tienda Mercado de discos, las librerías Zaplana y Letrán, los cines

Teresa y Savoy, Coliseo y Mariscala, la tienda de artículos Domit, Hickok y Roberts, las zapaterías y tiendas de camisas, botas norteñas, pantalones, trusas y calcetines, relojes para caballero y estuches, el Hotel Coliseo, Meave, Avenida y otros, La Super Leche, los churros El Moro, La Rosalía (de comida española), los caldos de pollo Zenón, el Restaurant Asturias y los centros nocturnos: El Social, El Azteca, El Casa Blanca, el Bar del Hotel Virreyes y el Siglo XX, ya en Niño Perdido y Fray Servando, sin olvidar la Viana (hoy Coppel) del Salto del Agua y las terminales de autobuses Estrella Blanca, Tres Estrellas, Estrella Roja, Herradura de Plata y otras más que traían provincianos del centro y del norte de la República a esta bella capital, hermosos ejemplares en busca de una pieza, una casa, un amor de los que no dicen su nombre y que en su provincia era imposible realizar. Sólo aquí, en la hermosa capital los sabíamos valorar, atender, mantener, vestir y cultivar en su doble vida de casados.

Esta avenida, debido a su escasa longitud para *enamorarnos*, la extendíamos hacia al norte hasta la plaza Garibaldi y hacia el sur hasta la esquina con Fray Servando, debido al cabaret Siglo XX, famoso por la película *Los caifanes*. Y si bien cambiaba de nombre la avenida, no cambiaba en nosotros la intención: *encontrarlo a él*; de ahí que después de la Latino, camináramos por la manzana del Correo Central, llamada Juan Ruiz de Alarcón, frente al Palacio de Bellas Artes (¿lo ubican ya, *amici mei*?). Las siguientes eran las calles de Aquiles Serdán (de izquierda a derecha: edificio de La Mariscala y sus Bicicletas Galván, el Café París, el Cine Coliseo y el Cine Mariscala, el Café Viena, otro Mercado de discos, el Teatro Blanquita, edificios que se dañaron con el terremoto del 85, salvo El Blanquita, ahora con estación del metro. Ya muy noche, terminaba uno cenando solo en Garibaldi, porque *no lo encontrábamos a él*, y mejor, ya que a veces solo alcanzaba para mi cena o carne asada de a tres pesos y me quedaba viendo cómo se engullía, *él*, mi ración del día, pues casi siempre se trataba de un pueblerino que no traía dinero o lo habían asaltado en la terminal. Si era temprano *y todavía no lo encontrábamos a él*, llegábamos atisbando al Salón Bombay, con el riesgo de recibir una *madriza* porque *allí* nada más entraban *bugas* a verle el ombligo a las *exóticas*, luego *vedettes*, que en los 60 abundaban. Por eso íbamos a tal *congal*.[10] Porque *solo bugas*, advertía la fama. Al final, ya en la Calzada de Santa María la Redonda, después cruzar la Prolongación de Reforma, nuestro último templo era el Cine Apolo, lleno de morenos efebos *morrisones*,[11] de la Colonia Guerrero y Tlatelolco, *pero él no estaba o estaba y no era para mí o mi mala suerte me lo escondía*. Desgraciadamente, este recorrido no aparece en ninguna película de la década ni en posteriores, por ignorancia o por desprecio a tal periplo, ya que se sabía de él hasta en las mejores familias, y es que *las niñas bien* lo transitaban, de gafas y gazné, algunas hasta hablando inglés.[12] Ridículas como si no supiera uno de quién se trataba. Luego las veríamos en la fiesta de Polanco o de la Nápoles, de la Condesa o de la Narvarte, la Roma o la Del Valle. La Lindavista no, porque era una colonia muy mojigata, panista al fin, pero la Roma era la mejor.

---

[10] Burdel, lupanar, cabaret donde en la década de los 30 se bailaba la conga, ritmo de raíces africanas, presuntamente del Congo. La conga, por su ritmo y movimientos lejanos del baile convencional, escandalizaba a la sociedad y se consideraba música propia de casas de cita o de alterne, *night-clubs* y teatros de revista nocturnos. No obstante, fue del gusto popular y vecindario, de los salones de baile y fiestas como las bodas, quinceañeras y graduaciones.

[11] Jóvenes de los años 60 cuyo aspecto era parecido al de Jim Morrison.

[12] «Niñas bien» (sinónimo de «juniors» y de «yeguas finas») eran los homosexuales de cierto prestigio académico, político, social, económico y artístico, jóvenes o viejos, que frecuentaban los centros nocturnos de eventos artísticos carísimos, pero que a las tres de la mañana terminaban en restaurantes, bares, cantinas y *bodeguitas* de menos exigencias económico-sociales, con los parroquianos del Villa Mar, el Villa Rica, Los Pingüinos y el Garrakech, este en oposición al pseudobuga Marrakech de la Zona Rosa.

Ahí se consagró la movida en el 79, con *El vampiro*. Pero no nos adelantemos.

Desde luego que no faltaban otras vías: la avenida Juárez con sus célebres pasajes del Hotel del Prado-Azueta-Balderas-Humboldt, Juárez-Independencia de Seguros América, una cuadra más allá, sin olvidar los cines de visita rigorosa: Alameda, Variedades, Regis, Del Prado, Arcadia. Solamente los tres últimos tenían funciones matutinas, con películas atrevidas para la censura oficial que retrasaba los estrenos, por considerarlas indignantes: *Los amantes* (1958), de Louis Malle; *A pleno sol* (1960), de René Clement; *Sin aliento* (1960), de Jean-Luc Godard; *La dolce vita* (1960), de Federico Fellini; *La noche* (1961), de Michelangelo Antonioni; *Jules et Jim* (1962), de François Truffaut; las películas de la mancuerna Andy Warhol-Joe Dallessandro y las japonesas: *La mujer de arena* (1964), de Kobo Abe; y *Onibaba, el mito del sexo* (1964), de Kaneto Shindō; *Sandra* (1965), de Luchino Visconti; *Blow-up* (1966), de Antonioni; *La piel del zorro* (1967), de Mark Rydell; *El asesinato de la hermana George* (1968), de Robert Aldrich; *Las amigas* (1968), de Claude Chabrol; *Teorema* (1968), de Pier Paolo Pasolini; *Perdidos en la noche* (1969), de John Schlesinger; *La escalera* (1969), de Stanley Donen; *El mayordomo* (1970), de Harold Prince; películas que yo vi a los 18 años, con mi precartilla, mi dinero y mi *caifán*,[13] vestido como el Sargento Pimienta, en esos cines y en las salas Buñuel y Fernández, dos cineclubs de la bella Zona Rosa, para «intelectuales» o para mí, que buscaba a *Mis raros*.

Por avenida Juárez, concluíamos en el paseo de la Reforma: inmaculado, sobrio, elegante, limpio, siempre verde, con sus edificios de cristal y diamantinos, sus antiguas casonas porfiristas, cines, hoteles y restaurantes, adentrándose hacia la Zona Rosa o hacia la zo-

---

[13] Un «caifán» era un joven de los años 60, atractivo, atrevido, desaliñado, misterioso y romántico, de aspecto parecido a los personajes de la película *Los caifanes* (1968), de José Luis Ibáñez.

na de las embajadas que luego se fueron a las Lomas de Chapultepec. Cines de mi educación sentimental: Paseo, París, Roble, Latino
y Chapultepec, o los cafés Vendôme y Rendez-vous, restaurantes
como el Normandie, el Belvedere y el Emporio que nunca visité,
pero siempre rondé y rondé, como el Piano Bar Paseo, el Cyrus.
Mis andanzas por el Pasaje Woolworth o el Pasaje Hamburgo (más
lejos), el Sanborns de La Fragua, de Lieja y del Ángel. Cines con un
gran *lobby*, restaurantes de dos o tres entradas, hoteles de veinte o
treinta pisos que se llenaban de turistas que entretenían al recepcio-
nista, mientras nos escondíamos en el elevador o la escalera y
subíamos a la habitación. ¿Cuántas veces nos sacaron, sujetados,
por la puerta de servicio? ¿Con *mordida* o sin reloj? Sobre todo en el
68, año de la Olimpiada y la Masacre Estudiantil de Tlatelolco como
la de hoy, contra los normalistas guerrerenses de Ayotzinapa que,
desgraciadamente, desaparecieron en la ciudad de Iguala, donde
Elena Garro se inspiró para su gran novela *Los recuerdos del porvenir*
(1963) y donde estudié un año en la Escuela Primaria Nicolás Bravo, en 1956.

Tal vez sea necesario recordar un tramo de la avenida Insurgentes, desde Reforma hasta la glorieta Chilpancingo, es decir, desde el
Hotel Plaza hasta la *esquina mágica* del Cine las Américas,[14] bellísimo
recorrido iluminado, ancho, de seis carriles, camellón, tranvías y sus
tamarindos guapos, varoniles y de bigote, coquetos y *jaladores*.[15] Junto

---

[14] Enunciado que formaba parte del anuncio radiofónico de una tienda de electrodomésticos, ubicado en la esquina de Balderas y Artículo 123, donde se conseguía
todo para la mujer de la casa. De tal manera fue identificada la esquina de Insurgentes
y Benjamin Franklin, hoy Puerta Condesa Las Américas, que sus pasajes, tiendas, cines, librerías y pasillos promisorios de *ligue* amoroso o sexual aún siguen protegiendo.
[15] Los «tamarindos» eran policías de tránsito callejero, de uniforme color café en dos
tonos, como el tamarindo maduro, bajo sombrillas o parasol en cruceros o en las esquinas, de macana y silbato. Los «jaladores» son hombres heterosexuales que aceptan
un encuentro sexual con otro hombre, por curiosidad o por una parranda, no por
dinero.

al hotel mencionado estaba el Monumento a la Madre y el Jardín del Arte, famosos por sus paseos nocturnos de Sullivan y Villalongín, calles de tolerancia abierta, donde paseaban los primeros travestis. Se decía que eran hombres, pero no se les notaba, si no era por la voz. Esos ya empezaron, bien a bien, a principios de los 70, aunque se sabía antes de uno que otro que gustaba a los *guaruras* y a ciertos políticos y por eso lo buscaban.[16] Tres sitios distintivos tenía esa avenida: el cine Insurgentes y su glorieta, donde había dos bares *underground*, muy cerca de la Zona Rosa, en los que se escuchaban los discos de Adriano Celentano y Hervé Vilard: «Cambiemos al mundo» y «Capri c'est fini», bajo los efectos del carrujo; el almacén de Salinas y Rocha en la esquina de Sonora, donde dábamos vueltas a la noria hasta encontrarlo a *él* y la plaza comercial Las Américas, *la esquina mágica*, llamada así por un comercial radiofónico referido a una tienda de electrodomésticos, donde el ama de casa encontraba todo lo que necesitaba para el hogar. En la plaza Las Américas había bancos, librerías, cines, discos, Sanborns, tiendas de ropa y todo tipo de hombres. Y esto era caminar por esa avenida hacia el sur, por la acera derecha y regresar por la acera izquierda, viendo los vestidos de novia o los maniquís masculinos, tan guapos y bien formados que parecían tener vida, extender la mano, invitándonos a penetrar ese escaparate. Sueños de *Tele-Guía*, agenda televisiva única en la década de los 60.

Empero, ¿cómo era la relación, el encuentro, la *caza* o *ligue*, quién cazaba a quién, qué señuelos operaban, qué indicios y cómo se fueron sustituyendo bares, modas, pistas, gentes? En la lectura de las películas mexicanas, entre 1960 y 1980, se pasó de los personajes

---

[16] Un «guarura» es un guardaespaldas de autoridades políticas, académicas y económicas, también de artistas, deportistas y *yeguas finas*. La palabra deriva de la lengua tarahumara del estado de Chihuahua y significa digna autoridad (*wa'rura*), pero los guaruras son prepotentes, violentos, agresivos, matones, vestidos de traje negro.

conflictivos a los festivos, de las historias individuales a las colectivas, de la capital del país a la capital de provincia, del personaje enigmático al personaje alegre, del maduro seductor al ángel terrible, del viejo aprovechado al joven de provecho y buen provecho. La situación no era fácil ni segura, por más decididos que fuéramos, pues «la policía siempre vigila», lema de un viejo programa radiofónico criminalista, además de existir los *ganchos* que nos entregaban al agente más cercano, mediante un sueldo o comisión de cincuenta pesos de la década, cuatro dólares, más del sueldo mínimo para un muchacho que tenía que andar bien vestido, rasurado, buen corte de pelo, de traje y zapatos limpios, de bigote y patillas, reloj y camisa psicodélica, pantalones Topeka o jeans a la cadera, acampanados, con cinturón ancho de hebilla grande, gruesa y dura como lo que se veía en su mano, acariciándose la bragueta: «*Sono pronta*», decía la Queta; «*Estoy perdida*», decía la Georgette; «*Yo lo vi primero*», les gritaba y me colgaba de mi *engelbert humperdick azteca*.

Sucediera en el Cine Ritz, en los Baños del Peñón, en el Monumento a la Revolución, en el atrio de la Basílica o en el Pasaje Gante —famoso, hoy, por la película *Exxxorcismos* (2002) de Jaime Humberto Hermosillo—, podría yo, como primera opción: llevarlo a los sanitarios y ahí me quedaba sin dinero y sin reloj como el chavo de *Perdidos en la noche*; segunda opción: meterlo a mi cuarto y permitir que se lleve lo que quiera; tercera opción: llevarlo a mi cuarto, hacer el amor y permitir que se lleve lo que quiera, en el mejor de los casos, porque también se podría llevar todo y quedarme como Cabiria: sin un beso, sin un adiós y sin un peso en la *mariconera*, porque como dice Manuela a Rosa: «Las mujeres hacemos cualquier cosa con tal de no estar solas» (*Todo sobre mi madre*, 1999, de Pedro Almodóvar). Ya sé que Marga López y Libertad Lamarque, argentinas como Cecilia Roth, lo decían antes, en la «época de oro del cine mexicano», de donde les viene el melodrama a las generaciones de los años 60 así como de *El libro semanal*, *Lá-*

grimas, risas y amor, Sissi, secretos del corazón y los extractos de Caridad Bravo Adams en la revista doméstica *La Familia*, publicaciones sentimentales que fueron llevadas a la radionovela, fotonovelas y telenovelas que los hoy sesenteros coleccionamos, todavía. Y encontrábamos en esas historias lacrimógenas la inspiración a *nuestros amores torcidos, retorcidos y enroscados*, más que las cuitas de Werther o las vicisitudes de la virtuosa Justine, las tribulaciones de Törless o las relaciones peligrosas de Laclos, deseando un premio a nuestra virtud como cualquier *Pamela*.

Triste educación sentimental que terminaba en una cantina o en Garibaldi (para nosotros no había *peñas* ni discotecas) con un trío o con un mariachi, empezando como *las suplicantes*: «Hoy, otro amor, y mañana, otro más, eso eres tú y no podrás cambiar y hoy me muero porque dices que te vas. Qué voy a hacer con las noches que vendrán, cuando tú no estés en mi dolor de amar. No te vayas, no, pero si al fin te vas, mátame de amor una noche más», balada cantada por Alejandro Algara. «Ayúdame, Dios mío, ayúdame a olvidarlo, arráncame del alma esta pasión tan loca. Ayúdame, Dios mío, no quiero recordarlo, prohíbele a mi boca, que lo vuelva a nombrar. Si escribiste el destino de los dos por diferentes rumbos, no me dejes pecar al querer alcanzar lo que no puede ser», bolero ranchero cantado por María Elena Sandoval. «Cuando tus besos no puedan ser míos, cuando el deseo se acabe dentro de ti, no me ocultes la verdad, por favor, aunque me hagas llorar. Cuando tus noches no busquen las mías, cuando tus brazos no tengan fuerzas de amar, no me ocultes la verdad, por favor, aunque me hagas llorar. Mientras tanto, vida mía, no me dejes vivir sin ti, mientras tanto, vida mía, no te alejes de mí», balada cantada por Sonia, *la Única*. Para terminar en la noche con las *consolationes latinae* de Amalia Mendoza: «Quiero verte una vez más y ya», «Acaba de una vez de un solo golpe», «Ayer que te encontré quise alcanzarte, pararme junto a ti para gritarte: ya me olvidé de ti, ya no te quiero, hoy sé que sin tu amor ya no me muero», «Dar por un querer la vida misma, sin morir, eso es cariño no lo que hay en ti». Y rematar, retadoramente, en la calle con «Cuando el destino», con serenata para el *buga*, a la que salía su madre alterada a ofrecernos un tequila para el frío, bastante interesada la suegra convenenciera y mustia —como la mamá de Leonardo en *Después de todo* (1969), de José Ceballos Maldonado—. Canciones rancheras que nos llenaban de llanto, mientras llenábamos el bolsillo del mesero o del mariachi o del silencioso testigo seductor que se aprovechaba de nuestra catarsis, cantando, bebiendo, cenando y, tal vez, durmiendo en mi cama, disfrutando del reposo del soldado que había bregado toda la noche por su exclusividad, su paga y su almuerzo, según Javier Lavalle, maestro de Leonardo.

Boleros, baladas, rancheras de Tomás Méndez, Luis Demetrio, Álvaro Carrillo, Manzanero, *Ferrusquilla*, Cuco Sánchez, que todavía narraban una historia de desamor y dejaban una huella en la noche de la calle de la gran ocasión. Canciones que luego leíamos en *Notitas musicales* y abrían o cerraban la transmisión de una telenovela para mí, *Nueva Eloísa ye-yé* del mundo gay urbano: *El abismo, Teresa, Niebla, Amar fue su pecado, Más fuerte que tu amor, El despertar, La mentira, Corazón salvaje, Marina Lavalle, Yesenia, Estafa de amor, Senda prohibida*, en las que actuaban Beatriz Aguirre, Amparo Rivelles, Maricruz Olivier, María Rivas, Julissa, Angélica María, Fanny Cano, Irma Lozano, Irán Eory, Aarón Hernán, Enrique Lizalde, Carlos Bracho, Enrique Álvarez Félix, Héctor Andremar, Carlos Piñar, Juan Ferrara, Ricardo Blume y otros tantos que además adornaban nuestra galería de hombres semidesnudos en la portada interior de *Chicas y Cita, Linda, Ensueño, Capricho* y otras fotonovelas de la década que, con el advenimiento de los años 70, empezaron a desaparecer porque sus guiones parecían ya bastante ingenuos para nosotros, que llorábamos en cada desenlace; además, ya resultaban costosas en su factura y competían con el barato cine mexicano que reciclaba estas historias para señoras y señoritas, bastante taquilleras para la industria y sus autoras: Fernanda Villeli, Mimí Bechelani, Yolanda Vargas Dulché, Estela Calderón, Marissa Garrido, Caridad Bravo Adams, sin olvidar a Félix B. Caignet con *El derecho de nacer*, a Carmen de Icaza con su profesora de idiomas: *Cristina Guzmán* y a Leandro Bravo con su *Anita de Montemar*, en sus adaptaciones al radio, cine y televisión. Vidas robadas, vidas secuestradas, vidas atrapadas en la pantalla de cristal, las suyas y las nuestras.

De todo esto se alimentaban nuestra imaginación y nuestra realidad: de travestismo emocional. Es decir, vivíamos a través de las emociones de personajes heterosexuales, no de personajes homosexuales; estos no existían más que de manera ridícula y dolosa en la televisión y el cine. Uno supondría que en el medio artístico mexicano habría más apertura, pero la novela *La noche exquisita* (1965) nos dice que en ese medio se acostumbraba el canibalismo. Su autora, Luisa Josefina Hernández, es además dramaturga, ensayista, docente y traductora. La historia versa sobre la producción artística de escritores, pintores, escultores, músicos, actores y actrices de cine y teatro, escenógrafos y arquitectos, quienes dialogan una noche de premios y envidias desatadas; algunos, por cierto, homosexuales, preferencia que se daba en su vida real, pero no en la película o tragedia en la que participaban, según su oficio o profesión, que en este país de doble moral los gesticuladores siempre han existido, decía *César Rubio*, otro personaje de Rodolfo Usigli, mentor de la maestra Hernández, en la Universidad Autónoma de México.

Con relación a esta época, fue muy acertada y oportuna la exposición *Desafío a la estabilidad. Procesos artísticos en México 1952-1967*, montada en el Museo Universitario de Artes y Ciencias de la UNAM en 2014: entrañable exhibición y muestra a la que penetramos por medio de un *túnel del tiempo*, tan propio de ese periodo, cuando, mayormente, se dieron los movimientos sociales y culturales, en los que participaron ciertos intelectuales y artistas insurrectos, iconoclastas, irreverentes e indisciplinados. Según Antonio Espinoza (2014), en su artículo «El desafío del arte»,

> Luis Buñuel, Alejandro Jodorowsky, Juan José Gurrola, Salvador Elizondo, Rufino Tamayo, Mathias Goeritz, José Luis Cuevas, Manuel Felguérez, Vicente Rojo, Alberto Gironella, Pedro Friedeberg, Helen Escobedo... Estos y otros autores sacudieron fuertemente la cultura de su tiempo: no rompieron con nada pero sí crearon formas de expresión vanguardistas que abrieron múltiples caminos de experimentación en distintas disciplinas artísticas.

Los otros eran actores, actrices, directores de cine, teatro y televisión, cantantes, prosistas, poetas, escenógrafos, músicos, etc.: Carlos Monsiváis, Josefina Vicens, Juan García Ponce, Beatriz Sheridan, Carlos Ancira, Nancy Cárdenas, Julio Castillo, Margo Su, Juan Soriano, Pedro Coronel, Sergio Magaña, Elena Garro, Héctor Gómez, Ofelia Medina, José Luis Cuevas, José Antonio Alcaraz, Chavela Vargas, Raquel Olmedo, Francisco del Villar, Ana Martín, Bertha Moss, Alma Muriel, Fernando Wagner, Héctor Mendoza, Sergio Kleiner, José Roberto Hill, Margarita Bauche, Margie Bermejo, Diana Mariscal, Gunther Gerszo, Fernando García Ponce y algunos más, que desde su territorio artístico muy particular interactuaban en las disciplinas de sus compañeros, como dice Vicente Rojo en la entrevista de Sonia Sierra (2014):

> La relación que había en ese momento era de diálogo, todos comentábamos lo que hacían unos, lo que hacían otros. Era una época, además, donde algunos, o casi todos, podíamos viajar, traer libros, catálogos e ideas de lo que habíamos visto; el propio Gurrola se había formado fuera... En fin, había toda una especie de internacionalización del arte mexicano. Gurrola tenía ideas propias que yo traté de enriquecer. El diálogo era permanente. [...] Había muchas ideas que

estaban sobre el tapete y se podían aprovechar en una cosa o en otra. Las mismas ideas de Gurrola en este caso venían de sus puestas en escena, que eran extraordinarias. Se hizo, por ejemplo, el Primer Concurso de Cine Experimental (1965) y era también una combinación de varios elementos visuales y literarios; lo ganó Rubén Gámez con *La fórmula secreta*; el texto era de Juan Rulfo y era leído por Jaime Sabines. Un ejemplo de cómo se podían unir distintas figuras, personalidades o ideas. Todo este tipo de colaboración era normal, natural, a partir de ideas comunes o ideas que surgían en ese momento y que había que aprovechar; en algunos casos salían bien, en otras no. Había un interés de abrir ventanas, de abrir puertas, de enriquecer la visión de la cultura mexicana, no sólo de la pintura.

Empero, la vida homosexual mexicana no aparece en esta exposición que pregona la ruptura de la tradición. Seguramente ni se elucubraba acerca de esa vida, nadie la veía, a pesar de que estaba a la vuelta de la esquina, en nuestras casas y en las escuelas, en los medios y en las mentes, porque yo era homosexual y además comunista, era homosexual y además católico, era homosexual y además empleado, obrero o estudiante provinciano. Era tabú, pecado, delito o aberración de la Naturaleza; de eso no se hablaba, ni en mi cofradía comunista, aunque abundáramos en la sociedad y produjéramos la mayor parte de la cultura de este país y trabajáramos en los medios o en nuestro medio, declarándonos de varias maneras: en la calle, en la escuela, en nuestra familia, en la oficina donde yo empecé a trabajar a fines del 68. Maricones, comunistas y drogadictos no éramos sujetos de crédito moral y estábamos velados y vedados por las instituciones y nos rebelábamos ante esa negación e invisibilidad, pues ni queríamos morir como *José Toledo*, ni vivir como *Wenceslao* o angustiados como *Alberto Teruel* ni acosados como *Javier Lavalle*. Nosotros no estábamos ahí, nuestras demandas no eran prioritarias; además, esas cosas de maricones que las resuelvan entre maricones, el partido (cualquier partido político de entonces) no consideraba, no incluía esta realidad en sus prioritarias políticas públicas (es más, ni se hablaba de políticas públicas), aunque existiéramos en todos los partidos.

Con relación a esta década, sería bueno citar un largo párrafo ilustrativo y adecuado del artículo de María Minera (2015), pues consigue transmitir el espíritu de una época en la que una generación de artistas planteó una alternativa al dominio ejercido por los muralistas:

> Pero ha pasado casi medio siglo desde entonces y bien podríamos empezar a desempolvar un poco el asunto. Aunque sea para descubrir que la ruptura rompió menos de lo que se pensaba; o que, en todo caso, rompió, pero desde lugares (el cine, el teatro, la fotografía, las revistas, los happenings, las lecturas de poesía hasta las fiestas) en los que prácticamente no había reparado antes. Es decir, que lo más interesante de la ruptura tal vez no sea, después de todo, su pintura o su escultura (que, desde luego, tienen momentos de vigor y brillo absolutos), sino lo que se produjo al margen de los medios más tradicionales; o incluso en los intersticios entre los medios tradicionales. Lo nuevo, desde luego, no era tanto la abstracción (que ya para ese momento tenías más de cuarenta años) como los entrecruzamientos: ese terreno, entonces todavía inexplorado, donde artistas visuales y cineastas, dramaturgos y arquitectos, poetas y hasta actrices de telenovela se encontraban para dar salida a toda clase de mezcolanzas y objetos híbridos (filmes gráficamente intervenidos, poemas plásticos, ensamblajes reciclados, óperas pánicas, esculturas transitables) con los que fueron, poco a poco, deconstruyendo los parámetros de la producción cultural.

La verdad es que todo nos cambió en los 60, la década olvidada, desdeñada, como si nada importante hubiera sucedido durante esos años o lo que sucedió fuese vano y superficial, pura *pachequez* de gringos, nórdicos o *hippitecas*, bajo la influencia de María Sabina o de los libros de Carlos Castaneda: *Las andanzas de Don Juan* (1968), tri-vialización de Andar en la Onda, con los libros de José Agustín como *La tumba* (1964): irreverente, lúdica, urbana, juvenil y continuadora de una tendencia que ya había comenzado, propositi-va como contracultura, como disidencia, como el cisma religioso que representó la defensa del prior Gregorio Mercier o el apostola-do de la Teología de la Liberación, movimientos que dieron frutos: Genaro Vázquez, el Che Guevara, Paulo Freire, Lucio Vázquez y Ernesto Cardenal. Huelga decir que mucho de nuestro talento artís-tico homosexual se expresó en la Olimpiada Cultural y se vio trun-cado, como en otros países, en 1968, cuando la represión gubernamental se exhibió la tarde del 2 de octubre.

A pesar del desafío y la vanguardia, la organización homose-xual se avizoraba nítida y se quedó a la espera de mejores tiempos, mas no olvidaremos que los años 60 fueron el caldo de cultivo para las comunas hippies que pregonaban amor y paz en nuestras playas y bosques que, además, vieron pasar a las primeras parejas lésbicas y homosexuales de extranjeros desinhibidos, seguidores de *la Sabia de los Hongos*, ávidos de cannabis, peyote y toloache, pródigos en aluci-naciones, que conseguíamos allá en nuestros pueblos provincianos y puertos de playas nudistas, con gringos y alemanes, logrando la in-ternacionalización en la playa de noche, algo que recuerda Arturo Soto Gálvez (2014):

> Huautla de Jiménez ya no es la comunidad rural que descubrieron Bob Dylan, John Lennon, Mick Jagger o Keith Richards. Ya no hay casas de techo de palma; ahora proliferan construcciones de tabique en accidentada geografía. Las calles son angostas, empinadas con cientos de escalones que intentan llevarte al cielo. Rodeada de pode-rosas montañas que rasgan las nubes y las transforman en neblina, es-te singular poblado es tierra de chamanes, de hongos llamados «santitos» y hogar de su sacerdotisa María Sabina.

Mientras tanto, en la ciudad, la hilera serpentina de los *hare krishna* que venían desde Reforma hasta Madero nos sacudieron las telarañas católicas; los hippies, los karatecas, los folkloristas latinoamericanos y Joan Báez con canciones de protesta nos dieron otro escenario. Las canciones de Bob Dylan, Sonny & Cher, Peter, Paul and Mary, «La Ola Inglesa» y Los Creedence, The Doors, The Beatles y Janis Joplin se bailaban en las *discotecas bugas* de fugaz duración (debido a la razia, so pretexto de consumo de drogas) adonde entrábamos travestidos de heterosexuales a bailar, beber o discutir sobre las películas de la Muestra Internacional de Cine, el influjo de lejanos eventos como el Festival Pop de Monterrey, el San Francisco Pop Festival y el Festival Woodstock, *Hair* en Acapulco 69 y las extraordinarias obras de teatro en cartelera: *Una probada de miel (A taste of honey)* de Shelagh Delaney o *¿Quién teme a Virginia Woolf?* o nuestra filosofía cabaretera de *Cada quien su vida*, de Luis G. Basurto, éxito teatral de principios de los 60, en la que dos hombres reniegan de su mutua atracción sexual, una nochevieja, protegidos en el anonimato de una cantina: el Boby y el Ojitos, máximo atrevimiento del teatro mexicano de la década (la película homónima fue dirigida por Julio Bracho, en 1960, y la readaptación teatral estuvo a cargo del extraordinario Víctor Hugo Rascón Banda en 1994). En cuanto a los festivales rocanroleros mencionados, se trata del tipo de eventos que no teníamos aquí, pero que nos ilusionaban pensando que algo mejor pasaría con el tiempo e imitaríamos años después, ya fuera de la década de la contracultura. Y eso no fue hasta los años 70.

Por ahora, la herida estaba muy cercana y el miedo a la manifestación latía en las calles y explanadas; consecuentemente, es importante defender «Las cinco razones para participar en las fiestas del movimiento homosexual. Orgullo de poder ser diferentes», publicadas por María Jesús Méndez (2014), quien nos impulsa a recordar que algo de la primera razón y algo de la segunda imperaron, en México, durante los 60: extorsión policiaca, estancias en el Tribunal para Menores, consumo de lecturas clandestinas (*Las minorías eróticas*, del Dr. Lars Ullerstam; *El pozo de la soledad*, de Marguerite Radclyffe Hall; *Todo lo que usted quería saber sobre el sexo*, del Dr. David Reuben), acudir al consultorio del psicólogo, ser condenado por el cura en el confesionario, simular un noviazgo heterosexual, ver el matrimonio heterosexual como lo único válido en las fotonovelas, telenovelas, películas y secretos del corazón, llegar con miedo a la farmacia a comprar los medicamentos contra una gonorrea o bichos, salir a la madrugada de la recámara del amante y mostrar ser macho en la administración del hotel, acompañado de un chapero ocasional, o regresar a pagar con un trabajito sexual al administrador y al policía del hotel (mediante coerción, más tarde u otro día) y asistir a sesiones clandestinas para ver en el chalet de las amigas ricachonas, influyentes y acaudaladas algunas películas pornográficas que traían de San Francisco o Los Ángeles, California, EE.UU.

Cuatro novelas mexicanas recrean las dos primeras razones que hablan de nuestra vida amorosa, sexual, familiar y de comunidad gay que desconfiaba de sí misma, se acomodaba o se traicionaba. La primera tiene reseñas: *41 o el muchacho que soñaba con fantasmas* (1964), de Manuel Aguilar de la Torre «Paolo Po», inconseguible ya (véase Teposteco, 2015). *El diario de José Toledo* (impresa el 2 de julio de 1964), de Manuel Barbachano Ponce, es una historia de amor y miedo entre dos hombres que no se deciden a vivir en pareja, a pesar de que los dos sean mayores de edad y solventes para rentar un departamento, por lo que persiste la indecisión ante el compromiso, ante la crítica de los vecinos, ante la bisexualidad de Wenceslao, que no quiere dejar a la novia y vive con un hombre en Guadalajara, donde es travesti de cantina y, dolosamente, rehúye la presencia de José Toledo, quien se avienta desde la azotea de su edificio. La mente burocrática de los compañeros de trabajo, la hipocresía familiar, el disfraz heterosexual, la soledad en la Ciudad de México sin un lugar donde encontrar un ser que lo escuchara, todo eso empuja a José Toledo a suicidarse, pues no puede continuar viviendo de recuerdos, de llamadas telefónicas, de citas que no se cumplen y de rumores que le llegan de Guadalajara, por la familia o por los compañeros que hablan de la mala fama de tal ciudad. Se trata de un amor tortuoso, atormentado y frágil, que no se atreve a decir su nombre ni asumirse como tal. Por eso recorre las cantinas, lugares donde, obviamente, pierde el dinero o pierde la dignidad con borrachos asquerosos. ¿Será esto más ignominioso e indignante que el ceder ante la invasión de agentes judiciales en tu departamento porque tienes una fiesta de *lilos*?[17] ¿O pagar una multa por escándalo social o por faltas a la moral? Se trata de una novela en la que nuestra realidad homosexual se ve reflejada en algunos de sus eventos: el asesinato, el ligue callejero, el acto clandestino en el cine, la invasión judicial a la casa por una fiesta delatada, el *influyentismo* para salir de la cárcel, la cantina esperpéntica como refugio del alma, la compraventa económica y social con anuencia de los padres del hijo homosexual, la bisexualidad clandestina y la heterosexualidad obligatoria.

Esta realidad se complementa con la novela de José Ceballos Maldonado titulada *Después de todo*, cuyo protagonista, Javier Lavalle, profesor de ciencias experimentales (primero en la Universidad de Guanajuato y después en la universidad anónima de la Ciudad de México), es acosado por un chantajista periodista de nota roja de provincia y, para evitar el escándalo en esa ciudad ultraconservadora de doble moral (ya recreada por Jorge Ibargüengoitia en *Las muertas* y por Carlos Fuentes en *Las buenas conciencias*), se refugia en una vivienda de la esquina de Lucerna y Milán, cerca del paseo de la Reforma. Su hedonismo lo invita a disfrutar de los efebos de 15 a 25 años, pasando por todas las aventuras, tramas, tretas o truculencias eróticas, propias de un fauno, sátiro o Baco, en una ciudad anticua-

---

[17] Los «lilos» son homosexuales afeminados que gustan vestir de colores llamativos, sobre todo el color lila, y ser como esta flor: llamativa y destacable.

da de habitantes hambrientos de sexo, hoteles y pornografía, a principios de los 60, cuando tenía medios económicos, pero que a fines de los 60 ya es un viejo empobrecido, buscado por los *chichifos* de a diez pesos,[18] las *caguamas*, los cigarros, las Sabritas y los cacahuates japoneses, o bien, una botella de Bacardí con siete cocas y agua mineral, más unas tortas y diez flautas para cenar y no salir. Y esto era platicar y jugar hasta las tres de la mañana, con sus escapadas al baño o al dormitorio para iniciar al nuevo provinciano que los amigos le traían o para desquitar lo bebido, lo comido y lo fumado. Y todos eran *bugas* que tenían la noviecita santa en provincia o la esposa embarazada en la casa de los suegros. ¡Cuánta mendacidad! parece decirnos Javier Lavalle y todos dentro de familias ejemplares en ciudades de doble moral, llenas de *congales* y autoridades corruptibles. La novela se construye en dos historias que corren paralelas: la del presente en Ciudad de México y la del pasado en la ciudad de Guanajuato, y al hacer este recorrido por su vida, Javier Lavalle parece decirnos: he sido feliz, después de todo.

Los inestables (1968), de Alberto X. Teruel, es una gran novela, necesaria e importante para toda investigación literaria mexicana, a pesar del desdén o desconocimiento por parte de mis amistades. Si alguien quisiera conocer cómo era el ambiente gay de aquella década y de todos los tiempos, tendría que leer la historia amatoria de *Alberto Teruel*, también nombre del protagonista, historia de muchos aquí, allá y en cualquier parte. Una novela que alude a las tantas formas de amar siendo homosexual, novela que nos recuerda: no es lo mismo crecer como heterosexual que crecer como homosexual. Encontrar una obra de tal atrevimiento y conocimiento de la vida gay, en un país marcado por el machismo y la heterosexualidad obligatoria (de bares como El Eco o Los Eloínes, El Jena o el San-

---

[18] Un «chichifo» o «mayate» es un joven dedicado a la prostitución masculina. También existe el verbo «chichifear».

borns de Lieja o de Lafragua, de miradas furtivas) significa un gran eslabón literario mexicano, independientemente de escribirse más allá de toda teoría literaria, narrativa, sociológica o ficcional y sombreada por el discurso retórico y moral, patibulario y de púlpito de aquella época que no falta en ninguna década o lugar y menos hoy, tan acometida de neoconservadurismo, situación que Ana Clavel (2015) analiza en su ensayo «Eros a debate».

Leer *Los inestables* es entrar a una novela urbana, a una novela gay de la Ciudad de México de los años 60, a una novela gay de la clase media mexicana, que ostenta un lenguaje o jerga desconocida hasta entonces en la literatura, que recrea un grupo de personajes como en un mural de hombres y mujeres conocidos y reconocidos en el *ambiente* mexicano. La voz narrativa dice llevarnos del año 49 al 59, pretendiendo trazar una línea diacrónica sobre la ciudad, pero la historia de amor y desamor es más de los años 60, con algo que nos sorprende y agrada, pues hay en el estilo mucho de los intereses narrativos atribuidos a los escritores de la Generación del Medio Siglo: novela de ciudad, clase media urbana, ambiente artístico, discurso e introspección, relaciones humanas, hábitos y, sobre todo, en esta novela: la construcción de una poética del ambiente homosexual, del ser homosexual y del construirse homosexual, en esa otra voz narrativa que no se atreve a salir del clóset con su nombre, pues se imbrica en la que cuenta la historia. Salvo por los referentes sociales, que no políticos, aceptamos que el personaje va cumpliendo años, pero la evolución no existe, su bagaje homosexual aumenta, pero él no se da cuenta de su crecimiento. Otro aspecto pionero en la novela mexicana estriba en el rescate de la jerga lingüística de la colectividad homosexual, tanto en la voz narrativa como en el habla de los personajes, algo que seguramente explicará alguna teoría literaria que el escritor jamás se molestó en considerar en sus 373 páginas líricas, válidas y valientes, para su tiempo: se trata del ambiente de los *chichifos* de lujo en la clase alta. No son pícaros, son mercaderes de su cuerpo, gigolós, *mayates*,[19] chaperones bisexuales. Un párrafo del ensayo *La novela mexicana entre el petróleo, la homosexualidad y la política*, de Luis Mario Schneider (1997: 74-75), nos amplía la visión de *Los inestables*:

> La obra recorre el tema del amor no único, sino consecutivo, encadenado a una serie de experiencias que, como el título señala, se valoran en inseguridades, inestabilidades. Teruel parece asentar la tesis de que el signo del amor homosexual se mide por la aventura, por frivolidades, por una falta absoluta de estabilidad emocional. La violencia de la obra se afirma en que el placer es siempre transferido a distintas pieles para hallar su determinación. Intrigas y golpes físicos crean una realidad sórdida donde el desengaño es el único resultado de una ansiedad que no encuentra cauce, a no ser cuando aún el joven cuerpo manda, cuando la belleza ordena el encuentro. *Los inestables*, quizá sin saberlo su autor, nos da también el rostro de la vida misma, al margen de su propio tema.

Ese «rostro de la vida misma» pueden ejemplificarlo las páginas 99-100 de esta novela de 1968:

> Pero una noche, cuando menos lo esperaba Alberto, la venda le fue quitada de los ojos y descubrió lo que nunca imaginó existía detrás de toda esa encantadora seducción de Aldo... Estaban en una fiesta de

---

[19] Los «mayates» son varones dedicados a la prostitución entre homosexuales. La palabra es de origen náhuatl (*máyatl*) para denominar un tipo de escarabajo que al volar, en redondo, produce un zumbido duradero y ensordecedor. Tienen un color verde llamativo, metálico, mayativo, realmente. También se le llama rueda mierda, en subida, en picada o en plan, según el terreno. Nuestro saber popular atribuye este comportamiento a muchachos que cortejan a homosexuales para explotarlos, vivir de sus atributos y seducción: rodean, cortejan, encantan con su zumbido, visten de colores llamativos y empujan la mierda, como el escarabajo, en cualquier terreno.

«ambiente», elegante y sofisticada, a la que asistía la «elite» de la homosexualidad capitalina. La daba el anfitrión, uno de tantos, de los seres «raros» que le había presentado Aldo y de quien ya no se acordaba; con motivo del santo de su presente «amante», otro igual que tampoco había dejado la menor impresión en él, ya que todos allí eran iguales, se vestían en idéntica forma, hablaban de la misma manera, caminaban igual, y hacían el «amor» lo mismo... ¡eran parte del tipo «standard» del «medio», ya que a través del patrón estereotipado de su modo de ser, habían adoptado las mismas costumbres, gestos y artificios que tipificaban a todo el conjunto y hacían difícil el distinguir el uno del otro...!

Era a esas fiestas, a los «eventos» que menos le gustaba asistir. Todo se reducía siempre a lo mismo: «Chismes» de fulano en contra de «zutano»... «Venenos» sutiles y a veces francamente ostensibles de mengano contra perengano, por resentimientos de algún «amor perdido»... Miradas de odio de Juan a Pedro y de Pedro a Juan a la vez por haberse arrebatado traicioneramente sus amantes de «última hora» que habían llevado allí para presumir ante los demás. La consabida bebida hasta embriagarse para liberar los instintos... Los cigarrillos caros y extranjeros, nerviosamente fumados, para disfrazar la falsa seguridad en sí... El baile con las luces apagadas en donde intimaban entre sí los seres «grises» y buscaban la dorada oportunidad de «explorarse» mutuamente... El consabido «Show» de la noche en el que la más «loca» de la casa se disfrazaba de mujer: pintura, vestido, senos artificiales y todo, ocultando de una manera casi incomprensible... su símbolo de «masculinidad», para después quitarse poco a poco la ropa, al compás de una música «sexy», hasta quedarse en taparrabos o desnudo... Y más tarde, si la «pachanga» se ponía «atrevida»... se jugaba a la «botella», en donde en complicidad promiscua todos acababan besándose con todos sin importarles nada... o empezaban a quitarse una a una, sus prendas de vestir, al tocarles perder, hasta quedarse totalmente «encuerados», y ya con las luces apagadas, principiar la orgía de desenfreno y lujuria, en las que nadie sabía con quién iba a «perder»... Y por último, ya a altas horas de la noche, después del cansancio, el agotamiento y el hastío, venían las lágrimas, arrepentimientos, confesiones ridículas de «adulterio» y peticiones de perdón, las que matizadas por el excesivo alcohol, terminaban en no pocas ocasiones en golpes por despecho, insultos, rabietas, reclamaciones por un sentimiento o una susceptibilidad aparentemente lastimada por una palabra, un tono elevado de voz, una acción o un además sin importancia: y también por qué no, de uno que otro intento «frustrado» de «suicidio»... ¡Todo era verdaderamente un cuadro absurdo y ridículo, de teatro cómico!... ¡una página grotesca de circo semisalvaje!... ¡Un espectáculo de burda farsa de Gran Mundo a la alta escuela!...

Una página más, la 330, que recrea una fiesta en Acapulco o Cuernavaca, Taxco o Puerto Vallarta, La Paz o Cozumel, Mazatlán o Veracruz, nos recuerda el *Satiricón* de Fellini:

Los invitados estaban reunidos en el elegante hall, abierto al mar de la mansión, con el panorama esplendoroso a la vista de un gran trecho de la maravillosa bahía del famoso puerto. Al evento habían asistido toda clase de personalidades disímbolas. En su inmensa mayoría, eran atléticos y hermosos marinos jóvenes, con sus entallados trajes blancos, que contorneaban sus bien formados y musculosos cuerpos, y eran el «centro de atracción» de las numerosas «locas» de la fiesta: jóvenes y ancianos, quienes los miraban desorbitados y extasiados, llenos de «deseo», imaginando la fabulosa oportunidad que se les podría presentar con cualquiera de ellos, para «pasar un buen rato», y por lo que a través de miradas lánguidas de embeleso, frases almibaradas de halago, y ofrecimientos de regalo, y dinero, deseaban ser los primeros en conquistarse a los más guapos... El resto de la concurrencia lo formaban algunos elementos «locales», quienes habían ve-

nido en traje de baño, a sugerencia del anfitrión, y a los cuales colo-
caba alrededor del cuello, a medida que iban llegando, una guirnalda
de flores naturales como bienvenida; ya que se trataba de una fiesta
«Hawaiana». Entre éstos, se contaban los extranjeros, residentes habi-
tuales de Acapulco, quienes no faltaban nunca a ninguna de estas
reuniones «sociales»... Jovencitos «aventureros», de todas las clases
sociales y edades, que asistían a estos «eventos», con el solo objeto
de ver qué les sacaban en su calidad de «mayates» a los «volteados»,
a través de su belleza y promiscua accesibilidad: quizá invitaciones a
paseos, a compartir con ellas «da cama de un buen hotel»; soberbias
comidas; elegante ropa que se les comprara; algún reloj extra fino u
otra joya de valor; o tal vez aún el ofrecimiento «permanente», de irse
con algún viejo americano, canadiense o europeo, a residir con ellos
en su tierra natal, o simplemente, con algún «mano de Yo-Yo» de la
República, de posibilidades económicas desahogadas, quien se ena-
morara de ellos y los mantuvieran allí, o en cualquier parte, lo cual era
meta principal de la mayoría... Otros eran seres «normales» del gran
mundo social internacional, personas de «amplio criterio», que veían
esos «espectáculos» con la mayor naturalidad del mundo, sin extra-
ñarse de nada de lo que pasaba a su alrededor, pero sin «compartir»
sus juegos tampoco... Otros aún eran jovencitos principiantes, proyectos de «futuras locas descocadas», a quienes se llevaba allí como
«carnada» para algunos marineros un tanto «reticentes», y quienes
atraídos por su fresca juventud, se «atrevían» ir a la fiesta, para trabar
conocimiento con ellos y emborracharse juntos, pero quienes más
tarde, totalmente «perdidos» por el licor, se tornaban indiferentes a lo
que les rodeaba, y menos «discriminativos», yéndose a «acostar» con
las «locas viejas», que sólo esperaban esta oportunidad...

Después de leer estas páginas uno recuerda ciertas lecturas: *Las relaciones peligrosas*, de Laclos, o *La primavera romana de Mrs. Stone*, de
Tennessee Williams, o una sublime película italiana: *La noche brava*,

de Bolognini-Pasolini o *Rocco y sus hermanos*, de Visconti. ¿A cuántas fiestas semejantes asistimos, en los años 60, de la élite homosexual del arte, la política y la académica? ¿Cuántos sábados empezamos la tarde con un café en el Lady Baltimore de la calle Madero, antes de llegar a la fiesta? ¿Adónde íbamos a terminar *Sabato sera*? ¿A Garibaldi, a la Zona Rosa, a la Alameda Central? Y la madrugada del domingo: ¿a las cantinas o al regaderazo de los baños de La Merced, a la Plaza de la Soledad, a San Pablo y Roldán, donde los estibadores nos complacían sin escrúpulos ni recatos, por un almuerzo o veinte pesos? ¿O bien esperar la apertura de los Baños Ecuador, a las cinco de la mañana, para el multitudinario vapor?, ¿los Finisterre, los Torre Blanca?, ¿los Señorial para las *yeguas finas*?[20] ¿O bien a las terminales de autobuses? ¿A rondar las plazas de los madrugadores conscriptos domingueros de la Ciudadela y Tacuba-Legaria, o mercadear con los nadadores, mestizos apolíneos, de los balnearios Bahía y Las Américas? *Chi lo sa?*

Las páginas evidencian el pensamiento del autor, Alberto X. Teruel, pero las escenas son ilustrativas de una época y trashuman a *old fashion*, lo cual no obsta para leer la novela que incide en otra de las facetas de una sociedad mexicana del medio siglo, con fiestas, donde la *socialité* avasallada se daba gusto, a veces, también, con juegos de casino y consumo de narcóticos y otros raros excitantes, como en las famosas casas de juego clandestinas, de *rendezvous* y de ciertas

---

[20] Las «yeguas finas» eran las niñas ricas, niñas bien, *juniors*. Adjetivación que deviene del francés *les jeunes filles*, otorgada a las estudiantes del Colegio Francés, en México. Debido a que los jóvenes mexicanos no pronunciaban muy bien el francés, hablaban lo que escuchaban de las monjas que llamaban la atención de las chicas cortejadas por aquellos incultos que no entendían el vocativo admonitorio: jovencitas, cuídense; jovencitas, cállense; jovencitas, siéntense. Guadalupe Loaeza recrea esta experiencia en su obra *Las yeguas finas* (2003). Por analogía, así fueron llamadas las secciones de las discotecas que concentraban a cierto número de jóvenes de solvente condición económica.

liaisons dangereuses. La película *Doña Diabla* (1950), de Tito Davison y tres novelas veteranas nos remiten a esos espacios de la ciudad de los años 50-60, a través de sus personajes: *Ensayo de un crimen* (1944), de Rodolfo Usigli; *Casi el paraíso* (1956), de Luis Spota; *Los extraordinarios* (1961), de Ana Mairena, y cuatro recientes más que exploran la vida nocturna de doble moral, vida oculta tras cortinas: la transacción, la impunidad, las clandestinas casas de juego con gustos e inclinaciones permisibles sólo para la *jet set* y la corrupción en todos los ámbitos; en el político, el artístico, deportivo y homosexual: *La vida que se va* (1999), de Vicente Leñero; *La Bandida* (2012), de Magdalena González Gámez; *La bomba de San José* (2012), de Ana García Bergua; y *Campos de amapola* (2013), de Lolita Bosch.

Hubo otras obras que, de varias maneras, se acercaron a nuestro tema en los 60, con personajes de cierta ambigüedad o confusión sentimental / sexual, vigilados, con censura, sino es que autocensura del propio autor. Sin embargo, destacan *El norte* (1958), de Emilio Carballido; «Los amigos» (1962), de Juan Vicente Melo; «El verano de Berenice» (1962), de Jorge López Páez; «A la víbora de la mar» (1964), de Carlos Fuentes; *Los errores* (1964), de José Revueltas; «Estío» (1965), con Román y Julio en su camaradería excesiva, y «Mariana» (1965), con la devoción de sus amigas, cuentos de Inés Arredondo; *La noche exquisita* (1965) y *La memoria de Amadís* (1967), novelas de Luisa Josefina Hernández. «Cabecita blanca», de Rosario Castellanos, un cuento bastante ilustrativo de la vida que me tocó vivir en pareja, por ciertas circunstancias, en los años 60: esa pareja que vive en su departamento y visita los domingos a la manipuladora madrecita del hijo ominoso y su amigo complaciente, el cual se vuelve necesario para la familia y se aparece el 10 de mayo o en Navidad o el día que el patriarca no está en casa, con la indiferencia o anuencia de los demás familiares, sin mencionar nunca la situación y volverlo totalmente incorpóreo en la mesa, gracias a ese poder de invisibilidad matriarcal que violenta todos los componentes de una familia clase media: las amantes del patriarca, la soltería de las hijas y la homosexualidad del hijo. Algo más expresa Aralia López González (1994: 196): «Entre el padre y el hijo, el modelo de masculinidad viril y tradicional se ha deteriorado al extremo de que Luisito es homosexual. Justina y su marido nacen por los años veinte, los hijos por los cuarenta, y los hechos presentes se producen en la década de los sesenta». El cuento de Rosario Castellanos no se publicó, desafortunadamente, hasta 1971, con otros más sobre los convencionalismos de la clase media mexicana, en el libro titulado *Álbum de familia*.

A fin de enlazar párrafos, quiero decir que los prosistas arriba citados (a excepción de José Revueltas) formaron parte de la llamada Generación del Medio Siglo (cuyo *eslabón binario* lo integrarían Carlos Fuentes y Rosario Castellanos), compuesta por Salvador Elizondo, Juan García Ponce, Sergio Fernández, Sergio Galindo, Sergio Pitol, María Luisa Mendoza, Jorge Ibargüengoitia, Vicente Leñero, Elena Garro, Josefina Vicens, Inés Arredondo, Ricardo Garibay, José Emilio Pacheco, Sergio Magaña, Héctor Mendoza, Carlos Monsiváis, Tomás Mojarro, Maruxa Vilalta, José de la Colina, Tomás Segovia (los tres últimos nacionalizados mexicanos), Héctor Azar y Jorge López Páez, escritores que se apartaban ya de la literatura y del cine muralista que exploró la revolución mexicana a través del realismo social, naturalista, crítico o mágico, pues eran escritores que se inscribían en las tendencias artísticas más inmediatas: existencial, urbana, psicológica, de renovación lingüística y de *noveau roman*, corrientes que contribuyeron a la expansión y proliferación de una literatura de especulación y exploración sexual, como la nuestra.

La década de los 60 se cierra con dos películas que pretendían ser interesantes para el cine nacional, pero que se quedaron como inquietantes propuestas. En una el atractivo era la participación de Angélica María, la reina del rocanrol mexicano, cuyos fans nos organizábamos en clubes para que las radiodifusoras nos regalaran sus discos, fotografías, revistas o fotonovelas. No fue producto de ningún concurso de cine experimental, sino de un joven escritor del grupo literario llamado De la Onda. Se trata de la única película que dirigió José Agustín: *Ya sé quién eres / Te he estado observando,* de 1970, con nuestra fetiche de películas roqueras, telenovelas almibaradas, fotonovelas edulcoradas y baladas dolorosas que cantábamos en la secundaria y la preparatoria, año de mi emancipación, algo que mis tíos no pudieron lograr, por más que lo intentaron, pues la familia católica, provinciana y machista jamás se lo permitió, por lo que tuvieron que casarse y tener hijos, pero mis amigos y yo tuvimos otro contexto y conseguimos vivir como queríamos, sin que nos amedrentaran las condiciones precarias o el miedo a vivir con vecinos homofóbicos o con invasiones policiacas repentinas por denuncias vecinales que empezamos a confrontar. Otra película: *El deseo en otoño* (1970), de Carlos Enrique Taboada, con Maricruz Olivier, Sonia Furió, Pilar Sen, Silvia Mariscal y Queta Lavat, de tema lésbico, expuesto tortuosa y subrepticiamente, pero sorprendente y atrevida para la moral social de entonces. Película cuyos personajes tortuosos emparentan con el joven Juan Luis (Enrique Rocha), quien frecuenta las *bodeguitas* donde los hombres se frotan las piernas y se dan espaldarazos muy afectuosos,[21] que llevan a equívocos, insultos y madrizas en una de las extraordinarias escenas homosexuales de la película *Un alma pura* (1965), de Juan Ibáñez.

---

[21] Las «bodeguitas» son fondas, torterías, cantinas pequeñas, de cinco por quince metros cuadrados, de atención familiar de día, pero diferentes por la noche y parte de la mañana. De *bugas*, por la tarde, para luego dar cabida a todas las personas que deseen tomar unas cervezas, jugar dominó, póker o cubilete. Pocas mesas y una barra, un mingitorio sin puerta o con una cortina de plástico, un wáter y la pequeña cocina para capas y botanas. Música de rockola o trío norteño de acordeón, redova y guitarra. Bajaban las cortinas a las doce de la noche, pero adentro seguía la diversión hasta las seis o siete de la mañana. José Toledo, Javier Lavalle y Juan Luis frecuentan estas cantinas.

Faltaría hacer mención al grandioso caricaturista michoacano Eduardo del Río, «Rius», de humor político en sus historietas *Los supermachos* y *Los agachados*, a los libros de Carlos Castaneda y a nuestro máximo cronista de nuestra «muy noble y muy leal ciudad de México», Carlos Monsiváis (1970: 84-85), quien con singular ironía se refiere a la Zona Rosa como la gran paridora de los cambios artísticos, culturales, de vida nocturna y psicodelia, la moda unisex, el hachís, la cannabis y el LSD, la comuna hippie, Kung-Fu y los restaurantes vegetarianos, en su libro *Días de guardar*, que cierra nuestra década:

1965: El México pop se pone en marcha. El Primer Concurso de Cine Experimental suscita el deseo de una gran renovación artística. La vanguardia se aloja en la Zona Rosa. Con muy variados efectos, los intelectuales van a la televisión, el público descubre la existencia de intelectuales. Siqueiros aún exalta el muralismo y la lucha revolucionaria a partir de la denuncia pictórica, en medio del auge de los seguidores de Rauschenberg y Oldenburg. Se desata el culto de la moda masculina, se acentúa el imperio de las fiestas desquiciadas (a colores). La preponderancia del México pop. Se decreta (o se constituye casi legalmente) un catálogo de aplausos y prohibiciones y a la Zona Rosa acude un variado collage: estudiantes de inglés que aspiran a dominar el idioma porque eso se traduciría en «¿Cómo se dice money, Miss Del Valle?» / secretarias de juniors exequitives tan admiradas del dinamismo de sus jefes que deciden vigilar su atmósfera / pintores apenas hace un año empeñados en la denuncia proletaria y ahora compenetrados del action painting y el gazné policromo / contadores privados seguros del efecto de sus turtle necks y sus pantalones de campana y sus lecturas de Sartre (se dice con acento: Sartré) y El retorno de los brujos (se dice con admiración) / licenciados con bufete regular en Mochis o Monclova que van allí «para que no les cuenten» y que después serán las delicias de sus reuniones con otros matrimonios platican de las fachas estrafalarias y los ridículos espantosos / jóvenes tranquilos y calmados que hace diez años hubiesen sido dignos sucesores de papá pero que ahora, luego de lecturas varias y teveprogramas miles, se han sumergido en el desafío para volver provistos de melena y conversación de turismo zen.

2. Los años 70: las locas, el sexo, el cine, la novela y las discotecas

entons empecé a salir muchísimo a la calle me encantaba salir a la calle me sentía fascinado por la ciudad en esa época me parecía la ciudad de méxico la ciudad más cachonda del mundo la que más se prestaba a coger o sea que uno cogiera ¿verdad? la que más favorecía las este las relaciones sexuales entons yo decía «no ps sí esta ciudad es cachondísima para muestra basta la torre latinoamericana que es el falo más grande de latinoamérica» porque sí es como un falo ¿te has fijado? es larga como cualquier prestas que se precie de serlo y abajo hasta tiene sus huevos cuadrados pues pero huevos al fin y al cabo entons a mí la torre me parecía el falo más grande de américa latina y el palacio de bellas artes la chichi más gorda de todo el continente je y así toda la ciudad ¿no? cada rinconcito tenía un encanto muy particular muy sexual era maravilloso podías coger todo el día todos los días había hay todavía nomás que ahora está más vigilada la cosa había lugares para todas las horas del día

LUIS ZAPATA, *Las aventuras, desventuras y sueños de Adonis García, el vampiro de la colonia Roma* (1979: 200)

La década mexicana de los años 70 empieza, abiertamente, con una película de amor homosexual: *Los marcados* (1971), un *chili-western* gay de Alberto Mariscal; *La primavera de los escorpiones* (1971), de Francisco del Villar, sobre un guion de Hugo Argüelles, a la que seguirían *Las puertas del paraíso* (1971), de Salomón Laiter, con guion de Elena Garro, sobre dos amigos drogadictos de ambigua relación; *Fin de fiesta* (1971), de Mauricio Walerstein; *Ya somos hombres* (1971), de Gilberto Gazcón, que exhibe el *supuesto machismo* de jóvenes *bugas*, estudiantes universitarios de clase media. De Francisco del Villar: *El monasterio de los buitres* (1973), basada en *Pueblo rechazado* (1969), una obra teatral de Vicente Leñero, y *Los perros de Dios* (1974), con guion de Josefina Vicens. *La isla de los hombres solos* (1974), de René Cardona, basada en la novela homónima (1967) del costarricense José León Sánchez; *Chin chin el teporocho* (1976), de Gabriel Retes, que cuenta la trágica revelación homosexual de la novela homónima (1971) de Armando Ramírez, nuestro máximo escritor y cronista del barrio de Tepito. Dos películas de tema lésbico: *Tres mujeres en la hoguera* (1976), de Abel Salazar, guion de Carlos Valdemar y argumento de Luis Alcoriza; y *Cuando tejen las arañas* (1977), de Roberto Gavaldón, con un guion prealmodovariano de Francisco del Villar y Vicente Leñero. Finalmente, una película de Gerard Damiano, del norteamericano cine porno: *Garganta profunda* (1972), que, sin ser del asunto que nos ocupa, fue pionera en la apertura a las películas de tema sexual en nuestro Cine Prado. Las películas de la Muestra Internacional de Cine eran nuestra ambrosía mexicana, como *El cumpleaños del perro* (1974), *Matinée* (1976) y *Las apariencias engañan* (1978), del más valiente de nuestros directores, Jaime Humberto Hermosillo, además de *El lugar sin límites* (1978), del grandioso maestro Arturo Ripstein, todas de temática homosexual, y *María de mi corazón* (1979), también de Hermosillo, en la cual, sin ser del tema, actuaba en el papel de enfermera celadora Gustavo Xochilteotzin (*la Xóchitl*), cuya asombrosa vida dentro del *influyentismo* nacional la llevó a ser coronada, en el salón Los Candiles del Hotel Del Prado, como la reina de los homosexuales, según el artículo «La Cleopatra de la tolerancia», de Guillermo Osorno (2011).

Nuestras nuevas lecturas fueron *La alegre Madam* (1971), de Xaviera Hollander; *El varón domado* (1971), de Esther Vilar; *El exorcista* (1971), de William Peter Blatty; el libro de Salvador Novo *Las locas, el sexo y los burdeles* (1972); el cuento «Flavio», de Jorge Arturo Ojeda, publicado, primeramente, en mayo de 1973, en *Plural: crítica/arte/literatura* (pp. 41-44), revista de Octavio Paz, y después en *Documentos Sentimentales*, de Ojeda, en 1974. Otras de mis novelas favoritas serían *El padre prior* (1971), de Mauricio González de la Garza y *Mocambo* (1976), de Alberto Dallal, aunque las más entrañables para mí, fueron *Cielo tormentoso* (1972), de Carlos Valdemar; *La máscara de cristal* (1973), de Genaro Solís; *Sobre esta piedra*, escrita por Carlos Eduardo Turón y prologada por José Revueltas en 1976, pero no publicada hasta 1981; *El desconocido* (1977) y *Flash back* de Raúl Rodríguez Cetina (la última obtuvo mención honorífica en 1979 de la Casa de la Cultura de Michoacán) y *El vampiro de la colonia Roma* (1979), de Luis Zapata, entre las más divulgadas de boca a boca, de boca a oreja y de oreja a almohada.

Huelga decir que, desgraciadamente, pasamos a ser sujetos de crédito, es decir, de explotación bancaria. Se inicia el consumismo unisex y nosotros caímos condicionados. Luego vino el consumismo gay. Ahora sí importábamos porque empezábamos a ser grandes consumidores de bienes materiales, teníamos dinero, tarjetas para comprarnos ropa en Génesis y Acuarius o en la Zona Rosa, Polanco e Insurgentes Sur: zapatos, cinturones y *mariconeras*, lociones, maletines, coche, departamento y boletos de avión para vacacionar en el Hotel Condesa, Romano Palace o Princess de Acapulco; Puerto Vallarta, Jalisco o los tráiler-park de Zipolite y Puerto Escondido, Oaxaca. Aparecemos en la guía gay de las ciudades del mundo y las reservaciones a hoteles ya son más permisibles, es decir, sin interrogatorios como antes y sin la sorpresa de pedir una habitación para dos hombres, en esta ciudad o en Mazatlán, Puerto Vallarta, Las Hadas Manzanillo y Cancún, donde antes solamente los gais influyentes hacían reservaciones sin ninguna identificación. Hoy, ese universo nuestro se ha vuelto inaccesible, pues hasta una película o una novela son objetos de lucro para las tiendas gais que los venden, también porque nosotros hemos permitido ese abuso, aceptando tales precios excesivos, por lo que la solución ha sido «esperar a que se pongan más baratas, pues algún día bajarán de precio»: como dice el bolero «Falsaria», de los hermanos Martínez Gil, versos expropiados para el poemario de *Jotilandia*.[22]

Una obra teatral importante fue *Los chicos de la banda* (*The boys in the band*), de Mart Crowley en 1974, en el Teatro Insurgentes, con los extraordinarios Sergio Jiménez, Sergio Corona y Sergio Bustamante, dirigidos por Nancy Cárdenas, nuestra pionera del Frente de Liberación Homosexual, quien en 1975 escribió con Carlos Monsiváis el *Manifiesto en defensa de los homosexuales en México*, documento promovido, también, por Luis González de Alba y publicado por la revista *¡Siempre!* La labor de Nancy Cárdenas se extiende hasta el 2 de octubre de 1978, cuando durante la manifestación en recordatorio de la masacre de Tlatelolco capitaneó la Primera Marcha del Orgullo Gay en la Plaza de las Tres Culturas (semanas antes de la muerte de Harvey Milk, el 27 de noviembre). En 1974 hubo otro acontecimiento con *Los ojos del hombre* (*Fortune and men's eyes*) del canadiense John Herbert, en el Teatro Ofelia, con los grandiosos Xavier Marc, Ricardo Cortés, José Alonso y Jaime Garza, dirigidos por Enrique Gómez Badillo. Espacios teatrales de tradición conservadora, de pronto *modddderrrnos* con *Jesucristo superestrella* (1973), de A. L. Webber y Tim Rice, en el Teatro de Arquitectura de la UNAM y *Equus* (1974), de Peter Shaffer, en el Teatro Fábregas, fueron de asistencia obligatoria: la primera por el símbolo equino y la segunda por sus personajes *Pilatos* y *Herodes*, bastante gais en nuestra representación.

---

[22] *Jotilandia* es un neologismo gay que significa «tierra de jotos» o de maricones.

En funciones de medianoche vimos *Las amargas lágrimas de Petra Von Kant* (1972), de Rainer Werner Fassbinder, descubriendo a Hanna Schygulla; *Emmanuelle* (1974), descubriendo a Sylvia Kristel, e *Historia de O* (1975), ambas de Just Jaeckin; *Salón Kitty* (1975), de Tinto Brass, siguiendo a Ingrid Thulin; *Outrageous* (1977), de Richard Benner; *Bilitis* (1977), de David Hamilton; *Fedora* (1978), de Billy Wilder; *Calígula* (1979), de Tinto Brass. Luego, a la una o dos de la mañana, nos íbamos al Café de Woolworth, al Café Vendôme del Cine París, al Hazel de la avenida Juárez, al Pam-Pam y al Sanborns del pasaje del Prado o del Ángel, a caminar, a buscar, a ligar, a sentir el aire fresco en la cara por la Alameda Central. Eso era vivir de noche, caminar y comer cualquier cosa: un *hot dog* de carrito, una hamburguesa, una sincronizada, en la esquina del bar, temblando de frío en *la noche oscura del alma, tiritando azules los astros a los lejos y/o Sufriendo a solas*, como cantaba mi *comadre*, ladeando el gasné para que no se manche y parando el meñique porque escurre la salchicha de uno veinte. O bien, un café de chinos de Bucareli, pollo a las brasas en la Zona Rosa, si salíamos de El Roble, el Latino, el Variedades o El Paseo, donde, tal vez, con un poco de suerte, lo encontrábamos *a él*, a quien también le gustaban las funciones de medianoche.

La música disco y las discotecas ejercieron una gran influencia en la realidad del ser homosexual, porque fueron el primer centro abiertamente público para nosotros. De los 70 recuerdo el Penthouse, el D'Val, Le Famous 41, el Francis Drake, L'Baron, El Nueve, el Camelia 2000, El Sótano Inglés, el New York, el Míomundo, el Villa Mar, el NoaNoa y el Piano Bar El Paseo. En Acapulco: el Gallery, El Nueve y el Sans Souci. En nuestra Ciudad de México, dondequiera se inauguraban discotecas, y ahí estábamos nosotros bebiendo y bailando hasta las dos o tres de la mañana, o bien continuábamos en otra que no cerraba hasta las seis o cerraba a discreción, es decir, con servicio nada más para las parroquianas, adentro, con strippers masculinos. Recorridos nocturnos por paseo de la Reforma y avenida Insurgentes Sur, pero esta vez ya sin disimulo ni vergüenza, ni temor, aunque no dejaba de amedrentarnos la presencia policiaca de a pie, de patrulla o de redada, en contubernio con sus ganchos o carnadas.

Una gran aportación en estas discotecas fue la presencia, en los shows, de travestis o transformistas, caracterizaciones o imitaciones de Lola Beltrán, Lucha Villa, Lupita D'Alessio, Rafaela Carrá, Marlene Dietrich, Liza Minnelli, Shirley Bassey, Diana Ross, Edith Piaf, Sara Montiel y Rocío Dúrcal, quien en el 77 ya cantaba las rancheras de Juan Gabriel: «Fue un placer conocerte», «Jamás me cansaré de ti», «Tarde» y otras. El show travesti encarecía la entrada, escaseaban las mesas, agotaba los bancos de barras y generaba la corrupción para lograr un buen lugar, entre las ricas, las influyentes, las *juniors*, que las burócratas de estado, las empleadas de piso y las ejecutivas bancarias envidiaban dada su condición de medio pelo; sin embargo, otro grupo terciaba: las de rancio abolengo, añejas e insepultas que asistían como convidadas de piedra a un suceso anacrónico para su edad, sin clases sociales para sus ínfulas y algo utópico en su juventud, pero que presenciaban el show con boquilla, bisoñé e impertinentes. ¡Había quienes llegaban con un *propio*![23] O con un chaperón que se adquiría en la agencia de la calle de Palma, previa identificación y fianza. Antes íbamos, como decía Salvador Novo, a la *calle de los Donceles*, paseo obligado, durante los años 20, de los *huercos* que venían del norte a *chichifear* a novatas citadinas apasionadas que, sin lugar a dudas, siempre las hubo.[24] Dentro de nuestro egoísmo pensamos que en los años 20 o entre guerras (1919-1939) no hubo ex-

---

[23] Expresión que indica enviar un mensaje o un regalo con un propio, es decir, con alguien de su confianza, de su servicio, de su intimidad, *de su propiedad*, como se hacía durante el virreinato español en América o durante el coloniaje de cualquier país europeo. Las «yeguas finas» siempre llegaban con un propio, acompañadas de un propio, amigo en turno o conseguido en las agencias de las calles de Palma.

[24] «Huercos» son jóvenes atractivos de los estados del norte de México.

presiones gais, pero muchas películas han reconstruido esa época con lujo de detalle, como *Cabaret* (1972), de Bob Fosse; *Quentin Crisp. El funcionario desnudo* (1975), de Jack Gold; *Bent* (1997), de Sean Mathias; *El gran Gatsby* (2013), de Baz Luhrmann, *La chica danesa* (2015), de Tom Hooper y otras películas más.

Por último, nos faltaba mencionar a las pobres que ocupaban «la sección *conasupo* de cada bar»,[25] la sección de las obreras y una que otra mesera o maestra de primaria, porque las de filosofía, letras, derecho, ciencias, periodismo, administración y medicina se camuflaban por todas las mesas: tan pobres, tan tristes, tan inteligentes, pero tan feas que las *juniors* decían: «Si para ser tan culta tengo que ser tan fea, prefiero ser una estúpida». Al final, los *chichifos* se aprovechaban de todas: de las cultas, de las feas, de las *juniors* o de las pobres, «Pues en el padroteo no importa la raza, ni el credo, ni ley, ni condición social», así reza la sabia filosofía de La Gina. «Además, recuerden que siempre habrá otra que le dé más. Y cuando no les das dinero, les das asco». No obstante todo esto, *nos amábamos tanto...* Aquellos shows, cada vez más completos, admirables y actuales, fueron programados en los cines y teatros abandonados, debido al sismo de marzo de 1979. Nadie los rentaba, se desconfiaba de su construcción, se ofertaban y se les podía dar mantenimiento mínimo: el «Versalles», el «11 de julio», el «Venustiano Carranza» (donde se estrenó *El show de terror de Rocky*) y otros más utilizados solamente

---

[25] Esta sección era la más lejana y desangelada en las cantinas o bares, discotecas o restaurantes de ambiente homosexual. Ocupaba casi siempre el rincón mal iluminado y desatendido de todo antro de aquellas décadas. Sus ocupantes duraban poco tiempo, eventuales y anodinos, dándose a conocer por consumir una o dos cervezas, retirarse discretamente, como avergonzándose de su pobreza, en contraste con la clase media académica, burocrática y de empleadas de piso y ventanillas de banco que ocupaban la mayor parte del lugar, consumiendo tapas y bebidas, bailando y cantando con los músicos y mariachis, para envidia de las «yeguas finas» que, curiosamente, tampoco sabían disfrutar del ambiente, dados sus escrúpulos y arrogancia.

por nosotros, para nuestros shows que tanto dinero dejaban en taquilla.

Esta educación sentimental se veía ensombrecida por la asechanza policiaca, cuyas razias y levantones nos llevaban a la delegación o a la madriza en un callejón o a la desaparición en alguna fosa, sobre todo de 1976 a 1982, cuando se ejerció la mayor persecución desatada por la Dirección de Investigaciones para la Prevención de la Delincuencia (Sexenio de la DIPD). Recordaríamos sus métodos muchos años después, con la novela *Fruta verde* (2006), de Enrique Serna, y dos extraordinarias investigaciones de 2014: *Tengo que morir todas las noches*, de Guillermo Osorno y *Vivir la noche*, de Leonel Sagahón, donde destaca el entrañable, pertinente y trascendente ensayo «La carreta... C'est moi», del joven investigador Eduardo César Álvarez Espinosa.

No obstante, salíamos, esperábamos, vivíamos: vivir es un riesgo e imitar la ficción, más todavía. Y una obra que ejerció una fuerte influencia en nosotros fue *Lumière* (1976), de Jeanne Moreau, historia que, seguramente, ya nuestras «madres» o «abuelas» habían vivido clandestinamente o disfrazadamente, conocidas o de fama reconocida. Digo esto por los varios grupos que nos antecedieron en la ciudad o en la provincia, grupos que nos enseñaron a vivir en colectivo, es decir, tres o cuatro amigos en la misma casa o departamento, sin ser amantes, simplemente «comadres», compañeros de trabajo o de oficio en casa, aunque no fueron grupos que duraron mucho tiempo, a veces, un año, seis años, y después cada uno tomaba su rumbo. Esa fue una experiencia que olvidé apuntar en la década de los 60, cuando frecuentaba a mis primeras amigas de los cuartos de Venustiano Carranza 315, Héroes 234 y Mina 103, en el Centro Histórico. Cuarto, habitación o recámara, porque las rentas eran baratas. Algunos lo vivimos pobremente, porque apenas ganábamos el sueldo mínimo, que se iba en las cantinas o las tardes del sábado, que empezábamos a beber desde las cinco o seis de la tarde, con los amantes al lado, como cualquier José Toledo, Javier Lavalle o Alberto Teruel de Ciudad de México, aunque este último fuera de clase acomodada, accionista necesario para administrar las *cofradías* o *casas de asistencia*,[26] al menos para mí, que siempre anduve de un lado a otro de la ciudad por mi trabajo, oficio o labor y de todas obtuve gratas experiencias, aprendizajes, solidaridad y complicidad —y mi cirrosis de hoy.

La casa de La Gina fue mi primer refugio, de donde salí cantando la balada de Serrat «Qué va a ser de ti», porque de Venustiano Carranza 315 me iba a vivir hasta Ecatepec, por mi nuevo trabajo y por mi gran sueldo. La verdad es que salíamos varios: Armando a Milpa Alta, Beto a Colima y yo. Fernando se quedaba porque estaba haciendo el servicio militar, pero se iría a fin de año. Ignacio, *la Gina,* no se quedaba solo, siempre regresábamos a visitarlo, a llevarle bebidas, cigarros, botanas, un chaleco abierto y Raleigh, Bacardí, Sabritas, caguamas, en Navidad o el 31 de julio o el 15 de septiembre, Noche del Grito, de destaparse, de disfrazarse como en un carnaval. Cuando vemos a Simone Signoret en *Madame Rose* (1977), de Moshe Mizrahi, nos acordamos de Nacho, pues gracias a él estudiamos, trabajamos, aprendimos a esperar y a dominar nuestros arrebatos, pues no faltaba la loca de amor que se quería ir con el *chichifo* a Zipolite, Oaxaca, a montar un restaurante, o como yo, que me quise ir, con un amante, a vender zapatos a Guanajuato. «Están locas de la cabeza y de las nalgas —nos decía La Gina—. Aquí se quedan a estudiar y a trabajar en una oficina, no de meseras, como yo, que no tuve más que primaria de pueblo. Además, ese manteni-

---

[26] Las «cofradías», como *La casa de la Mema* (2014), de Annick Prieur, pero también como las casas donde yo asistía, con amigas, comadres, colegas, por un día, por un mes, por un año, respetando las disposiciones de quienes coordinaban esos colectivos de lucha, militancia o simplemente ayuda fraterna en esta Ciudad de México, de viejas confrontaciones contra el poder homofóbico político, social y clerical, por lo que siempre buscábamos solidaridad y apoyo económico.

do las va a dejar en la calle, sin dinero y sin negocio. O se encuentra otra, pues siempre hay alguien que ofrece más. Véanse en este espejo». Y aunque nunca le faltaba compañía, como a Javier Lavalle, siempre recordaba especialmente a uno, *a él*, a Ernesto, quien luego nos andaba persiguiendo por los cuartos y ahí surgía la lealtad, la probidad, pues no morderíamos la mano de quien nos daba el pan, aunque no nos daba el pan, porque todos trabajábamos en algo y le dábamos el dinero para que lo administrara como quisiera, sin contar lavado y planchado de ropa, o nuestros cigarros o mi querido cine. Solidaridad de grupo que se encuentra en la investigación de Annick Prieur titulada *La casa de la Mema. Travestis, locas y machos* (2014).

Otra forma de vivir más complicada y completa la tuvimos en La Casa de la Riquis, quien se sentía Jeanne Moreau en *Lumière*, porque ya ejercíamos el profesorado, en bachillerato, así que nuestras pláticas y amistades eran de ilustre prosapia. Vivir entre la intelectualidad nos dio otro nivel, un crecimiento que se manifestaba en disputas y preferencias: comprar los periódicos, inscribirnos en revistas literarias, comer en Filosofía y Letras, asistir a recitales de Mercedes Sosa, Nacha Guevara, Silvio Rodríguez, Atahualpa Yupanqui, Facundo Cabral, Joan Báez y Joan Manuel Serrat. También la Muestra y el Foro Internacional de Cine, dos veces al año. Conferencias de Guillermo Cabrera Infante sobre sus *Tres tristes tigres* (1967); Severo Sarduy y *Cobra* (1972), la primera novela de *drag queens*, pero sobre todo —y más que nada en el mundo— el grandioso Manuel Puig y *El beso de la mujer araña* (1976). Desde luego que no era fácil vivir en comuna, pero era lo más cómodo y barato y para todos: Gilberto, Saúl, Tomás, Iván y yo. Aunque colaborábamos para el agua, la luz, el gas, el teléfono y la fiesta del fin de semana, siempre surgían las discusiones por las bebidas, las fiestas, la yerba y los convidados. Bueno, hasta por la suscripción a la revista *Pravda*, por lo que la Riquis reprendió a la interesada y recuerdo muy bien sus palabras: «Si no nos han corrido de esta casa por mariconas, nos correrán por comunistas. Así que te manden la revista a otra dirección, no a mi casa. Además de loca, rojilla».

Pero la sectarista izquierda mexicana no nos incluía y, como no éramos bien vistos en los grupos de izquierda, organizamos grupos de doble moral, de doble tendencia, de doble discurso, pues de día éramos militantes de izquierda *buga* y de noche militantes izquierdistas mariconas, así empezamos a ser travestis. A pesar de ser universitarios, clasemedieros, profesores, abogados, médicos, nos absorbían los prejuicios y surgieron grupos de pobres, grupos de ricos, grupos de altura y grupos obreros: las *conasupo* (tan feas y tan pobres), las *nais* (tan ricas y tan brutas), las *cultas* (tan feas y tan ricas), la *chusma* (tan pobres y tan nacas) y tantos otros apodos más. Nada bueno surgiría de estas etiquetas, nada nos unía, ni la represión, persecución, desaparición o muerte, porque nos enseñaron a repudiarnos, porque nos sembraron el miedo, la corrupción y el influyentismo. La *Conasupo* era la Compañía Nacional de Subsistencias Populares que alimentaba a los pobres, algo así como la hoy Cruzada contra el Hambre. Estereotipos, prejuicios, escrúpulos, xenofobia y discriminación para el negro, prieto, moreno, aindiado y sin dinero dentro de la comunidad gay, pero no para el blanco, norteño, defeño o forastero famoso y extranjero. Xenofobia maricona frente a xenofilia insultante.

Hasta que los golpes, las redadas y la extorsión a la salida de las discotecas fueron nuestro temor viernes y sábados, sábados travoltianos y viernes de Donna Summer, de poppers y de mota. A fines de los 70, había que movernos porque todo se estaban moviendo en varios países del mundo, por lo que era necesario lograr un frente internacional y abierto a las diferentes orientaciones que ya no serían llamadas minorías eróticas ni perversiones, delitos o pecados. De manera activista y constructiva surgieron grupos que José César del Toro (2014: s.p.) enuncia:

> En México se forman organizaciones gay después de «la primera
> marcha del orgullo homosexual en 1979; las primeras formas de or-
> ganización grupal surgieron en la década de los setenta: el Frente de
> Liberación Homosexual (1971), el Frente Homosexual de Acción
> Revolucionaria (1978-1981); el Lambda (1978-1984) [...]» (Marquet
> 16). Según Claudia Schaefer, «son las eufóricas experiencias de los
> años setenta cuando grupos de liberación homosexual mexicana em-
> piezan a florecer y cuando los jóvenes acuden a la ciudad [...]».

Tal vez la vida en comunidad fue el germen de la organización que
nos hacía falta, aunque persisten los prejuicios y mucho más sofisti-
cados, porque nuevas diferencias se han visto y se han acentuado: el
gremio académico, el gremio televisivo, el gremio del poder, el gremio intelectual, el gremio de la calle y, si la vida en comunidad no
siempre será estable ni completa, no deja de tener su lado rescata-
ble, y más aún en los 70, cuando ya había parejas que llevaban un
buen tiempo viviendo en un departamento de la Nápoles, la Narvarte, del Valle, la Roma o Polanco, con años de convivencia (como
nos cuenta Alberto X. Teruel en las parejas de su novela *Los inestables*), parejas que veníamos a descubrir cuando alguno fallecía. Recuerdo a los grandiosos Charlie and Harry de *La escalera* (1969) de
Stanley Donen, una película cuyo retraso en México se entiende por
el machismo imperante en aquella época, pero que nos vino a advertir acerca de nuestra situación de indefensión y ciertas prácticas
homofóbicas que hoy son más arteras, armadas, montadas y prepa-
radas. No obstante, apreciamos esta película y otras de los 70, como
las llegadas de España: *Mi querida señorita* (1972), de Jaime de Armi-
ñán; *Los placeres ocultos* (1977), de Eloy de la Iglesia; *El transexual*
(1977), de José Jara; *Me siento extraña* (1977), de Enrique Martí Ma-
queda; *El diputado* (1978), de Eloy de la Iglesia; *Un hombre llamado
Flor de Otoño* (1978), de Pedro Olea, ... películas que provocaron tu-
multos en Semanas del Cine Español, por el destape español, por

abordar un tema antes censurado, pero sobre todo por mostrar un cine alejado del melodrama con boleros o baladas quejumbrosas, niños prodigio y paseos turísticos en tecnicolor. España nos indicaba que no trabajábamos aisladamente, nos advertía que estos directores construían otro cine español.

También de otros países vimos algunas películas extraordinarias, en muchos sentidos: *Satyricón* de Federico Fellini (1969, estreno en México en 1971); *Los amantes del músico* (1970, estreno en México 1971), de Ken Russell; *Los ojos del hombre* (1971), de Harvey Hart; *Muerte en Venecia* (1971), y *Ludwig* (1972), de Luchino Visconti; *Domingo sangriento* (1972), de John Schlesinger; *Cabaret* (1972), de Bob Fose; *Portero de noche* (1974), de Liliana Cavani; *Tarde de perros* (1975), de Sidney Lumet; *Vicios privados, virtudes públicas* (1975), de Miklós Jancsó; *El show de terror de Rocky* (1975, estreno en México 1979) de Jim Sharman; *Novecento* (1976), de Bernardo Bertolucci; *Jonás* (1976), de Alain Tanner; *Ifigenia* (1977), de Michael Cacoyannis; *La consecuencia* (1977), de Wolfgang Petersen; *La jaula de las locas* (1978), de Édouard Molinaro; *La vida de Brian* (1979), de Monty Python; *Nijinsky* (1980), de Herbert Ross y *Cruising* (1980), de William Friedkin: estas dos últimas películas cierran nuestra década de los 70. Tanto talento reunido fue algo señero, revelador y propositivo, convirtiendo cada película en una obra cargada de insolencia, irreverencia e inconveniencia, componentes que había necesidad de esgrimir, con un cine que se atrevía a ser crítico, subversivo e incendiario y de esa década. De entre todos nuestros directores, Pier Paolo Pasolini, artista homosexual, activista y comunista —rescatado en la película *Pasolini* (2014), de Abel Ferrara— fue nuestra herida sin cicatrización, cuyo legado va desde su guion para *La noche brava* (1959) hasta *Saló o los 120 días de Sodoma* (1975), como parte de la herencia que nos quedó con otras obras más, inolvidables, irrepetibles y únicas, como *nosotras*.

Antes de terminar, me referiré un poco a los libros mexicanos del tema en esta década de los 70. Primero *Las locas, el sexo y los bur-*

deles (1972), de Salvador Novo (1904-1974), de quien siempre representamos con asombro su pieza teatral *El tercer Fausto* (1934), una vuelta de tuerca al mito medieval, entre dos hombres. De entre sus últimos ensayos, destaca «Las locas y la Inquisición» porque se refiere a la tortura y muerte de los homosexuales bajo el reinado de Nezahualcóyotl, según Fernando de Alva Ixtlilxóchitl, Fray Bernardino de Sahagún, Bernal Díaz del Castillo y la *Monarquía Indiana* del misionero Fray Juan de Torquemada, el Santo Tribunal de la Inquisición y el virrey Marqués de Croix. Los nefandos sodomitas o sométicos, paciente o agente, mayate o cuiloni, antiguamente eran enterrados en ceniza hasta expirar; años después los llevaban a los quemaderos del Santo Oficio en San Diego o en San Lázaro, donde españoles, mestizos, indios o mulatos ardían toda la noche para llegar purificados al cielo, de tan nefando pecado del que abominaban sus eminencias, ilustrísimas y excelencias que también *se les hacía de agua la canoa*,[27] como a los funcionarios de su tiempo y de mis tiempos (Loret de Mola, 1999).

Actualización y vida, ironía y sarcasmo, de *Nuestro Padre Salvador* que en la *Nueva Grandeza Mexicana* (1946) erudita y gratamente nos pasea por su amorosa Ciudad de México. Empero, es en sus memorias, tituladas *La estatua de sal* donde apreciaremos la primera semblanza gay de nuestra ciudad, donde, «Descubierto el mundo soslayado de quienes se entendían con una mirada, yo encontraba aquellas miradas con sólo caminar por la calle: la avenida Madero, por la que entonces la gente paseaba lentamente todas las tardes» (Novo, 2002: 102). Descubrimiento y aprendizaje de vida sexual en cuartos amueblados de vecindades para estudiantes provincianos,

---

[27] Decir que *a Pepito se le hace de agua la canoa, que se le cae la peineta* o *que es de la mano caída* significa que es de la acera de enfrente, o sea, homosexual, maricón, lilo, toribio, afeminado, joto... Esta última era una denominación asignada a los presos de la crujía jota, donde encerraban a los homosexuales, en el antiguo penal de Lecumberri de Ciudad de México, seccionado alfabéticamente para los diversos tipos de presos.

billares y antros de misterios gozosos, gloriosos y dolorosos, cerca del templo de Santa Teresa la Antigua, Nuestra Señora de Loreto, Santo Domingo, El Carmen, Santa Inés, Nuestra Señora del Pilar y la Catedral Metropolitana. Cantinas: El Nivel, El Seminario, La puerta del Sol, dentro de la zona escolar de medicina, jurisprudencia y artes, campus universitario de los años 20. Sería bueno, si no es mucha molestia y el tema nos lo permite, visitar esos cuartos, «estudio», habitación, despacho, bufete, que frecuentaban las llamadas «chicas de Donceles», en las páginas 102-103:

La Madre Meza ocupaba uno de los muchos grandes cuartos amueblados en ese edificio por sus congéneres: el padre Tortolero, lleno de casullas y ornamentos de iglesia; Salvador Acosta, que no tenía más que una ancha cama siempre ocupada. Había otros, que yo no conocí, que lo visitaban; no era para acostarme con ellos, sino para que me permitieran, a trueque de cedérselos después, hacerlo con mis propias conquistas. Pero en aquellos «estudios» conocí a casi toda la fauna de la época: al padre Vallejo Macouzet, llamado Sor Demonio, que lucía en el labio la huella de una cuchillada, y que era famoso por la clientela de cadetes que le visitaban en su iglesia de Santo Domingo; al padre Garbuno, de Guadalajara, que andaba siempre con Sor Demonio: al Diablo en la Esquina —un señor Martell, famoso porque se decía que le había pagado 1000 pesos de oro a un torero por una estocada personal— y al licenciado Marmolejo, feo como un ídolo, que en su bufete sacaba de un cajón del escritorio de cortina la almohada que echaba al suelo para acostarse con los muchachos y eructar sobre ellos; y a la Diosa de Agua, anticuario, casado, con hijos grandes y nietos numerosos, pero persuadido de que sus conquistas se enamoraban locamente de él.

Había otro alcahuete, La Golondrina. Su cliente principal: aquel de quien era el atareado y eficaz surtidor de muchachos, era Richard Lancaster Jones. Pálido hasta la transparencia, poseía sin habitarla una casa suntuosa en Puente de Alvarado; pero dormía en el hotel de la avenida Madero en que tenía su ropa y sus numerosas medicinas. Por la tarde, se echaba un buen puño de pesos al bolsillo e iba a instalarse en el cuartucho que la Golondrina tenía por el rumbo de Guerrero o de la Lagunilla. La Golondrina empezaba su acarreo de desconocidos —a dos pesos cada uno— hasta que se le agotaban al señor Lancaster Jones, simultáneamente, las fuerzas y los pesos previstos para ese día. Habituado al lujo de la mansión que desdeñaba; a la limpia comodidad de su céntrico hotel, un irrefrenable masoquismo debe haber impulsado a aquel solitario a gozar en la sordidez miserable del cuarto de la Golondrina la juventud tonificante de sus víctimas. Los vasos comunicantes de aquella anónima cofradía me condujeron a otro edificio memorable, hoy derruido, que apodaban El Vaticano. En él vivían muchos otros; pero yo sólo visité el «estudio» ya mencionado de Chucha Cojines y con mayor asiduidad, el apartamiento del doctor Enrique Mendoza Albarrán, llamado Suzuki a causa de su rostro miope de japonés. A la casa del doctor Mendoza nos llevó al mismo tiempo a Xavier y a mí Gustavo Villa —la Virgen de Estambul.

Primicias de una autobiografía reunidas en 1945 y no publicadas hasta 1998, por CONACULTA en su colección de Memorias Mexicanas, páginas en las que Salvador Novo nos regala retratos masculinos, cercanos a su preparatoria y a sus primeros veinte años de vida, en esta ciudad cuyos cines, calles y cuartos de azotea le atrapaban.

Ahora me referiré a las novelas que abordan la vida gay en esta década, muy divulgadas por las *comadres* más leídas e instruidas, como decía el difunto Celso, otro de los entrañables compañeros que arrasaba el Lardhy-Villa Mar, cantando con el mariachi: «Que se mueran las feas», «Madrid», «Pichi», «El relicario», a las doce de la noche del viernes y sábado, en competencia con un maravilloso tra-

vesti llamado María de los Guardias que cantaba esa canción homónima y «Camelia la texana», interpretadas por Lucha Villa, en los
años 70. Villa Mar, salón para familias que tenía un encanto nocturno, clandestino y mágico, entre la luminosidad de las balastras y
el humo de mil cigarros, de diez de la noche a dos de la mañana,
hora en que bajaban la cortina metálica al entrar y salir de jóvenes
provincianos o defeños, obvios o discretos, bien o mal intenciona-
dos (según el gusto), silvestres o expertos en el arte de amar sin haber
leído a Fromm, seductores silenciosos o sonrientes conquistadores,
atractivos y atrayentes hasta para las más ricachas, estiradas y artificiales que salían de la discoteca ampulosa, *sufriendo a solas*, para con-
fundirse a escondidas, de gafas y gazné, untándose a la pared para
no ser vistas en la curveada escalera que descendía a la caverna iluminada de miradas y luces reflejadas en los espejos de las vitrinas.
Las parroquianas se erizaban ante la visita de las lagartonas y abra-
zaban al troyano azteca que libaba sus licores, sus besos y sus billetes, con el riesgo de quedar encandilada, como la Señorita Julia o la
Señora Stone. Bueno, «Vivir es un riesgo» (*dixit* Reinaldo Arenas),
sobre todo *antes que amanezca, cuando la aurora de rosáceos dedos...*

Cielo tormentoso (1972) y *La máscara de cristal* (1973) son dos novelas imprescindibles en esta década, pues aunque resultan poco atrac-
tivas para los teóricos literarios, son reflejo de una pareja de
amantes que existen, que suceden y sobreviven como sobrevivimos
nosotros: Carlos y Víctor en la primera, Bruno y Juan en la segunda,
son homosexuales de ciudad provinciana, clase media, frágiles y
vulnerables a la maledicencia social. Los primeros se enfrentan a las
autoridades de un seminario, bajo la observancia de los sacerdotes
reprimidos —semejantes a los de *Obediencia perfecta* (2014), película de
Luis Urquiza, basada en el cuento homónimo de Ernesto Alcocer
(2007)—. Los segundos, confrontan la observancia de la sociedad
conservadora y rígida que los impulsa a emigrar a la capital del país,
cada uno por rumbos diferentes. Historias que sucedían todos los

días, en los pueblos y en los seminarios, pero nadie se atrevía a contarlas. Carlos muere accidentalmente y Víctor vivirá para recordarlo. Bruno y Juan, después de una relación temporal, se separan y se reencuentran con una vida distinta: la indecisión y la culpa para Bruno, el cinismo y las truhanerías para Juan. Ya no son personajes accesorios de una gran familia de un cuento transgresor, son novelas dedicadas al estudio exclusivo de una relación amorosa que se esconde porque es perseguida, como nos escondíamos nosotros en la oficina, en el colegio, en la casa familiar y en la calle; personajes seguramente indiferentes para los lectores de la onda y del boom español y latinoamericano; personajes que sucedían *hasta en las mejores familias*, según la filosofía popular. Recuerdo que había hasta un cierto pudor literario. ¿Cómo puedes estar leyendo eso? Mejor lee *Terra Nostra* o *Rayuela...* ¡Qué hueva!, contestaba yo. No puedo acabar *El recurso del método* y todavía me falta *La cándida Eréndira*. «*Vade retro*, Satanás», me gritarán mil bocas, por irreverente, apóstata y renegada. Pero es que me cansó *Balún Canán*.

Y qué decir de las nunca bien ponderadas novelas de Raúl Rodríguez Cetina *El desconocido* (1977) y *Flash back* (1979), que se complementan, aunque entrañan una elipsis de cinco o seis años: la primera, historia de dos chichifos quinceañeros que saben explorar y explotar su cuerpo con turistas de Cozumel, Mérida o Isla Mujeres, consiguiendo una cena, un paseo, una prenda o unos dólares, sin ningún remordimiento, como lo hacíamos nosotros, como lo hacían los playeritos de Acapulco y Mazatlán, tal vez por hambre, tal vez por placer. ¿Habría ahí algo de gerontofilia y pedofilia compenetrándose? No se trata de la *Historia de dos pilletes* ni de *Las aventuras de Joselito y Pulgarcito*, ni de *Príncipe y Mendigo*, sino de aprendizaje y crecimiento sexual, callejero, nocturno, delincuencial, de violencia y soledad —quien vio *Los olvidados*, de Luis Buñuel, jamás olvidará la escena callejera en la que Pedro y el Pederasta Elegante miran el aparador iluminado y los ojos del niño nos lanzan una mirada retadora en la lucha por un sitio donde dormir esa noche—. Adolescencia soportada por la ilusión de llegar a ser grandes, de salir de la provincia, de pasarla bien hoy con un desconocido en hoteles para turistas. Anlino y Narvely son dos de los tantos colegiales dedicados al ligue en Mérida, «La Ciudad Blanca» de Yucatán: ahorran sus dólares, se dan pequeños gustos y algo se aman, pero prefieren no mencionarlo. Treinta años después veremos a otros jóvenes semejantes en las mismas calles y en el «Freeway», el antro de moda de la Mérida de Carlos Martín Briceño, en su libro *Los mártires del Freeway y otras historias* (2006).

Tiempo después, en *Flash back*, Narvely, ahora Remi, continúa su vida conflictiva en Ciudad de México y Nueva York, pero como un inestable, parecido a los de Alberto Teruel: no se acepta como bisexual, ni se quiere homosexual; casarse con Fabiola sería una trampa, pero seguir con breves amoríos lo incriminan, porque desea una relación estable que tampoco conserva pues no sabe retener a Luis ni a Ricardo, y a su mente vuelven escenas tristes y tortuosas de su vida familiar en Mérida que le impiden conservar una relación con quienes lo aman. Su deambular por las calles es su único alivio, huyendo de un pobre trabajo oficinesco, estéril, rodeado de gente mediocre, saliendo a las cinco de la tarde para ya no hacer nada, más que vagar por una ciudad fría e indiferente a su depresión y neurosis, solamente atenuadas por los sedantes, el vodka y un cigarro. Cercano a los personajes de Juan García Ponce y Joaquín Bestard (novelistas yucatecos palpables en *Flash back*), el desahuciado Remi analiza, discurre, examina su condición de desarraigado en una ciudad que no le alienta, a pesar de las relaciones amorosas que ha encontrado. Solamente cuando sale de la ciudad se entusiasma, pero le angustia el regresar a los días grises y noches frías, con inviernos de soledad y encierro para pensar, recordar y escribir páginas, sus páginas, su obsesivo flashback, pozo onettiano, náusea sartreana, sitio a solas de obediencia nocturna y escritura sabatina. («¡Pinche soledad!», *dixit* Filiberto García en *El complot mongol*, de Rafael Bernal). Veamos la página 27 de *Flash back* como muestra de nuestro deambular por las calles, aquellos días, como seres novourbanos, buscándolo a él, sin conseguir nada que llevarse a la cama y no dormir solo esa noche: buscar, ver, transitar, detenerse, continuar, mirar, saludar, pedir un cigarro, preguntar:

Otro sábado de soledad comenzaba a oscurecer en mi existencia. Otro fin de semana repetido en el silencio de mis manos, de mis labios, de mi sexo. Las siete de la noche al ponerme la camisa. Cerrar la puerta y tomar rumbo al centro, a extraviar mi soledad entre los rostros desconocidos de la calle o en la penumbra de algún cine. Qué otra cosa. Dónde. Llevo a la calle todo lo que soy. Y no quiero volver más tarde igual que como salgo. Que cómo entro en el Metro, en esa mezcla de olores, de calor, de mi confusa salida al centro. Llego a la estación Chapultepec. Subo las escaleras que me llevan a la noche, al querer volverme a casa inmediatamente. Atravieso Reforma, y el cine Chapultepec me enseña sus anuncios. Pésimo programa. La gente hace cola. Siento que alguien me observa. No sé. Sigo por Reforma. El frío de noviembre sopla mi cuerpo; estoy solo. Algunas parejas se cruzan conmigo. Mi nervioso caminar va por un tramo vacío de gente; sólo los árboles fríos y tristes, las lámparas, el deseo de no cansar mis pasos. En la acera de enfrente algunas personas conversan. Entro en el hall del cine Diana. Tampoco me interesa la película. Observo a las personas que sí entran. Me regreso. Sin premeditarlo, llego al acuario que se encuentra en el mismo hall. [...] En un alto del tránsito, camino hacia el Ángel. No me fijo en la gente, no hay razón para hacerlo, no quiero; volver a casa tal vez. Levanto la vista al Ángel que se enseña majestuoso por encima de mi ausencia. Camino dos calles, hay más gente por aquí. Entran en la Zona Rosa, o salen. Caminar por la Zona Rosa. No me atrae en este momento. Tanta gente. Buscan diversión. Voy a caminar de regreso hasta el cine Chapultepec.

De prisa. Me fijo menos en la gente, sólo tiemblo por el frío que me pega, y posiblemente sean las diez de la noche, las diez de la noche, las diez en mi no saber qué busco, por qué he salido a la calle. Necesito. Me urge. Qué. Dónde. A mis pasos ahora cansados, Reforma se enseña más vacía. Los árboles, hojas que tiemblan al viento. El rostro de la soledad me mira desde los edificios oscuros y cerrados. Triste cielo sin estrellas, triste cine Chapultepec que pronto va a apagar su marquesina, el Metro, el Metro iluminado. Tomo el tren. Me apoyo en la ventanilla. Cierro los ojos. Vuelvo a casa. Salgo y vuelvo. Me da igual. El ruido, el movimiento del tren. Abro los ojos. Veo mi rostro reflejado en el vidrio, lo veo igual que cuando salí, y ya me acerco, me voy a bajar.

Seguramente, tal solitariedad benedettiana inspiró los sonetos de Abigael Bohórquez en *Digo lo que amo*:

Saudade
A Dionicio Morales

I

Pensar que duermes y que, solamente
por no morir de ti, de tu cintura,
mi corazón: velero en andadura,
remontaría el aire, dulcemente.

Saber que duermes y que me condenas
a rotura de ti, a desprendimiento:
mi corazón a tierra, tú en el viento
y todo lengua muda y me encadenas.

Tú tan desnudo ahora y no te toco.
Tan dolorido yo y no te congojas.
Te me robas y en vano te convoco.

> Quédate así, amor mío. Si guardeces
> noche para la noche a que me arrojas
> de ti anocheceré, tú que amaneces.

Al igual que Remi, también nosotros deambulamos por las calles: Narvely, Alberto Teruel, Bruno, Javier Lavalle, José Toledo, Roberto de la Cruz, Salvador Novo, yo, tú, él, y sobre todo *Adonis García, el vampiro de la colonia Roma*, que, como un joven Agustín de Hipona nos confiesa sus tentaciones, o como un Wilde Defeño nos habla *de profundis* de su alma y su cachondísima Ciudad de México, o mejor aún, como un petit Villon trasminando su celda para acompañar al crápula Genet en la correccional o Tribilín (nuestro querido Tribunal para Menores).

Las aventuras, desventuras y sueños de Adonis García, el vampiro de la colonia Roma (1979), de Luis Zapata, es la historia más triste, festiva y entrañable de un chichifo que con cierto cinismo e impudor quiere decirnos que *el mundo es ansí*, en sus ciudades y en sus ruinas. Y si bien es un hombre joven, tal parece que se ha estropeado como la ciudad que *ha taloneado* día a día, noche a noche.[28] *El talón* lo está agobiando y no es, precisamente, el talón de Aquiles, ni el talón que desgasta en las losetas de la Zona Rosa, sino el talón del *chichifear* en esta nueva Nínive de las discotecas, donde a media noche todos los gatos son pardos y cada cliente un asidero, una esperanza para salir de la pobreza, sin trabajar y sin hacer daño, sino simplemente dando placer (*como el pajarillo de blancas alas, de balcón en balcón, de plaza en plaza, era joven y fiel, nunca dispuse de su tiempo y su piel, era un mocoso, y tan solo le miré de pozo en pozo*, como cantaba el joven Napoleón en su composición «Pajarillo», de 1977, canción que fue uno de los him-

---

[28] «Vivir del talón» o «talonear» significa estar en la prostitución, caminar y caminar y acabarse los talones de los zapatos buscando un cliente que pague el hotel y el servicio sexual, sacar para la renta y las medicinas, como las rumberas del cine mexicano.

nos del mundo gay). Si bien es cierto que la historia ya es reiterativa, la manera como aquí es contada resulta totalmente nueva, elemento que ha sido analizado por los eruditos. Aquí lo importante es rescatar esa experiencia amorosa o el arte de amar del que hace gala Adonis García, amando no solo al cliente, sino también la calle, la plaza, la glorieta, el callejón, la avenida, el parque, el deportivo, el gimnasio, la explanada y los baños públicos, lejos de la correccional, el Tribunal para Menores, *los judas* y *los azules*,[29] como lo dice en ese maravilloso elogio de la calle de las páginas 201-202:

en la mañana por ejemplo si querías ligar en la mañana te ibas a cualquier sanborns y ya ¿ves? ligabas o en el metro en la estación insurgentes o en las tiendas de discos también como de nueve a doce o doce y media se ligaba mucho en los baños del puerto de liverpool o en los baños ecuador o en otros baños públicos los finisterre los mina los riviera me acuerdo en especial de los ecuador que eran son increíbles porque es totalmente otra onda o sea ahí ves desde señores que dejaron afuera el galaxie y que nomás van a que les den su piquete hasta albañiles y carpinteros y demás que se van a distraer de sus obligaciones je pero ahí en los ecuador pasa una cosa muy curiosa que es que bueno hay muchísima cooperación entre todos ¿ves? como si todos fueran iguales ahí las clases sociales se la pelan al sexo ¿verdad? y todos cooperando para que todos gocen mira de repente ves así una bola de tipos amontonados ¿no? como si estuvieran haciendo una orgía y entonces llega un cuate y agarra la verga de uno y la pone en el culo de otro sí en serio ahí se pierden todos los egoísmos y todos se preocupan porque todos se vengan no sabes es padrí-

---

[29] Los «judas» eran los agentes judiciales, a veces ganchos traidores en el ambiente homosexual; otras, golpeadores y delincuentes con impunidad. Los «azules» eran policías uniformados de color azul, famosos por sus delitos y corrupción, mordidas e impunidad, relevantes en el cine mexicano.

simo después al mediodía ligabas en tolousse o en cualquier esquina de la zona rosa en cualquier esquina te salía alguien con quien podías hacerla por un rato pero ahí ya era más otra onda ya eran chavitos así como más decentes o bueno no decentes pues si fueran decentes no tendrían nada que hacer allí ¿verdad? ¿no? je pus son chavos más bien vestidos más hijos de familia y un chingo de extranjeros había un chingo de extranjeros y gentes de sociedad y demás en las tardes claro estaban los cines aparte de los cines más clásicos que eran el gloria y el teresa qué chistoso ¿no? que los dos tengan nombre de chavas y sirvan para lo contrario je aparte de ésos podías ligar en casi cualquier cine de la ciudad a mí me gustaba mucho ir al internacional que también era cine de ambiente o sea de poco ambiente pero sí había de repente había muy buenas ondas yo siempre tenía la impresión de que en el cine internacional iba a agarrar una buena onda y sí siempre me salía una buena onda además la ventaja que tenía ese cine era que no nomás ligabas ¿no? sino también cogías sí en serio había unas escaleritas que eran ideales para coger porque en general no pasaba nadie y menos durante la película y entons ligabas con un tipo y te lo llevabas a las escaleritas y ahí le dabas su piquete ¿no? chas chas chas ora que si querías ir a coger o a ligar por las noches entons sí se ponía la cosa gruesa porque había miles de lugares a donde podías ir aparte de los lugares ya definitivamente de ambiente o sea de centros nocturnos exclusivamente de ambiente como el penthouse que era maravilloso yo guardo así recuerdos muy especiales del penthouse o el míomondo o el villamar o las canastas pues aparte de ésos y de otros que abrían y cerraban al día siguiente estaban los sanborns que siempre han sido de una ayuda tremenda para la gente de ambiente siempre ha tenido algo que atrae a los gayos no sé por qué.

Quisiera terminar esta década con un comentario de la novela *Sobre esta piedra*, de Carlos Eduardo Turón, que ya desde su nombre resulta profética y fundacional, pues trata de un agente policiaco llamado

Pedro Jiménez, *Piedra* sobre la que se construye, en 1976, la nueva dependencia denominada Dirección de Investigaciones para la Prevención de la Delincuencia (DIPD), extinta en 1984 y de la cual no existen archivos, desgraciadamente, aunque fuimos muchos los que supimos de un levantón, tortura, desaparición o muerte realizada por estos *pedros*, o, en el menor de los casos: la siembra de un delito en el momento de ser detenido o al allanar nuestra habitación, introducían narcóticos en el pantalón, en la mochila o en un mueble, por lo que pasábamos dos o tres día en La Vaquita o en El Torito, si teníamos buena suerte; otras veces nos subían a dar un paseo en coches negros, sin placas, de vidrios oscuros, sin manijas las puertas traseras y apestosos a odre, donde nos llevaban agachados para no saber por dónde era el periplo, mientras oíamos una voz carraspeada en una radio ruidosa dando órdenes, para dejarnos en las afueras de la ciudad, sin dinero, sin reloj, sin abrigo y a las tres de la mañana. Tal vez, antes, pagaríamos la cuota rigorosa, es decir, tener sexo con todos ellos, hecho que obsesiona a un policía como Pedro Jiménez: tener al homosexual a sus pies, para repudiarlo, para demostrar que él no lo es, aunque sus persecuciones, juegos amorosos, relaciones sexuales y aun sueños y pesadillas tienen una fuente masculina. La corrupción, el saqueo, el delito, el asesinato, el ascenso esperado, la repartición del botín nocturno, la impunidad y las drogas son temas de la novela, de ayer y hoy, como los relatos de David García Salinas en *La mansión del delito* (*1.ª parte: Huéspedes de Lecumberri* [1977], *2.ª parte: Huéspedes de la Gayola* [1978]) o *Gendarmes y guaruras* (1985), obras consideradas por Carlos Monsiváis como «crónicas del experto», en su ensayo «Fuegos de nota roja» (un texto en el que da cuenta de la transformación de la nota criminal-pasional a la nota roja del narcotráfico, en la que participan todos los grupos sociales y los sistemas de justicia y seguridad, entre ellos la DIPD). Lejos está Pedro Jiménez del agente Desiderio Grajales, protagonista de *Los mártires del Freeway* (2006), de Carlos Martín Briceño. Conozcamos el pensamiento de Pedro Jiménez, asesino, exconvicto (*piedra* sobre la que se edificaría la nueva policía), mantenido de ambos sexos, *padrote*[30] y *chichifo*, crecido en la corrupción, guardaespaldas, agente de la policía secreta, con un hermano homosexual al que envidia y algo más que cavila en las páginas 44 y 78:

> Hasta ahora no he podido saber qué significa ser más hombre de lo que soy. Siempre me he tapado bien el culo. Yo nunca he sido pendejo y los demás son putos de nacimiento. He bebido, he fumado mariguana, me he partido la madre con muchos, he chingado a muchas viejas y me he mordido un huevo y la mitad del otro sin ninguna encabronada queja. Y hasta me han pegado tres o cuatro gonorreas, pinches condecoraciones, pero no se me ha escapado ninguna buena nalga.
>
> No asustarse parece ser la condición. Yo me he aguantado el susto. ¿No es bastante? Lo desagradable del peligro es no morir en él.
>
> He dicho que no me quejo y me estoy quejando. Ya todo pasó. Juro por mi santa madre que no volveré a meter la pata. Si mi secre Ibáñez se entera, de seguro que me brinca. Y eso sí que no. Nunca volveré a darlas.
>
> Al fin y al cabo todos los Jiménez tenemos la suerte de ser vergones, sin ser feos, no andarnos con chingaderas. Hay que aceptar que la tía Rosi ha sabido vivir y que no tiene la culpa de nada. Ayer, precisamente, Salvador, de quien no debo decir que me lo cogí porque es mi hermano, me lo decía. Ninguno de nosotros es culpable. Así tenía que suceder. [...]

---

[30] Mayate, chichifo, proxeneta. El padrote es el contrario al padrecito que ayuda y bendice, al padre que protege y provee de alimento. El padrote vive de explotar a homosexuales y a prostitutas. El padrote es golpeador y delincuente. Los más famosos del cine mexicano son «Paco» de *Salón Mexico* (1948), de Emilio «Indio» Fernández, y «el Tarzán Lira» de *Cadena perpetua* (1979), de Arturo Ripstein.

Cuando me hice amigo de mi arquitecto Gómez, no conocía a putos como él. No le importaron mis desplantes y se conformó con verme. Quería que estudiara en serio, no la hija de la gran puta carrerita de inglés. Como si ignorara lo inútil que es saber demasiado. Yo, así como soy, pienso más de la cuenta. Un poco más y me pudro para siempre en la Peni. Ser listo, correcto, sabroso, pero ¿sin ideas? Mi arqui nunca entendió que basta quedar bien con Ibáñez y otros cuates para que todo se resuelva y uno se cague en quien se le antoje. Yo no nací para Cristo. Como los buenos azules, ya comienzo a creerme aquello de que sólo los hampones ven un hampón en un policía. [...] Pero me chinga que mi arqui no comprendiera mi alguito de orgullo y no me pidiera ni agua. Aunque no era Ruth ni Paquita, estaba dispuesto a cogérmelo. Que al fin a mí se me para con cualquier nalga.

Las ideas de Pedro Jiménez, sus objetivos, intereses e intenciones, al ocupar la plaza de agente secreto, solo se ven empañados por la obligación de ser el amante ocasional de una señora influyente en su nueva oficina, donde todos lo ven, ahora, con respeto y miedo. Policías semejantes conocíamos en las *bodeguitas*, esas cantinas clandestinas que bajaban las cortinas a las once de la noche, para dar rienda suelta al carnaval donde todos entrábamos al sorteo. Los pingüinos de Oaxaca 80, Las Garnachas de Toledo y Tokio, La Lucerito del mercado de La Villa y el maravilloso Pulmex S.A. de la Nueva Atzacoalco eran salones familiares desde las once del día, que en la noche se transformaban en paraísos fellinianos que escondían al policía, al travesti y al asesino, con música de rockola. Pero en el Pulmex la fiesta empezaba a las once de la mañana, los sábados, esperando a que los futbolistas terminaran sus partidos amistosos. Se trataba de trabajadores de las distintas industrias cercanas que organizaban torneos, a los que asistían familiares, pero los deportistas exigían su libertad al yugo matrimonial y al explotador industrial, por eso se iban solos al Pulmex, adonde llegaban las vestidas, las intelectuales y las de la Colonia Condesa, a las que les enviaron una cubeta de «curado» de piñón, unos atentos y sonrientes futbolistas que como Ninetos o Francos pasolinianos seducían silenciosamente a las incautas. Era entonces cuando actuaban los policías, envidiosos de la felicidad ajena, de la suerte ajena, de la alegría ajena, y esgrimían su *charola*, su fuerza y su impunidad. Estos encuentros terminaban en desgracia sangrienta o en abuso sexual, en multa económica o encierro en El Torito. Y yo me preguntaba: ¿por qué siempre tenemos que huir? ¿Por qué tenemos que vernos en secreto? ¿Por qué nuestra historia homosexual estará unida a los policías, a los golpes y a la degradación? ¿Perseguida por agentes tipo Pedro Jiménez, anticipándose a *Cruising* y consecuentes de *Roberto de la Cruz*? Homofobia policiaca frente a una homosexualidad humillada. Pero así crecimos, aprendimos y empezamos a transformar esta ciudad.

Al cierre de esta década de represión y persecución, sería acertado citar el último párrafo de la página 202 de la *Tragicomedia mexicana II. 1970-1980*, de José Agustín, quien nos recuerda otros temas:

El panorama de la contracultura se había ensombrecido notablemente después de que se desvaneció, a base de represión y satanización, el romántico y «utópico» sueño-de-paz-y-amor que proponían los jóvenes de los años sesenta, la dura realidad se asentó y el desencanto cobró formas inquietantes: los jóvenes se despeñaron en las complacencias enajenantes de la música disco, o, si no, mostraron su inconformidad a través del rock progresivo (música formalista, más bien fría, interiorista y refinada), o vía ruidoso metal pesado (heavy metal, o «simpatía por el diablo», que, con su estética ligada a la fantasía, a la barbarie, al erotismo, la muerte, los espectros y el satanismo, para bien o para mal era un reflejo del desolador paisaje moral de la pujante clase media del país), o mediante el rock punk, que vino a ser una manifestación de las condiciones agudizadísimas de opresión moral, cancelación de esperanzas e ilusiones y pobreza material en numerosos jóvenes de las ciudades. Su rechazo ciego y visceral al sistema los hizo simpatizar con el nazismo, y las suásticas fueron medio de identificación y provocación. El movimiento punk se dio en Inglaterra en la segunda década, pero en México en un principio sólo afectó a relativamente pocos, sin embargo su influencia fue creciendo hasta que se manifestó en plena forma en los años ochenta.

De aquel tiempo a esta parte, han cambiado mucho las cosas: ahora dos alumnos o dos alumnas pueden pasear por la glorieta, de la mano, darse un beso y un abrazo; también por el plantel escolar o por la Alameda y el Zócalo, frente a la Catedral y al Palacio Nacional, dos andamios seculares aún por transformarse.[31]

3. Los años 80: ensayo conyugal, asombro vecinal, sida y vigilia

—¡Vamos primero con La Chata, desgraciadas! Y segura como estaba de su mando, encabezó la marcha, tirada de su feroz mastín. Era lo

---

[31] Extraordinarios y reflexivos artículos, reportajes o ensayos (cuya ficha técnica despliego al final) ejemplifican ese cambio en el tratamiento: «Alvarado, el puerto de la tolerancia gay», de Edgar Ávila Pérez y Bernardo (16-VI-2015); «Crean cartilla pro homosexual», de Astrid Rivera (25-VI-2015); «¿Quién puede casarse?», de Lol Kin Castañeda (28-VI-2015); «El Ángel del Arcoiris», de Ricardo Raphael (29-VI-2015); XXXVII Marcha del Orgullo Lésbico, Gay, Bisexual, Travesti, Transexual, Transgénero e Intersexual (LGBTTTI) en la Ciudad de México», fotografías de Raúl Puente (VII, 2015); «Bodas gay. Crecen grupos en su contra», de Julián Sánchez y Marcos Muédano (2-VIII-2015); «Decretan 13 de noviembre como el "Día de la Población Trans" en el DF», de Sandra Hernández (14-XI-2015); «Crean ruta gayfriendly para fortalecer identidad de muxes», de Roselia Chaca (21-XI-2015); «Muxes celebran 40 años de luchar por su identidad», de Roselia Chaca (22-XI-2015); «Costa-Amic legitima identidad de Paolo Po», de Miguel Ángel Teposteco (26-XII-2015). Y algo extraño: «Renuncia PRD al aborto y bodas gay por aliarse al PAN en 2016», de Katya Rodríguez (01-XII- 2015).

más obvio de todo, pero lo último que advirtieron: pero sí claro, también era hombre; y corpulentísimo, en su disfraz de vampiresa de los cincuentas; y además ciego, claro. Sus lentes oscuros reverberaban la luz de los faroles, bajo la peluca marrón. Como el jefe de una banda o la matrona de una tribu, se perdió entre las ruinas y desagües abiertos y bodegas con ratas del centro, donde (piensan ahora, que son adultos y reflexivos) hasta los sustos son diferentes de los del resto de la ciudad. Digamos que era la musa de la calle de López.

JOSÉ JOAQUÍN BLANCO, *Un chavo bien helado* (1990)

Si bien debo cortar aquí porque he agotado mi década de los 70, ahora que la veo a distancia siento que en mí se extendió hasta 1982, pues fue cuando anduve por otros caminos y, aunque mis correrías por cines y teatros nunca terminaron, sí tuve que moderar mis incursiones porque mi vida cambió tajantemente, aquí en Ciudad de México. No. No se debió al terrible virus del sida que azota a la humanidad; tampoco se debió a mi inmersión escabrosa enseñando lengua y literatura en bachillerato. Todavía asistí al estruendoso estreno de *Macho animal* (1980), de Patrick Meyer; a la obra de teatro *Cúcara y Mácara* (1981) de nuestro máximo poeta dramaturgo Óscar Liera, texto sobre la decadente Iglesia católica, y al «high society teatral mexican event»: *Culpables (Bent)*, de Martin Sherman (adaptación de *Los supervivientes del triángulo rosa*, de Hans Heger), con la actuación del hijo de la actriz María Félix, *La Doña*: Don Enrique Álvarez Félix, dirigido por José Luis Ibáñez, en el hoy en ruinas Teatro Lírico, donde encontré a la crema y nata del «Mexican gay world»: el *Grupo Bouquet*, el *Rosa Mexicano* (nombres copiados de grupos de magnánimas mujeres mexicanas*)*, *Las Juniors*, *Las Blow Up*. También fui al estreno teatral en 1983 de *El beso de la mujer araña*, a cargo de Arturo Ripstein, con Gonzalo Vega y Héctor Gómez, en el Polyforum Siquerios. No. Para mi ventura, una noche en la

Estación Juárez del Metro, lo encontré *a él* y desde entonces hemos vivido treinta y tantos años juntos, en pareja, bajo el mismo techo, en distintos departamentos de esta ciudad de vanguardias.

Y no dejo de reconocer que fue el año de inicio de una gran producción literaria de tema gay: teatro, cine, novela, cuento, poesía e investigación, sin olvidar el Museo del Chopo, donde la pintura, escultura, fotografía y multimedia se dan cita, como relata el libro de aniversario *Una exposición, varias exposiciones, un tiempo de inauguraciones. 15 años de la Semana Cultural Lésbica-Gay* (2002), del cual cito la página 45:

> Cuando se habla de arte gay frecuentemente la referencia directa de esas obras es a las preferencias sexuales de quien lo produce. Como si pudiéramos hablar de arte heterosexual, onanista, adicto o negro. Otra manera de englobarlo en este rubro es a partir de los modelos estereotipados de un gusto supuestamente homosexual, muy concretamente lo denominado *kitsch* o a temas que en su mayoría presentan alusiones sexuales explícitas —dada la fama de mal gusto e incontinencia del «tercer sexo»—. Encasillar de esta forma el arte gay, es tener una enorme miopía de lo que puede generar el fenómeno artístico en todas sus facetas. A nuestro entender, no se puede concebir el «arte gay». Hay arte con preocupaciones diversas, con propuestas y planteamientos múltiples, pero en su naturaleza, como se ha tratado de ver, no hay tal. Se confunde la temática con el *cliché* o con la personalidad de quien lo crea. Hablar de lo gay actualmente, en sentido amplio y crítico, es referirse a la solidaridad y complicidad de quienes pensamos que las diversidades sexuales son una opción de cada individuo y no sólo un grupo que milita por la tolerancia a la homosexualidad. La Semana Cultural Gay no es exclusivamente para homosexuales, es para todos...

Nuestras lecturas de los 80 fueron *El vino de los bravos* (1981), cuentos de Luis González de Alba; *Octavio* (1982), de Jorge Arturo Ojeda; el sorprendente cuento «Yoni Bich», de Raúl Prieto. En 1983: *Melodrama*, de Luis Zapata; de José Joaquín Blanco, *Las púberes canéforas* y *El árbol de turquesa*, de Alberto Dallal. En 1984: *Utopía gay*, de José Rafael Calva. En 1985, Luis Zapata publica *En jirones*, y en 1989 el libro de cuentos *Este amor que hasta ayer nos quemaba*. En el mismo año se publica *Amora*, la primera novela lésbica mexicana, de Rosamaría Roffiel, y *Dos mujeres*, de Sara Levy, que cierra esta década en 1990. Y si esas fueron algunas de nuestras lecturas, nuestros dramaturgos nos dieron lo suyo: *Y sin embargo se mueven* (1980), de Tito Vasconcelos y José Antonio Alcaraz; *La daga* (1981), de Víctor Hugo Rascón Banda; *El ritual de la salamandra* (1982), *Los gallos salvajes* (1986) y *El vals de los buitres* (1989), del maestro Hugo Argüelles; *Fiesta San Luis* (1984, primer musical gay mexicano, cuyo tema es la represión y persecución homosexual), de Alejandro Celia; *Al pie de la letra* (reposición 1985 y publicada como *Etcétera*), *Los negros pájaros del adiós* (1987) y *Dulces compañías* (1988), del poético Óscar Liera; *Pastel de zarzamora* (1984), *Amsterdam Boulevard* (1986) y *De la calle* (1987), de Jesús González Dávila; *Eclipse* (1990), de Carlos Olmos; *La Atlántida* (reposición en 1984), de Óscar Villegas; *Nube nueve* (1985), de Julio Castillo (*Cloud Nine*, 1979, original de Caryl Churchill).

El cine fue más escandaloso e irreverente: *Las siete Cucas* (1981), de Felipe Cazals; *El hombre de la mandolina* (1985), de Gonzalo Martínez; *Doña Herlinda y su hijo* (1985), *Clandestino destino* (1987) y *El verano de la señora Forbes* (1988), de Jaime Humberto Hermosillo; *Mentiras piadosas* (1988), de Arturo Ripstein... Finalmente, un film iconoclasta fue *Santa sangre* (1989), de Alejandro Jodorowsky, creador en varios géneros artísticos, integrante de la contracultura chilena, al igual que el recientemente fallecido Pedro Lemebel (1952-2015), entrañable maestro cuyo *Loco afán* (1996) es parte de nuestra herencia.

Todas estas obras de teatro, novelas y películas fueron un acercamiento a nuestras varias maneras de vivir en los años 80 y contienen, ya, una libertad total para tratar nuestra vida con propuestas más en relación con la vida política, la vida académica, la vida familiar, la vejez y la juventud, la ciudad y la provincia. Sé que es muy poco lo que he agregado al tema, tan extenso y tan estudiado en México, pero hice mi esfuerzo memorístico. Por los errores y equívocos, permítanme justificarme a la manera de Leonardo Sciascia (2010: 9), en su nota a *El teatro de la memoria*: «en este libro, dedicado precisamente a la memoria, abundan, quieras o no, los engaños de la memoria... quizá de la mía». Lo cual, seguramente, es válido para todos, pues algunos me dirán que no fue así como lo cuento, que fue en la segunda temporada de la obra, o en segunda versión de la película, o, lo que es peor: que no fue él, sino ella; que no fue ahí, sino en otra calle; que no eran *Las Juniors*, sino *Las Divas*. «Haiga sido como haiga sido» (como dijo un expresidente), la historia de una diferencia se escribe con el mismo lenguaje, con muchas voces y con muchas mentes. Parte de una historia, la otra historia que aún se está escribiendo, que ha tenido detractores y alianzas, nuevos aspectos y otras perspectivas, como la de Manuel Puig, quien nos dice en «El error gay» algo que aún se debate:

La homosexualidad no existe. Es una proyección de la mente reaccionaria. Lamentablemente, creo que en materia de sexo somos casi todos bastante reaccionarios: ¡para nosotros la homosexualidad existe y cómo! Pero nos hacemos ilusiones, igual que los que creíamos en la tierra plana. Me explico: estoy convencido de que el sexo carece absolutamente de significado moral, trascendente. Aún más, el sexo es la inocencia misma, es un juego inventado por la Creación para darle alegría a la gente. Pero solamente eso: un juego, una actividad de la vida vegetativa como dormir o comer; tan importante como esas funciones, pero carente de peso moral. Banal, moralmente hablando. Por lo tanto la identidad no puede ser definida a partir de características sexuales, ya que se trata de una actividad justamente banal. La homosexualidad no existe. Existen personas que practican actos sexuales con sujetos de su mismo sexo, pero este hecho no debería definirlo porque carece de significado. Lo que es trascendente y moralmente significativo, es la actividad afectiva.

Estas palabras nos invitan a reflexionar sobre una preferencia sexual tantos años analizada, estudiada, vapuleada, anatemizada y nunca aceptada, ni siquiera en el país más civilizado del mundo ni en la región más insólita como Juchitán, Oaxaca. ¿La conocéis? Les invito a recorrerla, o bien, ver *Otro fin de fiesta* (2014), una obra de teatro de Marco Petriz, un diálogo en el que una mujer y un *muxe o mushe* conversan solidariamente en su marginación. Por lo pronto cito el poema «No importa», del libro *¿Esperas un gallo?* (1987), de mi fallecido amigo Joaquín Espino, compañero de lecturas, trabajo oficinesco y periplos por los cines Ópera, Cosmos, Mitla, Popotla y Tacuba de la Antigua Calzada de Tlacopan, joven activista durante muchos años y al que recuerdo con estos versos:

> No importa que me duerma
> Y ya no vea
> El lado izquierdo de tu voluntad
> Y no oiga
> La prosodia de tus manos aguerridas
> Ni toque
> El límite bochornoso de mi cuerpo
> Tampoco guste
> La saliva del recado
> Ya no sienta
> El templado sabor de tu entrepierna
> En el sueño
> También
> Te pertenezco.

Al llegar aquí advierto que no he me detenido en la poesía ni apenas
en el cuento de tema homosexual de estas décadas, ni en mis amigas
lesbianas que me han acompañado toda la vida, algunas desde la infancia, lo cual me llevaría algunas otras páginas, pero ya otros colegas se han dedicado, profesionalmente, a estudiar el tema y publicar
sus nuevas investigaciones extraordinarias, empezando por las más
reconocidas, desde 2001, de Antonio Marquet (2001, 2006 y 2010,
consignadas en la hemerografía), para continuar con *Homofobia.
Odio, crimen y justicia* (2007), de Fernando del Collado; *Entre amoras*
(2009), de María Elena Olivera Córdova; *Ser gay en la ciudad de México*
(2009), de Rodrigo Laguarda; *México se escribe con J* (2010), de Michael K. Schuessler y Miguel Capistrán; *Que se abra esa puerta* (2010),
de Carlos Monsiváis; *Homofobia. Laberinto de la ignorancia* (2010), de
Julio Muñoz Rubio; *En el clóset* (2011), de Guadalupe Loaeza; y las
recientes *Amor que se atreve a decir su nombre. Antología del cuento mexicano de tema gay* (2014), de Mario Muñoz y León Guillermo Gutiérrez; *Vivir la noche* (2014), de Leonel Sagahón, Astrid Velasco,
Fabrizio León y Horacio Muñoz; y *Tengo que morir todas las noches*
(2014), de Juan Osorno, cuyas fotografías de las páginas centrales
contrastan con las fotografías del Archivo Casasola: «Judiciales y
Homosexuales», presentadas en el libro citado *15 años de la Semana
Cultural Lésbico Gay*. Desde luego: otras son las voces y otros son los
ámbitos. Por último, una nueva coedición con un valioso epílogo,
del primordial libro de Guillermo Núñez Noriega: *Sexo entre varones.
Poder y resistencia en el campo sexual* (2015).

Todo ha cambiado, de los 50 a los 80: las películas mexicanas ya
no recurren al travestismo de personajes femeninos en masculinos
para perseguir a un mujeriego que no se deja atrapar y duda de su
hombría al descubrir el equívoco sexual, como en *Me ha besado un
hombre* (1944), de Julián Soler; *Yo quiero ser hombre* (1949), de René
Cardona; *Yo soy muy macho* (1953), de José Díaz Morales; *Pablo y Ca-
rolina* (1955), de Mauricio de la Serna; *Me ha gustado un hombre*

(1964), de Gilberto Martínez Solares, algo semejante a *Más bonita que ninguna* (1965), de Luis César Amadori. Nuestro cine creció hasta llegar a films como *Muxes* (2005), de Alejandra Islas; *Rabioso sol, rabioso cielo* (2009), de Julián Hernández; *La otra familia* (2011), de Gustavo Loza; *Quebranto* (2013), de Roberto Fiesco; *Cuatro lunas* (2013), de Sergio Tovar Velarde; *Carmín tropical* (2015), de Rigoberto Pérezcano; *Made in Bangkok* (2015), de Flavio Florencio. Los estudios queer ofrecen nuevos enfoques, como *De Sur a Norte. Chilangos Gays en Toronto* (2014), de Rodrigo Laguarda, y el más reciente *El cuerpo rosa. Literatura gay, homosexualidad y ciudad* (2015), de José César del Toro. Los eventos se han renovado: en febrero de 2012 se proyectó, en The Movie Company-Escenaria, la primera película gay silente *Diferente a los demás* (*Anders als die Andern* 1919), del vienés Richard Oswald, musicalizada hoy por la banda de rock-pop Torreblanca.

Ahora bien, tres fueron las experiencias lapidarias para nosotros durante los años 80, pero si alguna experiencia dolorosa tuvimos, mundialmente, fue la estigmatización del sida, la cual devolvió al clóset a muchos activistas del movimiento gay, activistas de todos los ámbitos: intelectual, artístico, deportivo, político, médico, académico, religioso (este último empezaba a mostrarse asistiendo a pacientes en hospitales, pese a las amenazas). Surgen los grupos pioneros en auxilio médico no gubernamental, sino personal o de colectivos que suministraban medicinas, sábanas, colchones, instrumental y hasta personas que acompañaban al paciente, durante el tratamiento, casas particulares o pequeños sanatorios improvisados que contribuían, dentro de sus paupérrimos recursos (analgésicos, sueros y jeringas, vendas y algodón). Desde luego, la reacción no se hizo esperar: rechazo laboral y despidos injustificados o justificados en una preferencia sexual, desconfianza vecinal y pliego petitorio, miradas reprobatorias, ausencia o sorda legislación a la persecución o muerte, la nota roja de periódicos, revistas, repulsión de médicos y enfermeras ignorantes, reprobación de la Iglesia, instituciones escolares de dudosa reputación, académicos reaccionarios, chistes y bromas hechos de un lenguaje de fuerte carga homofóbica, fortalecimiento del machismo y vigilancia social bajo sospecha. A pesar del *newcon* (neoconservadurismo), trabajamos, dimos muestras de nuestra organización, nos informamos y manifestamos nuestro derecho a existir, participamos en actividades solidarias, nos sostuvimos como pareja o como colectivos, aunque alguna pareja falleció o los colectivos disminuyeron.

En 1986, se fundó el Comité Nacional de Prevención del SIDA, el cual devino en CONASIDA: Consejo Nacional de Prevención y Control del SIDA (1988) y hoy Centro Nacional para la Prevención y Control del VIH y el Sida. Desde aquel entonces, los planteles escolares fueron dotados de unas tómbolas, grandes ánforas llenas de preservativos para uso del alumnado que, tomando conciencia de la pandemia de transmisión sexual, los adquieren con toda seguridad y confianza. La reacción no se hizo esperar, pues los detractores consideraban un abuso de libertad que caía en un libertinaje, por lo que dimos conferencias, proyectamos documentales o representamos sociodramas de carácter preventivo, orientador, consultivo, tal vez sin ningún mérito escénico, pero necesarios en esta ciudad que, como en otras ciudades del mundo, se informaba subrepticiamente, cautelosamente, soslayadamente. La búsqueda de *él* se tornó lenta y tristemente hacia los esquemas conservadores: desconfianza, inseguridad, miedo, chantaje, extorsión, amenaza, delación y acoso hasta dejar el empleo, la familia y el departamento. Reiniciamos una doble lucha, enfrentamos nuevos retos, adquirimos otra fuerza como comunidad y desenmascaramos una estructura social que nos responsabilizaba de una enfermedad que es humana, no de gueto, como enunciaban ciertas autoridades.

Aquella década, que empezamos festivamente con películas como *Víctor Victoria* (1982), de Black Edwards, devino en oscuridad por la pandemia amenazante, y ni las obras publicadas ni las representaciones teatrales nos levantaban el ánimo, pues la plática obligada, a la salida del cine o del teatro, en el café o en la discoteca, siempre versaba sobre el deceso de un amigo o compañero, con la consabida secrecía declarada por los familiares y la sombría disputa por sus pertenencias o indemnización laboral para sus deudos. No obstante tal entorno, apreciamos algunas películas: *Querelle* (1982), de R. W. Fassbinder; *El ansia* (1983, *The hunger*), de Tony Scott; *Otro país* (1984, *Another country*), de Marek Kanievska; *Lianna* (1985), de John Sayles; *La ley del deseo* (1987), de Pedro Almodóvar; *Maurice* (1987), de James Ivory y *No escuchas el canto de las sirenas* (1987, *I've heard the mermaids singing*), de Patricia Rozema. Sin embargo, fue *Juntos para siempre* (1990, *Longtime Companion*), de Norman René, la película que más nos identificó, conmovió y solidarizó, por ser la primera película que vimos, en esta ciudad, en la que se expone *El amor en los tiempos del SIDA* (Rius *dixit*).

En la escuela se organizaron y realizaron actividades de carácter multitudinario y de acopio de víveres y ropa, otras eran literarias cuyo tema fue la prevención y atención acerca del sida, como concursos de cuento escolar, explorando cientos de textos interesantes, solidarios y creativos de algunos adolescentes. De esa participación conservo un ejemplar del que presumía en las sesiones o pláticas con pacientes del CONASIDA, ubicado entonces en Copilco, adonde asistía yo, invitado por dos compañeros comprometidos con la asistencia, maestros de biología y psicología, y yo quería servir de algo, como muchos otros, aunque solo fuera platicar unas horas con algún paciente. Eso hacíamos entonces y eso hicimos después, mi compañero y yo. Con relación al tema del sida, me permito recordar las primeras obras teatrales mexicanas, durante los años 90: una de Gonzalo Valdés Medellín, titulada *A tu intocable persona* (1994), y una obra musical: *Pasajero de medianoche* (1995), de la dramaturga Leonor Azcárate, protagonizada por

Kitty de Hoyos, en la Sala de Danza Manuel Covarrubias de la UNAM.

Otro desastre que nos cambió la vida en esta ciudad fue el terremoto de 1985, no solo porque cambió la traza urbana (que esa ya la habían cambiado la construcción del metro, los ejes viales y los circuitos, anillos y vertederos viales, hoy caducos e ineficientes). Se difundió la opinión negativa de la Ciudad de México como un sitio sísmico, inseguro y peligroso, además del cerco del mal político-social, militar y jurídico llamado narcotráfico. Por lo tanto, la gente empezó a emigrar, a buscar nuevas ciudades o puertos donde establecerse, donde empezar una vida o donde crecer literariamente, intelectualmente o económicamente. Esto trajo como consecuencia el activismo político-sexual en lugares donde no se pensaba en una defensa o protección de los derechos humanos. Guadalajara, Puerto Vallarta, Mazatlán, Culiacán, Puebla, Oaxaca, Mérida, Cuernavaca, Veracruz, Tampico o Guanajuato serán lugares donde siembren las ideas y las actividades de diversidad sexual, a pesar de confrontarse con las buenas conciencias y las mentes biempensantes, cayendo, algunas veces, desgraciadamente, en la muerte y la desaparición, por invertidos, pervertidos que llegaban del DF a contaminar con sus ideas y contagiar con su enfermedad. La década de los 80 fue peligrosa, oscura, tenebrosa, de zonas de alta peligrosidad y de cadáveres ilustres. El ensayo mencionado de Carlos Monsiváis es muy esclarecedor de estos años. Salíamos del sexenio de López Portillo y entrábamos al sexenio de Miguel de la Madrid, de «la solución somos todos» (1976-1982) y entrábamos al sexenio de «la renovación moral» (1982-1988), así que la sospecha nos delataba, sobre todo si vivíamos de noche, vagábamos de noche, por la Zona Rosa, la Roma y la Condesa, la Plaza Garibaldi o la Alameda, Parque Hundido o Centro Histórico.

El tercer acontecimiento que incidió, definitivamente, en nuestras vidas, fue la suma de partidos y agrupaciones políticas de izquierda, opositoras al PRI, que postulaban al Ing. Cuauhtémoc Cárdenas Solórzano a la presidencia de la república en 1988, junto con un grupo disidente de tal partido, enarbolando todos una vida digna para los empobrecidos por el sistema, los perseguidos por sus ideas políticas, discapacitados y no indemnizados, grupos vulnerables y segregados. En ese momento advertimos que todos teníamos la obligación de participar y logramos marchas y concentraciones en las que nos hacíamos presentes, al lado de intelectuales, artistas, deportistas y políticos que pertenecían a nuestra diversidad, pero que hasta este año no salían del clóset. Ya no les daba vergüenza darnos la mano, ni miraban hacia otro lado cuando nos encontraban en un bar gay o cantina, presentación de la última novela o estreno teatral, estreno de película gay en el Cine Diana. Se decía de estos personajes que, debido a la censura y la secrecía, asistían de última hora a los eventos o entraban por pasadizos secretos o tenían funciones privadas del cantante, para no verse en el tumulto populachero del Auditorio Nacional. Hasta eso llegamos.

Empero, «se cayó el sistema»: Carlos Salinas de Gortari fue el presidente de 1988 a 1994 y, contra el viento y la marea de la época, nuestra presencia se hizo visible, porque nuestro trabajo político se articulaba, porque ya nos incluíamos en la vanguardia del mundo, a pesar de la oposición política, la Iglesia y la falta de una protección legislativa. Hoy, contamos con una *Cartilla de derechos de las víctimas de discriminación por orientación sexual, identidad o expresión de género* presentada por la Comisión Ejecutiva de Atención a Víctimas (véase Rivera y su «Crean cartilla pro homosexualidad»). Asimismo, la Suprema Corte de Justicia de la Nación Mexicana, según el *Semanario Judicial de la Federación* del viernes 19 de junio de 2015, aprobó el 3 de junio la tesis de jurisprudencia 43/2015 que declara inconstitucionales las leyes que limitan al matrimonio a una pareja de un hombre y una mujer, por lo cual surge la aprobación para los matrimonios entre personas del mismo sexo, la cual entrará en vigor el 22 de junio de

2015, en todos los estados del país, y es importante que un artículo de Lol Kin Castañeda explique esa resolución en: «¿Quién puede casarse?». Así también, El Ángel de la Independencia se manifiesta hoy como El Ángel del Arcoíris, de acuerdo con el artículo de Ricardo Raphael. Sin embargo, el neoconservadurismo lanza sus diatribas, según los recientes artículos de investigación, anotados en nuestra hemerografía: «Iglesias y legisladores van contra bodas gay», de Julián Sánchez y Marcos Muedano y «Protestan jóvenes contra ministro de la SCJN», de la redacción de *Excélsior*.

Ha cambiado mucho la Ciudad de México, física y socialmente, aunque sigamos buscándolo *a él*, esperándolo *a él*, persiguiéndolo *a él*, en la calle de los Donceles o en la avenida Juárez, en Insurgentes y Reforma, en la novela o en el cuento, el poema o el drama, a pesar de la globalización, de las nuevas plazas comerciales, de las modas y las redes sociales. Aunque la realidad siempre supere a la ficción y la ficción nos represente, yo seguiré buscándonos en las últimas fábulas, las últimas memorias o las últimas crónicas. Mientras otros buscan, otros esperan y otros persiguen en los bares y cantinas, los cines y los billares, los jardines y los campus universitarios, los amorosos son así, decía Jaime Sabines: buscan, abandonan, olvidan, callan, no encuentran, buscan y lloran porque no salvan al amor.

Recurrir a las novelas para rehacer una vida, una ciudad, un tiempo, es válido si se buscan las formas de representación y autorrepresentación de aquel tiempo, mas no para buscar la veracidad, en eso estriban otros tipos textuales y me falta mucho para abarcarlos en ese sentido, así como me faltaron otras novelas y otros acontecimientos importantes en esas décadas de los 60, 70 y 80. En cuanto a este tema, seguimos investigando, preguntando, contemplando los espacios que nos encubrieron una noche, en el tiempo que nos asignaron, en los sitios *donde nos tocó vivir* y con quienes nos acompañaron porque, como dice Vicente Quirarte, «Nadie vive una calle de manera idéntica», en *Elogio de la calle* (2001:18). Por ahora, cierro esta semblanza o forma de representación con una instantánea de Laura Lecuona sobre «Un travesti»:

> Iba vestido de señora que te encuentras en el metro con la bolsa del mandado y medias escurriéndosele hacia las chanclas —gorda ella, arrugada, fea. Pero esa triste cara suya no es parte del disfraz: él lleva lo lacra[32] fijado sin remedio. Allí en la fiesta mixta, tampoco el de la blusa de flores anaranjadas quiso sacarlo a bailar. El señor-señora no se levantaba de su silla más que para comprar otra cuba y sólo decía palabras para pedirla campechana; fuera de eso, quieto hasta las seis de la mañana. Se fue solo pero se fue con la aurora.

Y sí, algunos se fueron con la aurora del amanecer, a las seis de la mañana, abandonando los Caldos Zenón de San Juan de Letrán o el «café de chinos» de Santa María la Redonda o La Vaca Negra de Insurgentes Centro. Ahora me despido con el título de la obra teatral de mi admirado paisano guerrerense José Dimayuga: *Afectuosamente, su comadre.*

---

[32] Lo vulgar, lo feo, lo corriente, lo chacal, lo maldito...

Referencias bibliográficas

Bibliografía

AGUSTÍN, José (1990): *Tragicomedia mexicana I. La vida en México 1940-1970*, Planeta Mexicana, México DF.

— (1992): *Tragicomedia mexicana II. La vida en México 1970-1980*, Planeta Mexicana, México DF.

— (1998): *Tragicomedia mexicana III. La vida en México 1982-1994*, Planeta Mexicana, México DF.

ALCOCER, Ernesto (2014 [2007]): *Obediencia perfecta*, Planeta Mexicana, México DF.

ARLETTAZ, Fernando (2015): *Matrimonio homosexual y secularización*, UNAM, México DF.

BARBACHANO PONCE, Miguel (1964): *El diario de José Toledo*, Librería Madero (edición del autor), México DF.

BLANCO, José Joaquín (1981): *Función de media noche. Ensayos de literatura cotidiana*, Era, México DF.

— (1990): *Un chavo bien helado. Crónicas de los años ochenta*, Era, México DF.

BOHÓRQUEZ, Abigael (2015): *Digo lo que amo. Sonetos*, Universidad Autónoma de la Ciudad de México, México DF.

CASTANEDA, Carlos (1968): *Las enseñanzas de Don Juan*, Fondo de Cultura Mexicana, México DF.

CEBALLOS MALDONADO, José (1969): *Después de todo*, Diógenes, México DF.

COLLADO, Fernando del (2007): *Homofobia. Odio, crimen y justicia, 1995-2005*, Tusquets México, México DF.

DIMAYUGA, José (2010): *Afectuosamente, su comadre*, Quimera, México DF.

ESPINO, Joaquín (1987): *¿Esperas un gallo?*, Quinqué, México DF.

GANADO KIM, Edgardo / CORDERO, José Antonio (2002): «Cuando se habla de arte gay...», en José María Covarrubias (ed.), *Una exposición, varias exposiciones, un tiempo de inauguraciones. 15 años de la Semana Cultural Lésbico-Gay*, UNAM / Museo Universitario del Chopo / Círculo Cultural Gay, México DF, pp. 45-48.

HADLEIGH, Boze (1996): *Las películas de gays y de lesbianas. Estrellas, directores, personajes y críticos*, Odín, Barcelona.

HUERTA, Efraín (1978): «Declaración de odio» (de *Los hombres del alba*), en *Poesía en movimiento. México 1915-1966*, selección y notas de Octavio Paz *et al.*, Siglo XXI, México DF, pp. 241-244.

LAGUARDA, Rodrigo (2009): *Ser gay en la ciudad de México. Lucha de representaciones y apropiación de una identidad, 1968-1982*, Instituto Mora / CIESAS, México DF.

— (2011): *La calle de Amberes: Gay Street de la ciudad de México*, CEIICH-UNAM / Instituto Mora, México DF.

— (2014): *De Sur a Norte. Chilangos gay en Toronto*, Instituto Mora / Consejo Nacional de Ciencia y Tecnología, México DF.

LOAEZA, Guadalupe (2014): *En el clóset*, Ediciones B, México DF.

LÓPEZ GONZÁLEZ, Aralia (coord.) (1995): *Sin imágenes falsas. Sin falsos espejos. Narradoras mexicanas del siglo XX*, El Colegio de México, México DF.

LORET DE MOLA, Rafael (1999): *Los escándalos. Un ensayo donde los culpables de los desórdenes políticos tienen nombre y apellido*, Grijalbo, México DF.

MARQUET, Antonio (2001): *¡Que se quede el infinito sin estrellas! La cultura gay al final del milenio*, Universidad Autónoma Metropolitana - Azcapotzalco, México DF.

— (2006): *El crepúsculo de heterolandia. Mester de jotería. Ensayos sobre cultura de las exuberantes tierras de la Nación Queer*, Universidad Autónoma Metropolitana - Azcapotzalco, México DF.

— (2010): *El coloquio de las perras: Retrato de Oswaldo Calderón con su hermandad vampiresca joteando por un sueño. Ensayo de documentación fotográfica y crónica (a ratos ensayística; a ratos perra; ¡siempre jota!)*, Universidad Autónoma Metropolitana - Azcapotzalco, México DF.

MONSIVÁIS, Carlos (1973): *Días de guardar*, Era, México DF.

— (1977): *Amor perdido*, Era, México DF.

— (2010): *Que se abra esa puerta. Crónicas y ensayos sobre la diversidad sexual*, Paidós, México DF.

MUÑOZ, Mario / GUTIÉRREZ, León Guillermo (2014): *Amor que se atreve a decir su nombre. Antología del cuento mexicano de tema gay*, Universidad Veracruzana, Xalapa.

MUÑOZ RUBIO, Julio (coord.) (2010): *Homofobia. Laberinto de la ignorancia*, Universidad Nacional Autónoma de México - Centro de Investigaciones Interdisciplinarias en Ciencias y Humanidades - Colegio de Ciencias y Humanidades, México DF.

NOVO, Salvador (1972): *Las locas, el sexo y los burdeles (y otros ensayos)*, Novaro, México DF.

— (2002): *La estatua de sal*, prólogo de Carlos Monsiváis, Consejo Nacional para la Cultura y las Artes, México DF.

NÚÑEZ NORIEGA, Guillermo (2015): *Sexo entre varones. Poder y resistencia en el campo sexual*, UNAM, México DF.

OJEDA, Jorge Arturo (1974): «Flavio», en *Documentos sentimentales (1963-1974)*, Mester, México DF, pp. 66-72.

OLIVERA CÓRDOVA, María Elena (2009): *Entre amoras. Lesbianismo en la narrativa mexicana*, UNAM / Centro de Investigaciones Interdisciplinarias en Ciencias y Humanidades, México DF.

OSORNO, Guillermo (2014): *Tengo que morir todas las noches. Una crónica de los ochenta, el underground y la cultura gay*, Penguin Random House, México DF.

PRIEUR, Annick (2014): *La casa de la Mema. Travestis, locas y machos.* ([1998]: *Mema's House, Mexico City: On Transvestites, Queens, and*

Machos, [1994] publicado en noruego por la Universidad de Oslo), UNAM, México DF.

QUIRARTE, Vicente (2002): *Elogio de la calle. Biografía literaria de la Ciudad de México 1850-1992*, Cal y Arena, México DF.

REYES DE LA MAZA, Luis (1999): *México sentimental*, Clío, México DF.

RIUS [Eduardo del Río García] (1998): *El amor en los tiempos del SIDA*, Grijalbo Mondadori, México DF.

RODRÍGUEZ, Óscar Eduardo (2006): *El personaje gay en la obra de Luis Zapata*, Fontamara, México DF.

RODRÍGUEZ CETINA, Raúl (1977): *El desconocido*, Duncan, México DF.

— (1982): *Flash back*, Premia, México DF.

SAGAHÓN, Leonel / VELASCO, Astrid / LEÓN, Fabrizio / MUÑOZ, Horacio (coords.) (2014): *Vivir la noche, historias en la ciudad de México*, Fondo Nacional para la Cultura y las Artes / Consejo Nacional para la Cultura y las Artes / Tintable, México DF.

SCIASCIA, Leonardo (2010): *El teatro de la memoria*, Tusquets, México DF.

SCHNEIDER, Luis Mario (1997): *La novela mexicana entre el petróleo, la homosexualidad y la política*, Nueva Imagen / Patria, México DF.

SCHUESSLER, Michael K. / CAPISTRÁN, Miguel (coord.) (2010): *México se escribe con J. Una historia de la cultura gay*, Temas de Hoy, México DF.

SCHULZ CRUZ, Bernard (2008): *Imágenes gay en el cine mexicano. Tres décadas de joterío, 1970-1999*, Fontamara, México DF.

SOLÍS, Genaro (1973): *La máscara de cristal*, B. Costa-Amic, México DF.

TERÁN, Luis (2000): *Lágrimas de exportación*, Clío, México DF.

TERUEL, Alberto X. (1968): *Los inestables*, B. Costa-Amic, México DF.

TURÓN, Carlos Eduardo (1981): *Sobre esta piedra*, Oasis, México DF.
USIGLI, Rodolfo (2008): *Ensayo de un crimen*, Cal y Arena, México DF.
VALDEMAR, Carlos (1971): *Cielo tormentoso*, B. Costa-Amic, México DF.
VARGAS, Susana (2014): *Mujercitos*, RM Verlag, Barcelona.
ZAPATA, Luis (1979): *Las aventuras, desventuras y sueños de Adonis García, el vampiro de la colonia Roma*, Grijalbo, México DF.

Hemerografía

AGUILAR SOSA, Yanet (2014, 8 de julio): «El Nueve demostró que la vida nocturna podía ser cultural», *El Universal. El gran diario de México*, p. E9 (Cultura).
ÁVILA PÉREZ, Edgar (2015, 16 de mayo): «Alvarado. El puerto de la tolerancia gay», *El Universal. El gran diario de México*, p. A12 (Estados).
CASTAÑEDA BADILLO, Lol Kin (2015, 28 de junio): «¿Quién puede casarse?», *El Universal. El gran diario de México*; *Confabulario*, época II, núm. 108, p. 5 (Reflexiones).
CLAVEL, Ana (2015, 7 de junio): «Eros a debate», *El Universal. El gran diario de México*; *Confabulario*, época II, núm. 105, pp. 8-9.
CHACA, Roselia (2015, 21 de noviembre): «Crean ruta *gayfriendly* para fortalecer identidad de muxes», *El Universal. El gran diario de México*, p. A25 (Estados).
— (2015, 22 de noviembre): «Muxes celebran 40 años de luchar por su identidad», en *El Universal. El gran diario de México*, p. A35 (Estados).
DE LLANO, Pablo (2014, 2 de agosto): «México DF *en Rose*», *El País*, Edición América, p. 35.
ESPINOZA, Antonio (2014, 11 de mayo): «El desafío del arte», *El Universal. El gran diario de México*; *Confabulario*, época II, núm. 48, pp. 6-7 (Conexiones).

REDACCIÓN (2015, 15 de agosto): «Protestan jóvenes contra ministro de la SCJN», *Excélsior. El periódico de la vida nacional*, tomo IV, núm. 35773, p. 16 (Primera Sección).

GUTIÉRREZ, León Guillermo (2012): «Sesenta años del cuento mexicano de temática gay», *Anales de Literatura Hispanoamericana*, 41, pp. 277-276.

HERNÁNDEZ, Sandra (2015, 14 de noviembre): «Decretan 13 de noviembre como el "Día de la Población Trans" en el DF», *El Universal. El gran diario de México*, p. C6 (Metrópoli).

MÉNDEZ, María Jesús (2014, 28 de junio): «Orgullo de poder ser diferentes», *El País*, Edición América, s.p. (Opinión).

MINERA, María (2014, 21 de junio): «¿Ruptura o cambio de tema?», *El País*, Edición América; *Babelia*, núm. 1178, p. 16.

MONCADA, Gerardo (1995, 25 de junio): «Del SIDA y otros espectros», *La Jornada Semanal*, p. 14.

ORTEGA, Josefina (2014, 11 de mayo): «La modernidad estética revisitada», *El Universal. El gran diario de México; Confabulario*, época II, núm. 48, pp. 8-10 (Reflexiones).

RAPHAEL, Ricardo (2015, 29 de junio): «El Ángel del Arcoíris», *El Universal. El gran diario de México*, p. 11 (Nación, A).

RIVERA, Astrid (2015, 25 de junio): «Crean cartilla pro homosexualidad», *El Universal. El gran diario de México*, p. 11 (Nación, A).

RODRÍGUEZ, Katya (2015, 1 de diciembre): «Renuncia PRD al aborto y bodas gays por aliarse al PAN en 2016», *La Razón*, pp. 1 y 4 (México. Agenda nacional).

SÁNCHEZ, Julián / MUEDANO, Marcos (2015, 2 de agosto): «Iglesias y legisladores van contra bodas gay», *El Universal. El gran diario de México*, pp. 1 y 12 (Nación, A).

SIERRA ECHEVERRY, Sonia (2014, 11 de mayo): «Tiempos de apertura», *El Universal. El gran diario de México; Confabulario*, época II, núm. 48, pp. 3-5 (Conexiones).

SOTO GÁLVEZ, Arturo (2014, 24 de agosto): «A la tierra de María Sabina», *El Universal. El gran diario de México*, p. 4 (Destinos).

TEPOSTECO, Miguel Ángel (2015, 20 de diciembre): «Paolo Po: La historia oculta del autor de la primera novela gay mexicana», *El Universal. El gran diario de México; Confabulario*, época II, núm. 133, pp. 4-6 (Conexiones).

— (2015, 26 de diciembre): «Costa-Amic legitima identidad de Paolo Po», *El Universal. El gran diario de México*, p. E17 (Cultura).

Ficha fotográfica

PUENTE, Raúl (2015, julio): «XXXVII Marcha del Orgullo Lésbico, Gay, Bisexual, Travesti, Transexual, Transgénero e Intersexual (LGBTTTI) en la Ciudad de México», *Santo y Seña*, año 3, núm. 32, pp. 35-36.

Cibergrafía

DEL TORO, José César (2010): «Disidencia y radicalismo: El 68 en la novela mexicana de temática homosexual» (pdf), <goo.gl/BUEySM>.

GÓMEZ POMBO, Federico (1978, 2 de diciembre): «Clientes, prostitutas, homosexuales, teporochos. "La Vaquita" y "el Torito" para los que no pueden comprar un policía», Proceso.com.mx, <goo.gl/P9pPnZ>.

MARQUET, Antonio (2006): «Castrejón, Cóccioli y Novo: La novela gay en la primera mitad del siglo XX», *Literatura Mexicana* (en línea), vol. XVII, núm. 2, pp. 47-72 <goo.gl/joSpjR> o <goo.gl/Tj1P1D>.

MONSIVÁIS, Carlos (2010, 21 de junio): «Fuegos de nota roja», Nexos.com.mx, <goo.gl/aapzqo>.

OSORNO, Guillermo (2011, 17 de mayo): «La Cleopatra de la tolerancia», Eluniversal.com.mx, <goo.gl/r2JYXP>.

PUIG, Manuel (2011, 15 de enero): «El error gay», Unidad-popular.over-blog.es, <goo.gl/B2MT1a>.

SEFCHOVICH, Sara (2008, 5 de octubre): «No se olvida», Eluniver-sal.com.mx, <goo.gl/acsnmB>.

SUPREMA CORTE DE JUSTICIA DE LA NACIÓN (2015, 19 de junio): «Tesis: 1a. /J.43/2015 (10a.). Matrimonio. La ley de cualquier entidad federativa que, por un lado, considere que la finalidad de aquél es la procreación y/o que lo defina como el que se celebra entre un hombre y una mujer, es inconstitucional», *Semanario Judicial de la Federación* (Décima Época), <goo.gl/oJMSzX>.

VILLEGAS MARTÍNEZ, Víctor Saúl (2011): *El personaje gay en seis cuentos mexicanos. Un acercamiento crítico desde la perspectiva de género, los estudios gay y la teoría queer*, Universidad Veracruzana, Xalapa, <goo.gl/FNJCDh>.

SEGUNDA PARTE

RECUPERANDO LA MEMORIA GAY

LA EDUCACIÓN SENTIMENTAL DE UN MEXICANO SEXODIVERSO DEL MEDIO SIGLO XX[33]

Humberto Guerra

En la actualidad, se ha echado para abajo la idea de que el texto auto-biográfico digno de leerse emanaba exclusivamente de plumas que habían validado su condición de sujetos meritorios de aprecio en algún ámbito de desarrollo humano y, entonces, la escritura auto-biográfica se daba en las postrimerías de la existencia personal. Afortunadamente, el panorama se ha diversificado y se ha puesto atención en una gran variedad de textos, en los cuales las voces si-lenciadas o invisibilizadas han cobrado un lugar de privilegio. De esta forma, toda clase de minorías o grupos marginalizados pueden ahora encontrarse y cuestionarse a través de textos que, relatados en primera persona, retrospectivamente y con diversos grados de vero-similitud, contribuyen a conocer no únicamente una individualidad, sino modos de vida, condiciones existenciales, momentos sociohis-tóricos y reflexiones que pueden dar cuenta de grupos que escasa-mente han tenido el uso de la palabra como medio de expresión y reconocimiento.

[33] Este trabajo está vinculado a los siguientes dos proyectos: «Hermenéutica del pen-samiento, los lenguajes y la conducta», del área de investigación en Polemología y Hermenéutica, Departamento de Política y Cultura, Universidad Autónoma Metro-politana-Xochimilco, México, y «Diversidad de género, masculinidad y cultura en Es-paña, Argentina y México» (FEM2015-69863-P MINECO-FEDER).

Esta es la primera gran ventaja que encontramos en *Memoralia de aceras olvidadas. Una semblanza gay de la Ciudad de México*. Con este texto, su autor se une a un grupo de autobiógrafos mexicanos que han hecho de su vida sexoafectiva un área importante de su existencia, tan importante que se han dedicado a su textualización. Desde Salvador Novo y Elías Nandino, pasando por José Joaquín Blanco y llegando a Hernán Bravo Varela y Gabriel Canales, José Porras contribuye a un canon autobiográfico mexicano homoerótico que parecía no existir, pero que se está descubriendo como irreverente, desestigmatizador, fuera de las patologías y presente, sobre todo, en todos los recovecos de la inmensa y lujuriosa Ciudad de México.

Estos textos también hablan de diferentes batallas, errores y pérdidas que pueden englobarse en el concepto de lucha contra la homofobia. Sabemos que este síndrome es de muy reciente acuñación y que en un primer momento podría ser aventurado o impertinente leer estas autobiografías bajo dicho lente. Empero, es privilegio y posibilidad de los/as lectores/as realizar la tarea mencionada, que nos parece prioritaria, incuestionable y benéfica para la sociedad mexicana. Pues esta ha procurado visibilizar al hombre que se relaciona sexual y afectivamente con otro(s) hombre(s) de una forma peculiar; es decir, a diferencia del caso lésbico, los hombres homoeróticos sí forman parte del imaginario social, tienen cierto lugar en los diferentes contextos urbanos, rurales, campesinos e indígenas, pero siempre como el contraejemplo del hombre «verdadero y valioso». El varón homosexual estereotipado ha existido (si bien de forma degradada) para que exista el Hombre, con «h» mayúscula, el macho, apreciado e idealizado de forma perversa para cumplir las funciones propias de un Estado y sociedad autoritarios, clasistas, racistas, misóginos y homófobos. Este último término es el de más reciente adhesión a las problemáticas sociales en México y con ello se ha comenzado a despojar a este «Hombre» de su condición intocable, que tenía su mayor prerrogativa en la denostación de cualquier «rasgo homosexual»; además, se le ha cuestionado su pretendida condición «natural» y «normal».

En este contexto, aparece la autobiografía de Pepe Porras para ayudarnos a recordar, reconstruir y repasar el estado que guarda la condición homosexual en México. ¿Cómo llegamos a esta conclusión? A través de ciertos temas y anécdotas que son, desde nuestro punto de vista, los más abarcadores y que ponemos a consideración de los/as lectores/as.

En primer término, se impone referise al autor, pues la determinación de las fronteras personales del autobiógrafo es un interés legítimo de todo/a lector/a de este tipo de textos autorreferenciales. El autor-personaje principal-narrador (el rasgo distintivo de las autobiografías es la confluencia en una sola entidad de estas tres funciones, generalmente separadas en otro tipo de textos ficcionales o documentales) de *Memoralia de aceras olvidadas* es un hombre que hizo el recorrido más fructífero que podía pensarse para un habitante mexicano de mediados del siglo XX. Abandona la provincia originaria (y sus condiciones restrictivas en todos los ámbitos) para radicar en la capital (urbe macrocéfala resultante de una sociedad rigurosamente vigilada y centralizada); pasa por una serie de trabajos que a pesar de su modestia y precariedad le permiten una vida mundana, con las conveniencias y condiciones del anonimato urbano en franca transformación. Comienza viviendo una vida sexoafectiva soterrada, pero extremadamente activa, llena de recursos y posibilidades, y se ubica finalmente en la estabilidad laboral, económica, amorosa e identitaria que parecía estarle vedada. Este presente venturoso desmiente el lugar común y degradado que se adjudica a los hombres homosexuales, compuesto por la soledad existencial, la carencia amorosa, la identidad vergonzante e impuesta y la precariedad monetaria. Afortunadamente, la autobiografía nos obsequia lo contrario a esta condena que parecía casi imposible de conjurar. Con todo, el autor se atrinchera en el uso del «nosotros» al hablar de esa vida gay que le tocó conquistar, gozar y padecer por partidas iguales. Trata así de proteger su intimidad, pero quien lee puede acceder a la misma sin su permiso, el texto lo permite y, al mismo tiempo, nos invita a involucrarnos en ese uso colectivo del «nosotros» que accedió a cambios fundamentales entre la condición homosexual y la identidad sexodiversa o gay que se gesta justo en la época en que el autobiógrafo llega a la Ciudad de México (década de 1960) y culmina su conformación más o menos al fenecer el siglo XX. En este sentido, el recorrido vital del autor nos recuerda una verdad contundente: la batalla cívica, moral, identitaria de las diversidades sexuales se ha ganado, a pesar de todos los retrocesos, violencia y sinsabores que la visibilidad ha traído consigo. Es una situación agridulce, pero definitivamente más bondadosa que consternada.

En segundo término, estamos frente a una autobiografía que se alimenta de todas las posibilidades del consumo cultural que no ha dejado de ensancharse para abarcar territorios y perspectivas muchas veces disímiles, pero convergentes en dar opciones identitarias sobre el ejercicio homoerótico. Así, la literatura, la puesta en escena y el cine, sobre todo, sirven de alimento cultural y permiten ventilar fantasmas propios y extraños en un muy productivo proceso de retroalimentación entre el personaje principal autobiografiado y la novela para «iniciados»; entre el autor y las películas que tímidamente pueden decodificarse en clave homosexual; entre el narrador y el ejercicio global de destape y secularización de discursos y políticas que eran otrora detentados por la institución sanitaria y la religiosa en velado contubernio. En este aspecto, los/as lectores/as pueden hacerse un programa, una agenda, de las cuestiones concernientes a la homosexualidad masculina a través de las referencias tanto artísticas como, tiempo después, las provenientes de las ciencias sociales que se comentan, y que sirven al autobiógrafo para encontrar sostén, refugio, palestra de cuestionamiento y satisfacción. Estamos frente a un autobiógrafo culto, letrado, preocupado por encontrar siempre respuestas y nuevas incógnitas a través del consumo de los muy variados bienes culturales que se ofrecen en la Ciudad de México y que la han caracterizado como una urbe con una vida cultural singular.

En tercer término, el texto de Porras contribuye a alimentar una muy considerable bibliografía sobre las posibilidades de esta gran urbe. En este aspecto, *Memoralia de aceras olvidadas* se emparenta con textos periodísticos, historiográficos, antropológicos, literarios y de muchas otras perspectivas interesados en registrar, codificar e imaginar el Valle de México. Al mismo tiempo, se puede comprobar que las diversidades sexuales, en un principio sobre todo el homoerotismo, tienen en las calles, construcciones y espacios públicos sus mejores aliados para el ejercicio de la sexualidad fuera de los ámbitos de la heterosexualidad. Esta ventaja urbana, que ya había sido descrita por Salvador Novo en *La estatua de sal* (*ca.* 1945), es apropiada gracias a la invisibilidad y el anonimato propio de las grandes aglomeraciones humanas. En este punto, el autobiógrafo es un testigo privilegiado, debido a que vivencia cambios definitivos en las relaciones sociosexuales.

En la primera década descrita, no existen espacios de convivencia como tales, aunque hay algunos que al amparo de la oscuridad cambian su rostro para dar cobijo a los habitantes de la noche. El homosexual de entonces se confunde, mimetiza y convive en los lugares nombrados como «de mala muerte» o «los bajos fondos» (que con estas denominaciones generalizadoras ya dan cuenta de la apreciación social que se les da). Impera aquí el ejercicio homoerótico considerado como desecho social y manifestación patológica. Las loncherías del barrio de la Merced, llamadas «bodeguitas», bajan la cortina de metal y dejan enclaustrados a los parroquianos que se disputan la preeminencia representacional: alcohólicos, homosexuales, prostitutas, proxenetas, «chichifos». Estos espacios convivirán (si bien en posición minoritaria) con lugares apropiados por una naciente comunidad homosexual, como la famosa cadena de restaurantes Sanborns en sus sucursales de la zona más céntrica de la ciudad, neverías y centros nocturnos en las inmediaciones de la Plaza Garibaldi... más tarde aparecerán las discotecas para «todos» y las que se dirigían a un público exclusivamente homo. En este sentido, el autobiógrafo se contemporiza con muchos otros textos donde se afirma que el fenómeno discoteca propició la identidad gay al brindarle un espacio de desarrollo y expresión.

En este contexto cambiante hay un sujeto social que acompaña toda la experiencia de las épocas descritas: el policía o el judicial, quien no busca en realidad guardar el orden moral o llevar a cabo una campaña homofóbica, sino que ve la mejor fuente de ingresos en los sujetos que deambulan por parques, cines, vapores y avenidas señalados como propios para el encuentro de compañeros sexuales. Las famosas y temidas razias, cuando la policía «jalaba» con todos los asistentes de una fiesta particular en las colonias Roma o Condesa, o las múltiples discotecas que aparecían y desaparecían como efímeras flores del desierto, o los célebres «ganchos», hombres que en ciertos lugares se hacían pasar por ligue para después entregar al homosexual a las manos de la extorsión. La mayoría de las veces este proceder terminaba con el despojo económico y raramente en la violencia física. Insistimos, la policía se aprovecha de los grupos más desvalidos, aquellos quienes frente a la amenaza de la «delación» de su sexualidad aceptan las condiciones de «los agentes del orden». Ciertamente del orden corrupto y corruptor.

Como cuarto tema tratado en la autobiografía se pueden agrupar una serie de reflexiones sobre la cuestión gay o sexodiversa. La mentalidad, la valía personal, la relación con «lo femenino» y con «lo masculino», entre otros puntos, se trasvasan de página a página y de anécdota a anécdota de manera imperceptible, pero que definitivamente moldean la forma en que el propio sujeto homoerótico reflexiona sobre sí y su alrededor. Como en los aspectos tratados anteriormente, *Memoralia de aceras olvidadas* es un texto bisagra porque, como hemos afirmado, cronológicamente se ubica en los cambios de época y consideración del hombre que ve en otro hombre tanto la fuente de los deseos físicos como de los requiebros amorosos.

¿Qué ilustra el autobiógrafo sobre la condición homosexual? Un trayecto que en principio tiene pocas alternativas y las mismas lo atan a una posición degradada, pero con el tiempo va diversificándose y ofreciendo así mayores oportunidades de crecimiento y desarrollo. No es un camino de una sola vía y en él no se consumen «etapas»: por el contrario, diferentes discursos y estilos de ser y vivir conviven simultáneamente. Estamos lejos de pensar que una opción vital es mejor que otra. Sin embargo, las épocas marcan tendencias preponderantes. Por ello, el lector puede identificar la vida invisible, que en términos más contemporáneos marcaríamos como «en el clóset», así como «el afecto comprado», es decir, la costumbre de cierta caracterología que se deja esquilmar por un hombre que se considera heterosexual. El «precio» que este sexodiverso debe pagar por andar con «un hombre de verdad» puede consistir en unos cuantos pesos o significar la ruina financiera. Otro tipo de identidad representada es la del sujeto que vive vicariamente, que se quita hasta la camisa para ayudar a su pareja, a sus familiares, a sus padres, en un afán desmedido por encontrar la aceptación que lo lleva a vivir a través de la vida y las necesidades de los demás, posponiendo (a veces por siempre) sus propias necesidades. Al mismo tiempo, se puede localizar a sujetos que ya no reaccionan a las primeras dos condiciones y, motivados por la educación universitaria, las ideologías de izquierda, la liberación femenina o los modelos alternativos de afectividad y agrupación, se percatan de que las asociaciones y partidos políticos «de vanguardia» abogan por todos menos por ellos. La izquierda latinoamericana conceptualizaba al hombre «homo» como una desviación burguesa, un individuo poco confiable, susceptible de «venderse» al enemigo por su debilidad caracterológica. Lo único cierto es que este retrato es tan burgués como la ideología burguesa más convencional. Despegándose de esta alternativa política nace el movimiento homosexual en México y es el que invita a ya no «esconderse en público», como bien acierta Pepe Porras a definir en sus páginas. Este movimiento se transforma en la década de los 80 frente a la crisis del sida, y muchos de los modelos de atención y prevención saldrán de las filas de activistas que se convirtieron en defensores de derechos humanos y gestores públicos. El panorama aquí queda abierto para las presentes y futuras generaciones de hombres sexodiversos que seguramente fincándose en su «tradición» están encontrando novedosas maneras de ser y estar en el mundo.

En quinto lugar, y último de este recuento, encontramos la textualización del lenguaje oral del grupo. Se trata de un sociolecto propio de este grupo que, como cualquier otro, busca sus propias formas de expresión para dar cuenta de sus muy particulares experiencias vitales. La autobiografía nos enseña que todo el español de México puede ser perfectamente *queer*, sabiéndolo pronunciar. Es decir, hay que arrastrar ciertas consonantes como la «r» o la «s» para dar la entonación más jota posible, que evidencia la identidad. El texto marca la palabra «moderno» en su expresión oral para ser clave de reconocimiento o ariete subversivo; por favor, pronúnciese así: «moddddderrrrnos», y de la misma manera cualquier otro término, como «marsha» por «marcha», «masha» por «macha», «hombrrrreee» por «hombre» y tendrán los/as lectores/as un acervo precioso de modismos, o mejor dicho de jotismos, para convivir y divertirse. La cuestión de un sociolecto particular se marca por épocas: en el texto hay denominaciones que han desaparecido junto con aquello que ayudaba a determinar, como igualmente otros que siguen vigentes y denotan todas las virtudes de la experiencia homo, gay, sexodiversa o queer mexicanas y también sus fobias, su clasismo, racismo, sexismo, machismo, entre otras características no muy encomiables. Hay una regla de oro cuando se quiere denigrar algo, y es que se lexicaliza en femenino; si «joto» ya es bien agresivo, «jota» está elevado a sus últimas consecuencias, mientras que «chichifo» sigue siendo quien se aprovecha económicamente de otro e incluso se ha transformado en verbo: andar «chichifeando» es andar sacando ventaja de algo o alguien, mientras que el compadrazgo (institución mexicana de alta consideración social) se adecua al mundo no heteronormado y así «comadres» designa a «das amigas» más cercanas, al igual que «mana». Existe aquí una riqueza lingüística de los grupos que han desarrollado un sociolecto o lenguaje particular para designar, calificar y fijar en la experiencia, la memoria y el recuerdo los acontecimientos propios, legitimando así su existencia.

De esta forma, hemos tratado de comentar cinco aspectos que nos parecen los más abarcadores de *Memoralia de aceras olvidadas. Una semblanza gay de la Ciudad de México*. Los mismos se presentan en un orden que no es jerárquico, simplemente se enumeran por necesidad textual, lo que no significa que uno nos parezca más valioso o trascendente en detrimento de otro. Queda en los intereses particulares de cada lector/a hacer sus propias valoraciones. Estamos seguros de que la lectura será irremediablemente iluminadora y entretenida.

CIUDAD DE MÉXICO, CAPITAL DE LA HOMOSEXUALIDAD MEXICANA[34]
Mauricio List

Pepe Porras, en su prolijo recuento de las referencias a los sitios de encuentro, expresiones culturales y anécdotas de la vida homosexual en México durante varias décadas del siglo XX, muestra una diversidad difícilmente abarcable. Sin embargo, va dejando en el camino referentes que, sin duda, para algunos de nosotros —hombres homosexuales habitantes de la capital del país— fueron fundamentales en su momento. En este texto quisiera mencionar algunos de esos referentes que se quedaron en el tintero de Porras, y que pueden aportar nuevos ángulos para explorar las masculinidades y homosexualidades en la Ciudad de México a comienzos de los años 80.

Aunque resulte complicado precisar en términos temporales lo acontecido en la capital del país en las últimas décadas del siglo XX, como lo hace Porras, hay ciertos procesos que fueron consecuencia de acontecimientos nacionales e internacionales originados en la década de los 70 y que claramente impactaron en la siguiente. Dos de ellos, particularmente significativos y que en adelante marcarían la dinámica de las relaciones entre varones, los hallamos mencionados en el texto de Porras: uno es el ascenso del neoconservadurismo a nivel global y el otro la pandemia del sida. Aunque en este texto no

[34] Este trabajo forma parte del proyecto «Diversidad de género, masculinidad y cultura en España, Argentina y México» (FEM2015-69863-P MINECO-FEDER) del Ministerio de Economía y Competitividad de España

se hará un análisis de estos procesos, se podrá ver su influencia en los asuntos que se tratan y que marcaron la agenda de los movimientos LGBT en el país en las siguientes décadas.

El mismo Porras lo recuerda cuando afirma «A pesar del *newcon* (neoconservadurismo), trabajamos, dimos muestras de nuestra organización, nos informamos y manifestamos nuestro derecho a existir, participamos en actividades solidarias, nos sostuvimos como pareja o como colectivos, aunque alguna pareja falleció o los colectivos disminuyeron». Como él, muchos jóvenes nos involucramos con entusiasmo en el activismo vinculado al reconocimiento de derechos sexuales y a la prevención del VIH en diversas organizaciones que con el tiempo sistematizaron y formalizaron su trabajo (algunas de ellas continúan actualmente). Desde ese momento fue claro que se trataba de una tarea fundamental que debía ser hecha desde la sociedad civil, dada la indiferencia de los gobiernos, empezando por el de Ronald Reagan.

Por supuesto el país, y particularmente su capital, estaban cambiando; las crisis económicas internacionales daban paso al neoliberalismo que las grandes potencias mundiales estaban impulsando. David Harvey (2015) recuerda cómo a finales de los años 70, en distintos países, se estaban haciendo transformaciones muy importantes en términos económicos que definirían sus principales características. De lo que se trató, según el autor, fue de liberalizar el desarrollo empresarial y el libre comercio, y de crear un mercado en las áreas donde este no existiera (como en el caso del medio ambiente). A ese respecto hay que decir que las crisis económicas debidas a las fluctuaciones en los precios del petróleo permiten, según Harvey (2007: 5), pensar este momento como uno de «inflexión revolucionaria en la historia social y económica del mundo»; más adelante, señala que «todas las formas de solidaridad social iban a ser disueltas a favor del individualismo, la propiedad privada, la responsabilidad personal y los valores familiares» (29).

No está de más señalar que, con el tiempo, las agendas de los movimientos LGBT, a nivel global, fueron incorporando nuevas demandas, como el derecho al matrimonio y a la adopción, lo cual, paradójicamente, apunta a lo que señaló Harvey: derechos individuales que se volvieron el centro de la agenda en la lucha de este sector. No obstante, hay que decir que a pesar del avance del individualismo, no se eliminaron las formas de solidaridad social, que más bien encontraron otras maneras de expresarse.

En México, en 1978, se inició la visibilización y movilización de los sectores LGBT en una abierta lucha por el reconocimiento de derechos (Diez, 2011). En su *Memoralia*, Porras recuerda que fue la propia Nancy Cárdenas quien encabezó la primera movilización pública en la capital del país, y que era el rostro visible del movimiento LGBT desde su famosa entrevista con Jacobo Zabludovsky en televisión, cuando hizo pública su orientación sexual en el programa de mayor audiencia en México.

Para muchos de nosotros resultó difícil tomar la decisión de acudir a dichas manifestaciones, pues suponíamos que habría una cámara de televisión o de fotógrafos inoportunos que revelarían nuestra presencia a nivel nacional. De hecho, para mí, fue 1991 el primer año en el que acudí a la mencionada marcha, que ya para ese momento reunía a varias miles de personas.

Mientras tanto, en 1983, Luis González de Alba, escritor, activista y empresario gay, inauguró La Tienda del Vaquero, un pequeño local ubicado en una plaza comercial de la avenida Insurgentes Sur, en el barrio de Mixcoac. Esta zona, que hasta la primera mitad del siglo XX albergó algunas grandes casonas y que contó con vecinos ilustres como Valentín Gómez Farías, Octavio Paz y Gabriela Mistral, se fue convirtiendo en una zona comercial y habitacional de sectores medios, entre quienes se incluyeron igualmente hombres homosexuales. En la misma plaza en la que estaba ubicada la tienda, se situaba la disco-club L'Baron, y poco tiempo después se instaló

La Cantina del Vaquero, dos sitios que formaron parte de la escasa oferta de sitios de diversión de la época. Así, durante una buena cantidad de años, esta zona de la ciudad aglutinó a una parte de homosexuales de clase media que buscábamos algún sitio de socialidad y recreación entre nuestros pares.

González de Alba (2006: s.p.) recordaba: «Allí abrimos La Cantina del Vaquero: una barra de segunda mano, un espejo grande en la contrabarra, una sinfonola rentada con música exclusivamente en español y una rueda de carreta rodeada de bancos altos». Y más adelante, refiriéndose a El Taller, uno de los más emblemáticos sitios de diversión gay en plena Zona Rosa, que sin duda sería el disparador de la amplia oferta que rápidamente creció en uno de los principales sitios turísticos de la ciudad de México, señala una de las características principales de ambos lugares: «no entrarían mujeres. De ningún sexo [...] si las mujeres tenían derecho a estar solas en los espectáculos chippendale... los hombres teníamos los mismos derechos».

La lógica bajo la cual operaban algunos de esos lugares era la posibilidad de ejercer la homosocialidad sin presencia de mujeres, es decir, poder desarrollar el *performance* masculino bajo una perspectiva que terminaba siendo misógina y en algunos casos hasta homófoba. Es posible, en ese sentido, considerar que se establecieron ciertos modelos normativos de la masculinidad homosexual, que igualmente operaron a manera de definición de una homocultura, pero también como una forma de negar la existencia de ciertas marcas femeninas que pudieran irrumpir en la escena gay. Por supuesto, se pueden plantear diversas interpretaciones; sin embargo, no hay que perder de vista que, por un lado, estaban surgiendo diversas subculturas gais que reivindicaban sus propias expresiones de género y que, al mismo tiempo, existía la pretensión de algunos de eliminar las representaciones del gay afeminado al considerarlo un modelo que resultaba homofóbico.

Encontré la publicidad de La Cantina del Vaquero en la revista de información gay *Macho Tips*, que circuló durante varios años en México. Ahí se anunciaba precisando «N.R.D.A. (nos reservamos el derecho de admisión) Estricto pantalón vaquero o ropa de piel. Sin loción». Cuando en esa época leía dichos anuncios me imaginaba que el sitio estaba lleno de hombres *viriles*, *fuertes*, *hermosos*, y ello, para un jovencito retraído como yo, resultaba intimidante.

Atendiendo a la oferta y publicidad de los establecimientos creados por Luis González de Alba, es innegable que había una pretensión de generar espacios de socialidad para sujetos que respondieran a características «masculinas». Para González de Alba era importante manejar una estética gay que se distanciara de otras representaciones del homosexual afeminado; a él le interesaban ciertos estilos como el *leather* o el vaquero, que exaltaran la masculinidad. Cuando algunos años después me mudé cerca del lugar y empecé a concurrir a esos sitios, fue una gran sorpresa para mí descubrir que la mayor parte de la clientela no utilizaba el código de vestimenta señalado en la publicidad. Por su ubicación y horario vespertino, acudían muchos empleados de oficinas y establecimientos comerciales cercanos, ataviados convencionalmente con traje y corbata.

Resulta hasta cierto punto paradójico el hecho de que fueron precisamente las leyes de inclusión y no discriminación, impulsadas en buena medida por los colectivos LGBT, las que transformaron algunos de esos sitios de diversión nocturna. En adelante no podrían negar el acceso a ninguna persona en función de su sexo o de su género. Muchos establecimientos insistirían en no permitir el acceso a mujeres, o a hombres, o a personas trans, lo que ha sido un motivo recurrente para el cierre temporal o definitivo de algunos de ellos.

A mis 19 años, recuerdo haber ido tímidamente a buscar La Tienda del Vaquero por dos razones específicas: quería ver hombres homosexuales, pues no los identificaba en mi entorno más inmediato y, además, buscaba referentes que me permitieran reconocer los ámbitos de socialidad entre varones. Acudí una tarde esperando no ser visto al entrar. En esa primera ocasión pasé por el frente en varias ocasiones antes de animarme a ingresar, y cuando lo hice me sentí maravillado observando cada uno de los objetos que se exhibían. En realidad, el local era muy pequeño y escasa la variedad de productos que se vendían, y sin embargo para mí representaba un mundo nuevo.

Regresé en diversas ocasiones y adquirí algunas revistas como *Macho Tips*, y las primeras novelas de temática homosexual a las que tuve acceso, que sin duda resultaron reveladoras por diversos motivos: *El vino de los bravos* (1983) de Luis González de Alba, *El vampiro de la colonia Roma* (1979) de Luis Zapata, *Octavio* (1984) de Jorge Arturo Ojeda, entre otras, que conservé clandestinamente en casa, escondidas entre libros y cuadernos escolares. A pesar de que, como señala Porras, fue ese el momento de mayor proliferación de literatura de temática homosexual, su difusión no fue amplia en el resto de las librerías. En todo caso, era necesario indagar exhaustivamente en ellas para encontrar alguna obra que al final resultaba ser de corte sexológico, algo muy distante de mis intereses literarios de ese momento.

Fue en esos años cuando leí por primera vez una novela que llamó particularmente mi atención: *Las púberes canéforas* (1983) de José Joaquín Blanco. Quizás una de las razones por las que tuvo tanta resonancia en mí esta novela negra fue que su historia no solo tenía que ver con los personajes homosexuales que protagonizaban la historia, sino que también describía de forma espléndida el autoritarismo y la corrupción que campeaba en el escenario político mexicano. A la vez, la crudeza de la narración en torno a las relaciones entre varones fue muy importante en esos primeros acercamientos en los que mis intereses principales eran, por un lado, establecer vínculos afectivos y sexuales con otros varones, y por otro, incidir de alguna manera en la vida política de México.

A Porras, como a muchos otros sujetos homosexuales, entre los que me incluyo, la búsqueda de espacios de participación política nos había acercado a los partidos de izquierda más o menos con los mismos resultados que él mismo comenta: «da sectarista izquierda mexicana no nos incluía y, como no éramos bien vistos en los grupos de izquierda, organizamos grupos de doble moral, de doble tendencia, de doble discurso, pues de día éramos militantes de izquierda *buga* y de noche militantes izquierdistas mariconas, así empezamos a ser travestis».

Hay que señalar que esa no era toda la izquierda mexicana, pero sí la que resultaba hasta cierto punto «hegemónica», la marxista-leninista, la que tenía una importante presencia en algunas regiones, como la ciudad de Puebla, donde controlaba la universidad estatal. Jordi Díez (2011: 698) recuerda a otro sector de la izquierda igualmente importante durante los años 80:

> la decisión de ciertos actores del movimiento de formar una primera agrupación de corte completamente político en apoyo a la candidatura a la presidencia de Rosario Ibarra (Comité de Lesbianas y Gays en Apoyo a Rosario Ibarra, CLGARI) por el Partido Revolucionario de los Trabajadores (PRT)[35] y la postulación de individuos abiertamente homosexuales a diputaciones federales por el mismo partido, por primera vez en la historia de México.

Por supuesto, la experiencia de participar en la izquierda de aquella época fue muy diversa; en mi caso, el distanciamiento con la militancia partidista tuvo que ver fundamentalmente con una búsqueda por comprender y reconocerme en un *otro*, que para ese momento seguía siendo muy poco visible. Como afirma Leo Bersani (1998), quería asumir una identidad gay pero a la vez veía con recelo lo que

---

[35] El PRT se reconocía como un partido de línea trotskista.

identificaba como gay. Quería posicionarme orgullosamente, pero lo que se me presentaba no cuadraba con lo que un chico tímido, de izquierda y con pretensiones intelectuales esperaba y, sobre todo, en ese momento aún no hallaba claramente un «nosotros» en quienes reconocerme.

Ahora, más de treinta años después, la lectura de la novela de José Joaquín Blanco me revela nuevos aspectos que seguramente en su momento no descubrí, y que me sirven para pensar en esas maneras de relacionamiento homosexual que se venían dando a finales de los años 80 en el país. Pepe Porras señala: «recurrir a las novelas para rehacer una vida, una ciudad, un tiempo, es válido si se buscan las formas de representación y autorrepresentación de aquel tiempo, mas no para buscar la veracidad, en eso estriban otros tipos textuales». Me gustaría darle un matiz a estas palabras. Sin duda las representaciones o autorrepresentaciones de los homosexuales de la época forman parte de esa «veracidad». Aun en los textos académicos, sociológicos o antropológicos generados en la década de los 90 y principios del 2000, ausentes en la bibliografía de Porras por razones obvias, muchas de las referencias a las que se alude son retomadas precisamente para comprender la manera en que dichos sujetos se percibían a sí mismos y actuaban en contextos públicos y privados.

En este sentido, deseo valerme de las palabras de José Joaquín Blanco para mostrar cómo a finales de los años 70 se estaba constituyendo un sujeto homosexual, en el tránsito entre el autoritarismo policiaco del estado mexicano y el activismo LGBT hacia el reconocimiento de derechos.

Los años 70, el tránsito al estado neoliberal

Durante la década de los 70, corrupción y autoritarismo funcionaban al unísono en todo el país; sin embargo, las crisis económicas que se habían presentado a nivel global hacían cada vez más difícil mantener a raya las críticas y las protestas sociales, y la capital del país era el epicentro de las movilizaciones políticas de campesinos, obreros, estudiantes, movimientos inquilinarios, entre otros. Por lo mismo, la corporación policiaca de la capital, bajo la supervisión directa del presidente de la república, se había distinguido por el uso desmedido de la fuerza, la utilización discrecional y selectiva del aparato legal y la extorsión como un redituable negocio. De hecho, durante mi época de militancia política, sabíamos que algunas acciones que se llevaban a cabo podían dar pie a que nos detuviera la policía, pero eso era parte de sentir que era relevante lo que hacíamos. De alguna manera, eran los aparatos de gobierno con sus políticas represivas lo que daba mayor relevancia a nuestras acciones.

José Joaquín Blanco utiliza a un personaje ficticio de la política nacional —el Senador Domínguez— para evidenciar, por un lado, los grandes actos de corrupción, y por otro, dibujar las formas más grotescas de la masculinidad heterosexual. Sin embargo, la realidad nacional nos dio constantes ejemplos de ello en su momento. Del gabinete de José López Portillo, presidente de México entre 1976 y 1982, surgieron nuevos millonarios que después se volvieron empresarios, políticos que durante décadas brincaron de un puesto a otro, delincuentes de diversa especie, y hasta asesinos que décadas después fueron juzgados. Como recuerda Blanco (1984: 79), muchos de ellos pronunciaban discursos «acusando a los huelguistas de no entender los altos designios de la patria, de ultrajar la bandera, de cometer todo tipo de ofensas a la moral en las fábricas, talleres y maquiladoras ocupados, de entornar himnos internacionales y de enarbolar banderas infames».

La retórica que durante décadas había usado el partido en el poder[36] ya no lograba los mismos efectos sobre la población. Hacía

---

[36] Me refiero al Partido Revolucionario Institucional (PRI), que se mantuvo en el poder desde 1929 a 2000 y que después de dos periodos consecutivos volvió a gobernar el país a partir de 2012 y hasta 2018.

falta encontrar otras estrategias. El autoritarismo que había cobrado muchas vidas en las matanzas de 1968 y 1971, amén de la llamada *guerra sucia* que había dejado cientos de muertos y desaparecidos, había probado ineficacia frente a una sociedad que insistía en protestar contra las arbitrariedades gubernamentales. En cierto modo, las jerarquías establecidas en ese estado de descomposición política y social, generadas por el autoritarismo de las instituciones del Estado, se estaban modificando. Blanco lo expresa claramente cuando hace decir a uno de los personajes principales de su novela, la Gorda: «Mira, a mí no me daba miedo de chamaco que me la supieran que era gay, tenía algo más penoso que esconder: que mi papá era diputado federal del PRI» (Blanco, 1984: 56).

Para muchos jóvenes de esa época, participar en las protestas públicas resultaba por un lado riesgoso, pero por otro habíamos acumulado el suficiente hartazgo como para sentirnos entusiasmados de participar en cuanta marcha o mitin se convocaba. Es cierto que muchas veces tuvimos que huir ante la inminencia de la llegada de la policía; sin embargo, volvíamos nuevamente a la siguiente convocatoria.

Porras recuerda de manera muy clara cómo se vivía esa época: «Esta educación sentimental se veía ensombrecida por la asechanza policiaca, cuyas razias y levantones nos llevaban a la delegación o a la madriza en un callejón o a la desaparición en alguna fosa, sobre todo de 1976 a 1982, cuando se ejerció la mayor persecución desatada por la Dirección de Investigaciones para la Prevención de la Delincuencia (Sexenio de la DIPD)». El sistema político no lograba desembarazarse de viejas prácticas que durante décadas le habían resultado funcionales: control de gremios y sindicatos a través de sus líderes, que terminaban siendo fieles al jefe del ejecutivo federal; control de la policía y las fuerzas armadas; acuerdos con los sectores privados para el manejo de la economía, etc. Es por ello por lo que se mantenían ciertas prácticas que podían resultar anacrónicas, pero que ilustran claramente la vigencia del autoritarismo y el paternalismo que con el tiempo fueron dando paso a otras prácticas clientelares que Blanco ilustra en su novela a través del personaje del Senador Domínguez, quien en un gesto de *generosidad* era capaz de compartir la mesa con sus subordinados, quienes recibían el gesto con gratitud:

> Y hasta sentía cierta simpatía sensual, parecida a la que un pandillero puede tener por su perro bravo, por esos muchachos jóvenes, en su apoteosis corporal, traducida en una inquietud carnal bullante, precisamente de perro bravo tratando de reventar la cadena, ávida de estallar en violencia. Y como perros, eran leales: sabían agradecer el menor gesto de cordialidad del amo, las migajas del banquete; después de morder a otros venían a lamer los dedos del amo. (Blanco, 1984: 91)

No es ninguna novedad decir que ese sistema está representado por la masculinidad hegemónica que exhibían los diversos personajes en los múltiples contextos en los que se movían. Para esos años, menos del 9% de los legisladores eran mujeres; la ausencia de un discurso de Derechos Humanos permitía que con cualquier pretexto se reprimieran diversos tipos de protestas; la clase política y los líderes sindicales expresaban sin ninguna vergüenza sus opiniones, denostando a indígenas, campesinos, mujeres, obreros. Izquierda o derecha, los valores de la masculinidad se reproducían independientemente de la posición política de los sujetos, y para ese momento los discursos de reivindicación de las mujeres no habían alcanzado una legitimidad generalizada, mucho menos los de quienes se salían de la norma heterosexual.

En 1982, Marta Acevedo analizaba la participación de las mujeres en el contexto de la organización partidista de la izquierda mexicana, y recuperaba la expresión de uno de sus militantes: «Éste sí va a ser un partido de hombres con los pantalones bien puestos» (Acevedo, 1982: 87). Como ella señalaba en ese momento, las mujeres no estaban presentes en la organización del nuevo partido de izquierda que se estaba fundando: «La práctica política se ve con ojos de hombre, no es haciendo accesibles los atributos que definen a los hombres en una sociedad de clases —exigua responsabilidad en la procreación, responsabilidad solo con el llamado trabajo productivo— como será alcanzada la igualdad, la democracia» (Acevedo, 1982: 88).

Quienes asistíamos a la reorganización de lo que en esos momentos se identificaba como la izquierda mexicana, veíamos con escepticismo la posibilidad de que la agenda política considerara seriamente las necesidades de las mujeres y sujetos LGBTTTI. No está de más decir que treinta y seis años después se sigue sin considerar esas necesidades en el llamado Proyecto Alternativo de Nación[37] del candidato de izquierda a la presidencia de México.

La masculinidad y la sexualidad en la Ciudad de México en la década de los 80

Hay que decir que, mientras tanto, iban surgiendo nuevas expresiones político-culturales importantes; una de ellas, desde mi punto de vista, fue el establecimiento, por parte del Círculo Cultural Gay, de la Semana Cultural Gay, como se le llamó en su primera edición en 1987, cuando la organizó José María Covarrubias en el Museo Universitario del Chopo de la UNAM, sede que ocuparía hasta 2003, cuando falleció el activista. Carlos Monsiváis (1997: 12) la definió como sigue:

---

[37] Se puede consultar en el siguiente enlace: <goo.gl/oq17iY>.

> Todo cabe: desde *La Cage Aux Folles* y *The Birdcage* a las fotografías de Robert Mapplethorpe y Peter Hujar, de los films de Derek Jarman y Cyril Collard a las piezas de Copi y Larry Kramer, de los relatos auto-biográficos de los cubanos Reinaldo Arenas y Severo Sarduy a los textos del mexicano Joaquín Hurtado; de las instalaciones de los Cien Artistas contra el Sida, al activismo de Act-Up, de los ensayos de Edmund White a los relatos de Guy Hocquenghem, de la obra de Keith Haring a los miles de fotos, películas, videos, ballets, testimonios, relatos, esculturas, obras de teatro, instalaciones, donde la experiencia gay emerge, alegato reiterativo y multiplicidad de propuestas estéticas.

Sin temor a equivocarme, puedo decir que dicho espacio cultural fue fundamental en la vida de muchísimos jóvenes LGBTTTI mexicanos que, como yo, estábamos ávidos de explorar y comprender nuestra sexualidad. Fue el foro más importante que durante muchos años dio voz a escritores, artistas plásticos y escénicos, activistas, políticos, académicos, que expusieron y debatieron la situación política, social y cultural de las sexualidades y donde igualmente se expresaron las ideas en torno a la pandemia del VIH.

Aún recuerdo mi primera vez en este foro cultural. Recorrer la exposición artística me hizo sorprenderme frente a las pinturas, esculturas, fotografías, la mayoría de las cuales eran absolutamente explícitas, sin que por ello perdieran su sentido estético. Más tarde acudí a un taller impartido por Xabier Lizarraga, el cual sin duda representa un *punto de inflexión* en mi vida, lo que me permitió, ahora sí, encontrar el colectivo en el cual reconocerme y que en lo sucesivo me llevaría a encaminar mis intereses personales y profesionales hacia las sexualidades LGBTTTI.

Durante los años 80, el cine nacional se caracterizó por el *boom* de las llamadas películas de «ficheras», donde triunfó la actriz Sasha Montenegro, que después se convertiría en la esposa del expresidente López Portillo. En esas películas se expresó lo más ramplón de la cultura mexicana; allí se festejaba el *ingenio* en el lenguaje para ofender y satirizar, lo mismo a las mujeres que a cualquier varón que no cumpliera con los modelos de la masculinidad heterosexual. Fue a través de esas películas como se difundieron personajes homosexuales que solo podían ser ridículos o patéticos y en las que igualmente se difundieron muchos de los mitos en torno al sida, que estigmatizaron a los sujetos homosexuales como responsables de la propagación de la enfermedad. En ese contexto, los colectivos LGBT asumieron un papel relevante en función de las circunstancias que se estaban viviendo a raíz de la pandemia. Recuerda Porras:

> La búsqueda de *él*, se tornó lenta y tristemente hacia los esquemas conservadores: desconfianza, inseguridad, miedo, chantaje, extorsión, amenaza, delación y acoso hasta dejar el empleo, la familia y el departamento. Reiniciamos una doble lucha, enfrentamos nuevos retos, adquirimos otra fuerza como comunidad y desenmascaramos a una estructura social que nos responsabilizaba de una enfermedad que es humana, no de gueto, como enunciaban ciertas autoridades.

Por supuesto, una vez que empezó a circular la noticia de la nueva enfermedad mortal asociada a los homosexuales, los niveles de estigma y discriminación aumentaron, y para muchos de nosotros *salir del clóset* se volvió una tarea aún más ardua. El temor y el rechazo ante la presencia de la pandemia hizo que todo homosexual fuera considerado potencial, cuando no real, enfermo de sida. Los medios de comunicación de ese momento tuvieron un papel muy activo en ello. Así, por ejemplo, un periodista prestigiado ironizó, afirmando que algunos actores de la otra empresa televisiva deberían estar asustados pues seguramente enfermarían, una manera de decir que creía que eran homosexuales.

Dentro de los imaginarios de la época no se planteaba el matrimonio y menos aún la crianza de hijos como proyecto de vida para las parejas del mismo sexo. En ese momento, la mirada estaba puesta en lograr que se acabara con las detenciones arbitrarias, con las extorsiones policiacas, con la necesidad de utilizar espacios clandestinos para el encuentro erótico y afectivo. Más adelante, y con la presencia de la pandemia, la expectativa estaría puesta en que se pudiera encontrar un tratamiento eficaz, una vacuna contra el sida.

De alguna manera, las diferencias de clase marcaban la situación de los homosexuales en México. Para algunos, principalmente de clase medias y altas, lo mejor era adaptarse a las circunstancias y aprovechar una escasa oferta de sitios de socialidad, algunos de los cuales tenían restricciones en función de la apariencia de su clientela. Allí se reproducían abiertamente diversas formas de exclusión por motivos de género, etnia, clase o edad, con la complacencia de gran parte de la concurrencia. Para parte de esa clase media y los sectores populares la prioridad era la sobrevivencia, evitar las detenciones arbitrarias, eludir las extorsiones y encontrar espacios de socialidad en los cuales poder convivir con los pares sin miedo a las autoridades o a los ataques y crímenes de odio.

Y qué vino después

Quisiera cerrar este texto resaltando el hecho de que los años 70 y 80 representan, en muchos aspectos, un periodo de transición para el caso mexicano. En términos políticos, se hizo evidente que las prácticas que durante décadas le habían sido funcionales al partido en el poder ya no eran aceptables para la población, lo que condujo en adelante a probar diversas reformas que, entre otras cosas, abrían el espacio a la participación política de la oposición. Por supuesto, el hartazgo era mayúsculo, por lo que se probaron otras estrategias, como recuerda Porras: «Empero, "se cayó el sistema": Carlos Salinas de Gortari fue el presidente de 1988 a 1994 y, contra el viento y la marea de la época, nuestra presencia se hizo visible, porque nuestro trabajo político se articulaba, porque ya nos incluíamos en la vanguardia del mundo, a pesar de la oposición política, la Iglesia y la falta de una protección legislativa».

En términos económicos nos volvimos más *modernos* cuando nos aplicaron el Tratado de Libre Comercio con América del Norte, cuyo mayor logro ha sido generar una mayor desigualdad económica, al punto que esa época marca el origen simultáneo de la mayor fortuna a nivel mundial (la de Carlos Slim) y de cerca de sesenta millones de pobres en México. Esto también tuvo el efecto de ir desmantelando paulatinamente el Estado de bienestar. Ya desde mediados de los años 80 vimos que solo la acción coordinada de los homosexuales impulsaría las acciones de prevención frente al VIH ante la indiferencia oficial. Ello impulsó la formación de colectivos para enfrentar la pandemia, circunstancia que, sin embargo, tuvo el efecto de desatender las anteriores luchas centradas en el reconocimiento de derechos.

Algunos pasamos de una militancia cercana a los partidos políticos a la participación en colectivos de lucha contra el sida (detonante de otras formas de socialidad) que inicialmente enarboló la consigna de «practicar el sexo seguro» o el «sexo más seguro», *erotizando* prácticas que no implicaran el intercambio de fluidos. Insistíamos: tenemos que modificar nuestras prácticas para enfrentar menos riesgos. Como afirma Porras, «esto trajo como consecuencia el activismo político-sexual en lugares donde no se pensaba en una defensa o protección de los derechos humanos. Guadalajara, Puerto Vallarta, Mazatlán, Culiacán, Puebla, Oaxaca, Mérida, Cuernavaca, Veracruz, Tampico o Guanajuato serán lugares donde siembren las ideas y las actividades de diversidad sexual, a pesar de confrontarse con las buenas conciencias y las mentes biempensantes, cayendo, algunas veces, desgraciadamente, en la muerte y la desaparición, por invertidos, pervertidos que llegaban del DF a contaminar con sus ideas y contagiar con su enfermedad».

En materia de derechos podríamos decir que hemos avanzado más, pero sin duda ello fue posible una vez que se estabilizaron relativamente las políticas públicas enfocadas en la atención de la pandemia. Las luchas por el reconocimiento de derechos sexuales y reproductivos se han visto impactadas, por supuesto, por su reconocimiento en el plano internacional.

Para cerrar me gustaría señalar que el texto de Porras nos conduce a muchos hombres homosexuales mexicanos a apreciar la importancia de un periodo que solemos considerar de escasas referencias a la homosexualidad, debido a su poca visibilidad. Sin embargo, con el recuento que hace el autor en su *Memoralia*, es necesario reconsiderar dicho periodo en el que se sentaron las bases para el desarrollo de la lucha por el reconocimiento de derechos en México. Por supuesto se trata de una época con claroscuros que lo mismo produjo obras de gran calidad y relevancia artística y cultural que muchas otras anodinas. No obstante, todo ello constituye nuestra memoria como colectivo y nos ayuda a comprender, de mejor manera, hasta dónde hemos podido avanzar y la necesidad de seguir trabajando desde múltiples frentes en esa lucha.

Referencias bibliográficas

ACEVEDO, Marta (1982): «El partido socialista unificado mexicano y las mujeres», *Fem. Publicación feminista*, VI, 21, pp. 82-88, <goo.gl/EuAdx1 >.

BERSANI, Leo (1998 [1995]): *Homos* (trad.), Manantial, Buenos Aires.

BLANCO, José Joaquín (1984 [1995]): *Las púberes canéforas*, Océano, México.

DÍEZ, Jordi (2011, mayo-agosto): «La trayectoria política del movimiento lésbico-gay en México», *Estudios Sociológicos*, vol. XXIX, núm. 86, pp. 687-712.

GONZÁLEZ DE ALBA, Luis (2006, 1 de octubre): «Veinte años de El Taller», Nexos.com.mx, <goo.gl/HrM8Ao>.

HARVEY, David (2015 [2005]): *Breve historia del neoliberalismo* (trad.), Akal, Buenos Aires.

MONSIVÁIS, Carlos (1997): «Diez y va un siglo», en AA.VV., *Diez y va un siglo. Libro conmemorativo de los diez años de la Semana Cultural Lésbica-Gay*, Círculo Cultural Gay / UNAM / FONCA, México, pp. 11-13.

BUSCÁNDOLO EN LA ZONA ROSA
José Ignacio Lanzagorta García

Y de pronto la Zona Rosa se fue convirtiendo en ese lugar de gais. No de maricones, no de jotos. O bueno, también. Pero de gais, sobre todo de gais. Y más o menos también de lesbianas, de vestidas y más adelante de personas trans. Aunque sería siempre y sobre todo de gais. Hoy ya casi ni van mujeres trans. Las vestidas, que se habían marchado de la Zona Rosa, en tiempo reciente han regresado pero ahora como *drag queens*. Regresaron los shows a los bares de Florencia, como cuando en los 90 Darío T Pie interpretaba su magistral versión de María Félix, «la Roña», en El Taller. Como sea, desde que la Zona Rosa es Zona Rosa, es decir, por ahí de los 60, es territorio gay... u homosexual... o queer... o eso.

Pepe Porras no duda en mencionarla como uno de los sitios de la Ciudad de México donde uno vaga(ba) *buscándolo a él*. En los 60, en los 70, en los 80. En esa Zona Rosa en la que, como él nos recuerda, Monsiváis dice que se parió el México pop, o donde el Vampiro de la Colonia Roma iba a ligar con niños bonitos, o donde nos convertimos en sujetos de consumismo rosa, o adonde íbamos simplemente a deambular. En su relato, la Zona Rosa aparece tanto por sus restaurantes y centros nocturnos como por sus cines, su escena esnob y sus *boutiques*; también por sus puntos de encuentro *under* o hasta como refugio en los 80. Si él se concentró en el tránsito de la Ciudad de México en esa segunda mitad del siglo pasado a través de las calles, de las películas, de la literatura, de los estudios y de las crónicas donde estábamos *buscándolo a él*, yo quiero concentrarme aquí en la Zona Rosa, en el tipo de «aquél» que ahí se iba a buscar. Y así como ha cambiado la Ciudad de México, también cambió ella, su Zona Rosa, y además ha cambiado lo que somos, los que nos arrojamos a sus calles, a sus bares, a sus cafés, *buscándolo a él*.

¿Qué hizo la Zona Rosa para llenarse de gais? ¿Por qué no el nostálgico y nacionalista Coyoacán? ¿Por qué no nos fuimos a encontrar lejos, al sur del valle, en las bellas y tranquilas calles coloniales del centro de Tlalpan? ¿O por qué no en los márgenes expansivos del norte de la capital en Ciudad Satélite? ¿Por qué fue que de pronto cupimos no solo en los pliegues sórdidos de una centralidad abandonada, en la privacidad de las fiestas de los fresas o en las *leoneras* de los intelectuales, sino también ahí, en el mero centro de la acción, ahí donde se gestaba ese México pop? La Zona Rosa abrió las puertas de la trasgresión pero solo para quienes sabían ser trasgresores a su manera. No admitiría maricones, ni lilos, ni mayates, más que, como siempre, en sus márgenes. Las llaves de la Zona Rosa serían, en cambio, para aquellos que se entendieran como gais. Aun cuando todavía no entendíamos bien lo que esa palabra consignaba. La Zona Rosa era, en los 60, la isla de la Ciudad de México conectada con las trasgresiones del mundo cosmopolita —es decir, estadounidense y europea— y, como tal, tendría espacio para ellos, los gais, que irrumpían en la escena global con sus marchas, con sus pelucas, con sus bigotes, con sus demandas de derechos.

Dentro de todo lo que Porras nos trae de vuelta en su relato, aparece el concurso de cine experimental de 1965. Uno de los films finalistas de ese certamen fue *Las dos Elenas*, con guion de Carlos Fuentes y dirección de José Luis Ibáñez. La protagonista, interpretada por Julissa, una mujer recién casada que asiste a los entonces llamados *happenings* de la Zona Rosa, rodeada de los intelectuales y artistas de la época, expresa su deseo de tener una relación formal, abierta y consensuada con dos hombres, como en la película francesa *Jules et Jim*. Su marido se opone terminantemente a la inmoralidad de la petición y les pide a sus padres que la hagan entrar en razón. Elena nunca consigue satisfacer su deseo, pero sí su madre, también llamada Elena, una mujer bella y representante de la convención moral y nacional, quien, además de la relación con el padre de Elena, comienza un romance clandestino precisamente con su yerno. La trasgresión moderna a la norma se plantea abiertamente pero fracasa ante la trasgresión convencional: la del amante secreto, la de la mojigatería y la mentira. Sin quererlo, en este cortometraje se sintetiza la tensión territorializada en la Zona Rosa. Es una tensión que aparecerá en boca de sus intelectuales, quienes reflexionan sobre esta área de la ciudad entrañable para ellos. La califican, la juzgan: inacabada, pretenciosa, aspiracional. «Un perfume barato en envase fino», según Vicente Leñero (1968: 3). En esta década, Luis Guillermo Piazza, Carlos Monsiváis, José Luis Cuevas, Carlos Fuentes, Alfonso Arau y otros más, agrupados en lo que ellos denominaron *La mafia*, van y vienen entre la admiración y el desdén sobre este espacio que fue su guarida.

De hecho, fue en el seno de *La mafia* donde a este conjunto de manzanas de la colonia Juárez se le impuso el mote de «Zona Rosa». En el relato de este grupo de intelectuales, periodistas y artistas, un barrio residencial de las clases más altas en la antesala de la Revolución Mexicana había devenido, para la década de 1950, una pretenciosa zona de *boutiques*, restaurantes y centros nocturnos. Era, afirma Leñero, «demasiado ingenua para ser roja, pero demasiado frívola para ser blanca. Rosa; precisamente rosa» (5). La disputa por la autoría de este bautizo continúa. Fue el pintor José Luis Cuevas el que se lo arrogó. No importa. Fue su presencia disruptiva como espacio de sociabilidad con una mirada hacia el exterior lo que la marcó en los imaginarios capitalinos.

La Ciudad de México estaba fastidiada de México. Harta de los coloridos murales retacados de cuerpos regordetes representando el gran relato nacionalista que el PRI se encargó de contar una y otra vez. Harta de Coyoacán y Xochimilco y su folclor. Harta de Frida y Diego. Harta de la arrogancia de un desarrollismo tan presuntamente independiente que no se alineaba ni con los «no alineados». Y al mismo tiempo no podía ni quería dejar de ser otra cosa. México sería sede de los Juegos Olímpicos de 1968 y de la Copa del Mundo de 1970. No había más que encontrar la manera de conciliar y mostrarlo todo: el Día de Muertos y los nuevos rascacielos, las vanguardias artísticas con las renovadas tradiciones del supuesto sincretismo histórico, la moda al estilo *mod* y el orgullo de ver a Marilyn Monroe fotografiada portando solo un suéter de Chiconcuac. La Zona Rosa concentra, proyecta y organiza esta esquizofrenia. La Zona Rosa es la expresada fantasía de Elena con sus dos maridos, pero que no consigue más que la humillación de la infidelidad heteronormada.

«Es la Zona Rosa, una bella cosa», dice la canción de una efímera banda llamada los Tepetlatles, tosca nahuatlización de los Beatles. Es la zona de los hoteles, de los monumentos. El atesorado Ángel de la Independencia del paseo de la Reforma constituye la entrada a la Zona Rosa. Como muestra la película de Alfredo Zacarías, *Jóvenes de la Zona Rosa* (1970), mencionada por Porras, es el área llena de gringos, de turistas que serán estafados por la picardía del local; es el gran salón de fiestas donde suena la música de vanguardia, donde se verá la capacidad de los mexicanos de vestir algo más que los huipiles y seguir las tendencias de fuera. La Zona Rosa no es, pues, solo el epicentro del esnobismo y del arribismo, es algo más, es el punto de contacto con el exterior, es la válvula de escape al fastidio del nacionalismo opresivo, es la sala de negociaciones entre los visitantes ávidos del *mexican curious* y los mexicanos sedientos de lo psicodélico.

Elena deseaba a sus dos maridos por una película francesa. Las vanguardias del exterior resultaban demasiado trasgresoras. A Estados Unidos y Europa occidental se les ocurrió atravesar por lo que llamaron una «liberación sexual», que ambiguamente incluía y excluía las trasgresiones a la heterosexualidad. Los maricones de México, relegados a las cantinas marginales de Garibaldi y San Juan de Letrán, como señala Porras, fueron encontrando que, si la Zona Rosa iba a albergar esta liberación sexual como señal de desafío a la hegemonía cultural y moral del Estado mexicano, habría espacio también para la forma en la que estas tendencias organizaban la homosexualidad: la identidad gay.

Es curioso: mientras que para los 60 y los 70 vemos que en algunas de las ciudades de Estados Unidos gais y lesbianas migran y hacen suyos barrios habitacionales que en ese entonces estaban deprimidos y marginados —Greenwich Village, Castro, Chueca o Le Marais—, en México abren sus bares en una pujante Zona Rosa. Claro, no se mudan ahí, no fijan su residencia, no hacen barrio, sino que siguen dispersos por la ciudad. Sus cantinas, sus cines, sus esquinas mágicas, sus baños, sus fiestas privadas se encuentran por doquier, pero consiguen abrir una nueva modalidad de espacio de sociabilidad en la Zona Rosa: el bar gay. Abrirán y cerrarán sus puertas. Serán efímeros. El Estado los asediará. Pero ahí estarán. El bar Safari, por ejemplo, a finales de los 60, cuenta hasta con el lujo de una novela escrita por Gonzalo Martré, *Safari en la Zona Rosa* (1970) —que, desafortunadamente, escapa al relato de Porras—. A estos bares asisten aquellos que se autodenominan a sí mismos «homosexuales» y también algunas que dicen ser «lesbianas». Estos son términos que, según he encontrado en algunas entrevistas, por un lado reivindican la dignidad de un deseo homoerótico frente al mar de términos peyorativos, pero a la vez se resisten explícitamente a la imposición gringa de lo gay. Ahí está, nuevamente, esa irresuelta tensión del cosmopolitismo de la Zona Rosa.

La trayectoria gay de la Zona Rosa arranca, entonces, desde su bautizo; desde su concepción como zona que es trasgresora y cosmopolita, nostálgica y decadente. La posibilidad de ser parroquiano de la Zona Rosa de los 60 y los 70 no está abierta para todos. Son los hombres y mujeres de las clases altas —y quizás medias—, pero, en todo caso, con un amplio contacto con lo estadounidense y europeo. Son aquellos que añoran y tienen acceso a la vanguardia, pero no terminan de convencerse de ella. Son aquellos que encuentran las ventajas de la liberación, pero aún mantienen un resguardo de la moral convencional. Los parroquianos de la Zona Rosa de los 60 y 70 no son necesariamente los héroes del surgimiento del movimiento lésbico-gay de México y, sin embargo, se mezclan confusamente con ellos. A finales de los 70, el Frente Homosexual de Acción Revolucionaria (FHAR) emitió comunicados en contra del bar gay como institución burguesa y excluyente, espacio que reduce la heterodoxia sexual al interés del capital. En las entrevistas que he hecho con algunos de quienes deambulaban por la ciudad en este tiempo, he encontrado que señalan que la polarización estaba más bien en los discursos, mientras que en los espacios lo que privaba era la porosidad. El mismo homosexual que acudía una mañana a la reunión del FHAR era el gay que esa noche se perfumaba, se entallaba unos pantalones y bailaba en el bar Nueve de la Zona Rosa. Tanto el FHAR como El Nueve exigían ciertos capitales sociales para acceder. No siempre coincidían.

La Zona Rosa de los 70 es, pues, la que va digiriendo la llegada de la identidad gay a la Ciudad de México, una identidad que se presenta como liberadora y a la vez como consumista, es decir, se percibe como otra imposición imperialista más pero con un potencial político importante. La identidad gay de la Zona Rosa de los 70 es excluyente, perfumada, sofisticada. No todos se acomodan bien en ella. Pero tanto ahí como en los movimientos más asociados con la escena universitaria del activismo homosexual ya había germinado la semilla de un cosmopolitismo que había venido a romper los roles de género en la organización cultural del deseo erótico heterodoxo. Ya comenzaría a dejar de ser «maricón», por ejemplo, el que fuera penetrado en la relación sexual, mientras que el macho que penetra conservaría su «hombría». No. Serían «homosexuales» los dos, o si acaso «gais».

Cuenta Jordi Díez (2011) que para 1984 el movimiento político de derechos y visibilidad se desorganizó. Cuenta Porras que en la década de 1980 entramos a una oscuridad. Cuenta Rodrigo Laguarda (2011) en su libro sobre la calle de Amberes que la vitalidad de la Zona Rosa como espacio de sociabilidad gay no recomenzaría hasta el siglo XXI. La Ciudad de México se sacudió en 1985, tirando centenas de edificios de sus zonas centrales. El VIH llegó a la ciudad, enfermó y mató sorpresivamente a centenas y luego miles de hombres y luego también mujeres. Sin duda, el proceso o los procesos que se iniciaron en la década de 1960 para consolidarse en la siguiente habían encontrado un quiebre agresivo. Encuentro, sin embargo, que la Zona Rosa no solo no se interrumpió como epicentro de la trasgresión, sino que, al contrario, fue en este momento cuando comenzó a jugar su papel más decidido frente a la heterodoxia sexual, especialmente la masculina.

En las historias del proceso urbano de la diversidad sexual a veces es difícil distinguir entre los componentes estructurales y los instrumentales. A veces son las condiciones materiales de la ciudad y sus infraestructuras; así como el gran cobijo político, económico y hasta cultural que moldea el tiempo y el espacio, los que colocan y mueven a las personas sobre un tablero con reglas difíciles de quebrantar. Y, sin embargo, a veces puede ser la decisión libre de un individuo, de un empresario, la que, sin violar las reglas, pone en marcha el resto del juego. El activista, periodista y energúmeno profesional Luis González de Alba (2006) dice que abrió El Taller en 1986, en la calle de Florencia, Zona Rosa, porque con el terremoto el área estaba tan devaluada que fue lo único que pudo costear en una zona céntrica. No era su único negocio relacionado con los gais: tenía más al sur, cercano al Parque Hundido, una tienda de curiosidades y publicaciones dirigidas a una clientela homosexual y su Cantina del Vaquero, donde en un letrero solicitaba que sus asistentes, varones, trajeran pantalones de mezclilla y no usaran lociones. El Taller, sin embargo, tendría un papel mucho más importante.

La Zona Rosa de los 80, después del terremoto y durante los peores años del VIH/sida, vio extinguirse El Nueve, el más importante bar de la era anterior, de la que dijimos que era perfumada y pretenciosa, aunque en las crónicas recientes la prefieran enmarcar como *under* y contestataria. El Taller tomó la estafeta como un espacio más relajado, menos glamuroso, sin artistas invitados y decidido a atender la emergencia de salud que azotaba al planeta gay. El hombre que más amaba González de Alba portaba el virus, se estaba muriendo y eventualmente murió. Por ello, El Taller se convirtió en algo más que un bar; fue también un centro para la discusión y difusión de los avances en el tratamiento del VIH/sida, en los métodos de prevención del contagio, en el apoyo para quienes se descubrían portadores, junto con sus familiares y amigos. Nacieron ahí los «Martes de El Taller» que hoy, aunque el bar no exista más que dividido en dos y con otros nombres, algunos buscan mantener como institución en otros sitios.

El Taller presentaba una manera de entender el deseo homoerótico varonil de una forma distinta: hipermasculinizada, tosca, menos costosa. González de Alba dice que se inspiraba en los bares del San Francisco de los 70, en la estética de Tom of Finland. Puede ser. Los hombres que en este tiempo se descubrieron deseando a otros hombres y saliendo a la ciudad a buscarlos dejaron de acomodarse con la etiqueta «homosexual». Mientras que para los mayores este término significaba una resistencia al imperialismo gringo —que a su vez rechazaba la medicalización detrás de «homoséxshual»— de «gay», parece que en el caso mexicano la etiqueta «gay» se consolidó entre quienes veían con horror cómo en el programa de Nino Canún de Televisa se hablaba del sida como castigo contra el «homo-sexualismo». Ser «homosexual» no se veía medicalizado en cuanto una explicación clínica de un deseo erótico anormal, sino como sujeto susceptible de portar un virus mortal. Ser «gay», en cambio, dignificaba, eliminaba la asociación con la enfermedad.

La vida gay —la específicamente gay— se salió de la Zona Rosa, pero no la abandonó. Una nueva generación de bares perfumados y exclusivos de esas clases altas de la Ciudad de México que prefieren autodenominarse clases medias abrieron sus puertas en diferentes partes de la capital. Ahora sí, teníamos el Katzy en Ciudad Satélite, por ejemplo, o el L'Baron en el rumbo de Mixcoac. Y como esos, vinieron los herederos de El Nueve en zonas céntricas de la ciudad, pero ya no en la Zona Rosa. Y ahí estaba El Taller. Ahí estaba el prestigio de que en esas calles con nombres de ciudades europeas caminaban los gais y las vestidas. Un hombre me contó que en 1989 supo lo que era la «putivuelta»: andar por Hamburgo, por Génova, por Reforma o por Praga mirándose a los ojos con otros hombres que uno se encontraba. Eso podía acabar en plática, en ligue, en sexo. Otro me contó que en ese tiempo iba con su pareja a la extinta cafetería del Vips frente al Ángel de la Independencia a ver si conseguían llevarse a un tercero a la casa. Esto sería impensable, en ese entonces, en una cafetería que no fuera en la Zona Rosa.

Casi todos los 90 fueron como esa segunda mitad de los 80. Persistían los baños, cantinas y zonas de ligue de antaño; se abrieron bares y antros fresas [pijos] y míticos en otras partes de la ciudad; la Zona Rosa seguía siendo un magneto de gais, pero ya sin glamour alguno. Más bien aguardaba un momento menos sórdido. Tal vez por eso algunos pierden de vista el registro de su centralidad, a pesar de que ahí seguía. Aunque hay que decir que las lesbianas prácticamente se fueron en este tiempo: sus espacios de sociabilidad más importantes estaban en otros lados. Esa hipermasculinidad que emanaba de El Taller no llevaba muy bien cualquier otro perfomance. Se permitía la expresión de lo femenino, pero solo en su versión de sátira grotesca y escénica. En cambio, de forma más velada, sí abrieron en los márgenes de la Zona Rosa espacios dirigidos a las mujeres trans: tiendas de productos especializados, espacios de reunión. Ahí estaban. Ahí seguían.

Durante este tiempo, en la Zona Rosa se resguardó esa potencia de la vida gay de la Ciudad de México. De hecho, podemos decir que la democratizó: propagó esta identidad que antaño estaba asociada solo a los cosmopolitas de la liberación sexual. Sin embargo, en términos de democratización, una nueva etapa mucho más intensa comenzó igual de instrumentalmente como cuando Luis González de Alba resguardó la vida gay en la era oscura. Esta vez fue Tito Vasconcelos quien abrió su primer Cabaré-Tito en 1998. Será por eso por lo que en los estudios queer sobre espacio urbano hablan de capitalismo y de empresarialidad. Y es que sí: son estos actores los que tienen un papel fundamental. Pero, como señalaba, se ve que también hay otras fuerzas interviniendo: ese imaginario echado a andar en los 60 también opera en las decisiones de González de Alba y de Vasconcelos, si no de abrir sus bares, tal vez sí de sus clientelas por asistir a ellos.

Vino un Cabaré-Tito y luego otro y luego otro. Esta nueva generación de bares, todos en la Zona Rosa, hicieron que estas calles fueran un hervidero ya no solo de hombres de cierta edad buscando a otros hombres. Ahora llegaron legiones de los más jóvenes y de otras partes de la ciudad. Ya no tenías que vestirte de Tom of Finland y la escena sanfranciscana, en los Cabaré-Tito había que saberse las coreografías de Kabah, de Jeans, de los grupos de pop mexicano noventero. Ser gay en el Cabaré-Tito era ser un chavito. O una chavita. Con los Cabaré-Tito regresaron las lesbianas a la Zona Rosa, pues uno de estos bares estaba dirigido principalmente a ellas y otros eran de ambiente mixto. Si en la trayectoria de las identidades que hoy llamamos *queer* se buscaba la visibilidad, la oscuridad de los años anteriores fue iluminada nuevamente en la Zona Rosa con los Cabaré-Tito.

Y llegaron los gobiernos democráticos a la Ciudad de México. Se reactivó el movimiento político de derechos. Llegó la primera mujer abiertamente lesbiana a la Asamblea Legislativa de la ciudad. Comenzamos a hablar de sociedades de convivencia para que, años después, se presentara el matrimonio igualitario con derecho a adopción. Los bares fresas y perfumados seguían en otras partes —por el rumbo de Polanco o en la Colonia Roma, los dos más emblemáticos de los albores de este siglo—, la escena tradicional de las cantinas, los lugares de encuentro, de los baños continuaba y hasta se había diversificado, pero la visibilidad de los gais, de las lesbianas, de las vestidas estaba en la Zona Rosa. Chavitos dándose besos en la Glorieta de Insurgentes. Chavitos vestidos de formas estrafalarias caminando por la calle peatonal de Génova. Chavitos bailando.

La Zona Rosa estaba lista para volver a escena, es decir, para volver a llamar la atención de las clases altas y de las clases altas que insisten en llamarse «clases medias». Estaba lista, además, para volver a colocarse como un lugar de vanguardia en sintonía con las tendencias trasgresoras globales, en este caso de las conquistas legales de los movimientos gais-lésbicos. El mismo Tito Vasconcelos lideró a otros empresarios de la zona para que en la calle de Amberes se abrieran otros bares, esta vez dirigidos no a los chavitos, sino a los fresas. Amberes estaba politizada: por ejemplo, abrió una cafetería que se llamaba BGayBProud. En inglés, sí. Pero aparecieron nombres que dejaron de ser sugerentes y más bien abrazaron el movimiento internacional. Las banderas arcoíris se multiplicaron. Amberes se convirtió, en la primera década del siglo XXI, en la sede principal de la fiesta posterior a la marcha anual del Orgullo LGBT que conmemora los disturbios de Stonewall... o algo así.

En todo caso, el cosmopolitismo, la trasgresión, la decadencia de la Zona Rosa que abrió paso a la sociabilidad gay de fines de los 60 y 70, permaneció ahí, solo que ahora más democrática, más diversificada, más visible. El Estado dejó de asediarla. Al contrario, la convirtió en su insignia de haber admitido dentro de un nuevo entendimiento de lo público su tutelaje sobre la diversidad sexogenérica. A la lista de bares, puntos de ligue y otros espacios de sociabilidad, el Estado se sumó en la Zona Rosa con un Centro Comunitario de Atención a la Diversidad Sexual y una Fiscalía Especializada en Delitos Sexuales. De un espacio de transgresiones, transitó a uno donde estas se politizaron y, finalmente, consiguieron la oficialidad. Todo en el mismo territorio.

Al finalizar el año 2009, los diputados de la Ciudad de México aprobaron el matrimonio igualitario con derecho a adopción para la capital del país. La visibilidad y normalización al menos de las facetas de mayor capacidad de consumo del ambiente gay prescindieron de las protecciones que daba la unidad. Es decir, aquella agenda política que reunía en la Zona Rosa a los distantes que se encontraban semejantes en su heterodoxia sexual se agotó. Los fresas podían volver a ser fresas en el poniente de la ciudad. Abrieron nuevos antros perfumados y esta vez con la novedad de la cadena: ese dispositivo que discrimina el acceso al recinto a partir de complejos y a la vez tan inmediatos cálculos que evalúan el aspecto de raza y clase de los candidatos a clientes. La escena trasgresora ya no se hallaba a sí misma en la Zona Rosa y fue a consolidar los antiguos núcleos homosexuales de la ciudad: las viejas cantinas cercanas a Garibaldi. La Zona Rosa ya no es trasgresora, ya no es refugio, ya no está politizada y, sin embargo, qué curioso, su oferta de bares es la más amplia de toda su historia. Amberes sigue repleto de bares y antros. En Estrasburgo hay una tienda de puros objetos con la bandera arcoíris. En Florencia hay otro núcleo de bares, uno solo para mujeres, otro de ellos para los «vaqueros». En Londres hay un antro de osos. En Niza hay uno que, emulando a uno de los icónicos de los 90, tiene un piso solo para ellas y otro solo para ellos. En las inmediaciones de la Zona Rosa prevalecen los sitios donde los varones buscan sostener encuentros sexuales con otros. En fin, la Zona Rosa está más viva que nunca y, a la vez, tan aburrida de sí misma...

Hoy la Ciudad de México se vierte sobre sí misma. La fuerza de eso que laxamente llamamos gentrificación presiona la Zona Rosa, pues se encuentra en el eje de mayor valoración empresarial, habitacional, financiera y comercial de la ciudad. Yo no sé si la fuerza de los imaginarios que se sembraron en la década de los 60, que llenaron la Zona Rosa de gais, puedan seguir compitiendo con los nuevos imaginarios que pueblan este territorio. Y es que algo no se ha dicho aquí: la Zona Rosa no es, y nunca ha sido, un territorio solo de gais. Es de turistas, de burócratas, de comerciantes, de inmigrantes coreanos que han establecido ahí su Pequeña Seúl. Es también de especuladores inmobiliarios, de oficinas gubernamentales. Vienen transformaciones importantes. Ya veremos qué camino sigue la Zona Rosa y qué caminos siguen las identidades sexuales que hicieron nido en ella.

Es posible entender la trayectoria del movimiento LGBT en México sin la Zona Rosa. De hecho, así ha sido en buena parte de los que se han dedicado a estudiarlo. Pero no es posible hacerlo en sentido inverso. No es posible analizar la Zona Rosa sin reparar en que su trayectoria ha sido la proyección no solo del movimiento político, sino de la transformación cultural del deseo homoerótico y las transgresiones de género en la Ciudad de México. De hecho, es mi mayor apuesta que la mirada a esta espacialización tiene la capacidad de aportar elementos, de levantar nuevas preguntas y contestar algunas otras que otras perspectivas pasan por alto. Hay una interrelación entre la forma en la que a quienes hoy llamamos queer entendemos, imaginamos y nos hemos relacionado con esa Zona Rosa y la forma en la que hemos entendido, imaginado y nos hemos relacionado con nuestra experiencia cotidiana, urbana y pública de ser diferentes o, como diría Porras, de salir a la calle *buscándolo a él.*

Referencias bibliográficas

DÍEZ, Jordi (2011, mayo-agosto): «La trayectoria política del movimiento lésbico-gay en México», *Estudios Sociológicos*, vol. XXIX, núm. 86, pp. 687-712.

GONZÁLEZ DE ALBA, Luis (2006, 1 de octubre): «Veinte años de El Taller», Nexos.com.mx, <goo.gl/HrM8Ao>.

LEÑERO, Vicente (1968): *La Zona Rosa y otros reportajes*, Instituto Nacional de la Juventud Mexicana, México DF.

LAGUARDA, Rodrigo (2009): *Ser gay en la ciudad de México. Lucha de representaciones y apropiación de una identidad, 1968-1982*, Instituto Mora / CIESAS, México DF.

— (2011): *La calle de Amberes: Gay Street de la Ciudad de México*, CEIICH-UNAM / Instituto Mora, México DF.

NANCY CÁRDENAS: UNA GUERRILLERA URBANA DISFRAZADA DE ARTISTA[38]

Elena Madrigal

Un lugar común en los discursos por los derechos de las minorías sexuales y en la conformación de sus genealogías y tradiciones artísticas es el del rescate y mitificación de figuras señeras. En estas tareas del imaginario LGBTQIA mexicano es donde nos sigue sorprendiendo la ausencia de un lugar privilegiado para Nancy Cárdenas (Parras, Coahuila, 1934 - Ciudad de México, 1994). Las razones por las que Cárdenas debería ser distinguida se sintetizan en «su abierto lesbianismo y su activismo a favor de la liberación gay» (Guerra / Krakowska, 2014: 76) y en una obra creativa cimentada en su amplia cultura y preparación académica e inseparable de su ideario. Aunque el reconocimiento se repite incesantemente en diversos foros y medios, desde el activismo no ha surgido siquiera una nota que profundice en sus ideas y aportes.[39] Desde la academia, carecemos de un acervo que incluya todos sus libros y documentos, y

---

[38] Este trabajo forma parte del proyecto de investigación "Diversidad de género, masculinidad y cultura en España, Argentina y México" (FEM2015-69863-P MINECO-FEDER).

[39] Un esfuerzo aislado fue la constitución del Centro de Documentación de la Mujer y Archivo Histórico «Nancy Cárdenas» el 2 de septiembre de 1995 con el fin de rescatar «materiales, archivos y testimonios de lesbianas individuales y del movimiento lésbico organizado» (<cendocahl.galeon.com>), del que no se tienen noticias desde julio del 2000.

solo abundan entradas que, de tanto repetirse, es casi imposible rastrear sus fuentes; en México, tenemos noticia de solo un par de estudios que hacen una cala en su faceta de directora de escena y dramaturga,[40] pero siguen pendientes las de actriz, ensayista, poeta, guionista y traductora.

Aunque en lugar de otra semblanza debiera presentar uno de esos trabajos extensos que echamos en falta para hacer justicia a Nancy Cárdenas, espero que esta se diferencie por mostrar la imbricación de las dos tareas que ocuparon su vida —el activismo y la creación—, al apoyarse en *El día que pisamos la luna* (*ca.* 1980),[41] obra dramática sobre los enredos pasionales de cuatro lesbianas, que pudiera considerarse la quintaesencia de ambas facetas. Para entender a cabalidad la obra requerimos ubicar a Cárdenas en cuanto sujeto enmarcado históricamente por los movimientos sociales de los 60, que ella rememoraba, imbricados en su biografía artística, de la siguiente manera:

> De estudiante, partí de una inquietud social, fuerte, como miembro del Partido Comunista y podría haber derivado en tomar un arma y pelear, pero incursioné en el arte. Sí, lo admito y estoy consciente de que hago un teatro de provocación, sigo siendo una «guerrillera urbana» disfrazada de artista. (Picos en García Gómez, EN06, s.p.)

---

[40] El primero de ellos es *De la clandestinidad a la lengua pública: portavoces homosexuales en la dramaturgia mexicana contemporánea*, que María de los Ángeles Colín García y Leticia Julieta Rubio Ponce presentaron como Reporte de Investigación para la licenciatura en Comunicación Social (Universidad Autónoma Metropolitana Xochimilco, 1996); en él, Nancy Cárdenas ocupa un sitio al lado de Salvador Novo, Óscar Liera, Jesús González Dávila y José Ramón Enríquez. El segundo es «Nancy Cárdenas: adaptación dramática e identidad lésbica», de Guerra y Krakowska, referido en la bibliografía.
[41] Reiteramos nuestra obligación para con el Centro de Investigaciones Teatrales Rodolfo Usigli, CITRU, por el apoyo incondicional para la obtención del libreto.

En *El día en que pisamos la luna*, esa claridad vital va aparejada con un tratamiento explícito de las relaciones lesbianas y con didascalias para una puesta igualmente abierta, con contactos físicos, en la que hallamos líneas como la que dirige Beatriz 2 a Marina: «Te amo, Marina. (Se besan)» (Cárdenas, *ca.* 1980: 26). Asimismo, la obra da pie a valorar la consonancia entre visos del pensamiento político de Cárdenas y el trasfondo de la construcción de Marina, personaje protagónico que —como Nancy—, es doctora en letras, escritora y crítica del entramado simbólico que sostiene al amor romántico. Así, en «Palabras al lector», fechadas en la Ciudad de México en 1987, «compart[e] algunas reflexiones» (Cárdenas, *ca.* 1980, s.p.), entre las que indica que «el examen de las relaciones entre la sexualidad y los actos sociales conduce, por una parte, al cuestionamiento del sistema y, por la otra, al análisis de las consecuencias de la política sexual imperante en la vida de cada uno de nosotros» (2). Hallamos el correlato artístico en un parlamento de Marina, quien prepara una novela en la que indica proponer «mediante una anécdota cualquiera, reflexiones sobre ciertos estereotipos de conducta. Estereotipos que han sido propuestos o ratificados por las canciones», y puntualiza: «En otros términos: quiero que revisemos nuestra educación sentimental» (16).

Otro ejemplo del vaivén entre el activismo de Cárdenas y su ideal de una obra que conlleve un mensaje diáfano y estremecedor para sus espectadores es el detonado por una pregunta que Teresa dirige a Beatriz 2: «¿Qué opinan los especialistas en relaciones humanas de crisis como ésta?», a lo que sus antagonistas responden:

BEATRIZ 2.- Son propias del sistema. Prometemos cosas que no podemos cumplir. Los bugas están peor. Las firman con testigos.
TERESA.- ¿No necesitamos un poco de orden para convivir?
BEATRIZ 2.- El que nos imponen es simplemente de enfermos mentales. ¡Fuera de mis sábanas, jueces! (33)

La exclamación final de Beatriz 2 sintetiza algunas de las ideas plasmadas en la *Declaración de las lesbianas de México*, que Cárdenas leyó «públicamente, en el Foro sobre lesbianismo que organizaron las lesbianas que participaron en la Conferencia Mundial del Año Internacional de la Mujer» (García, ACLGNO4) en junio de 1975 y que se hace eco de las consignas lanzadas en la primera marcha del Orgullo un 2 de octubre de 1978, encabezada por la dramaturga. De vuelta a la obra, el clímax se da cuando Beatriz 1 confronta a Marina —supuestamente el personaje con mayores aptitudes críticas y más decididamente feminista— y le hace ver que no ha escapado de los patrones heteropatriarcales:

> BEATRIZ 1.- [...] Eres un macho, Marina.
> MARINA.- ¿Yo? ¿En verdad crees que...? Pues sí... me comporto como un macho. (Cárdenas, *ca.* 1980: 34)

La obra concluye con un acuerdo de pareja entre Marina y Beatriz 2, previa discusión de actitudes y posturas ideológicas sobre las relaciones sexoafectivas, el control político, la represión policiaca e incluso la legalización de la mariguana (24), con lo que los ámbitos privado y público quedan trabados y «el texto dramático cumple su cometido», retomando a Cárdenas (2).

El eje lésbico y los temas sociales de la obra suscitaron un buen número de comentarios periodísticos a favor y en contra, pero ninguno anticipó que después del arrojo de Cárdenas sucederían dos décadas de silencio. No será hasta 2002 cuando Olga Harmony (2002: s.p.) —quien en su momento reseñó la puesta de *El día...*— señale en relación con *Bellas atroces* de Elena Guiochins que «desde Nancy Cárdenas (con obras propias como *El día que pisamos la luna* o adaptaciones dramatúrgicas a novelas como *Claudine en la escuela*, de Colette, o *El pozo de la soledad*, de Radclyffe Hall), a lo que me acuerdo, el tema del lesbianismo no había sido tratado por ninguna dramaturga mexicana».

En cuanto al público, Nancy procuró transmitir su «toma de posición volitiva, celebrable, epifánica, naturalizada y moralmente armónica [...] entre el sujeto individual [homosexual y lesbiano] y el sujeto social» (Guerra y Krakowska, 2014: 109), mediante la escenificación y también el diálogo, como da fe la placa por las «80 representaciones» y los «50 debates» de la temporada del 8 de octubre al 13 de diciembre de 1981 que perdura en el Teatro del Granero. Esos conversatorios, sin duda, apelaron a un público que estuvo interesado por verse reflejado en los escenarios, así como para espectadores quizá «ajenos» a estos asuntos, pero insertos en un mundo que no los puede obviar, como lo he conversado con Humberto Guerra. Dicho sea de paso Cárdenas, como directora, intentaba una comunión análoga con sus colegas, como llegó a señalar: «No estoy enseñando a actuar, sino a convivir, a trabajar en grupo, a tener sistemas democráticos, de operación de los grupos, cualquiera que sea la finalidad» (Picos en García Gómez, EN07).

Esperamos que esta nota sea más un aguijón para la investigación y para la imaginación alrededor de su legado y sus múltiples facetas. Incluso, al asomarnos a los entornos de Nancy, se insinúan redes intelectuales y artísticas de lesbianas que, si la suerte lo permite, serán recuperables por testimonios y archivos, o tal vez solo por la ficción. En ellas figurarán, explícita o veladamente, productoras y actrices; Denisse de Kalafe, musicalizadora de *Claudine en la escuela*; Gabriela Rábago, crítica teatral y narradora, o Chavela Vargas, a quien Nancy planeó escribirle un libro que llevaría por título *Ponme la mano aquí. Memorias de Chavela Vargas*, y que estaría conformado por cinco formatos y cinco tipos de letra diferentes: corrido, fragmentos narrativos, letras de canciones, diálogos y marquesinas (García Gómez, TNCY). El anzuelo ha sido lanzado, al calor de la memoria generosa de Pepe Porras.

Referencias bibliográficas

CÁRDENAS, Nancy (*ca.* 1980): *El día que pisamos la luna* (mecanoscrito), Centro Nacional de Investigación, Documentación e Información Teatral Rodolfo Usigli, México DF.

GARCÍA GÓMEZ, Angélica (2013): *Nancy Cárdenas. Género y escena*, Centro Nacional de Investigación, Documentación e Información Teatral Rodolfo Usigli, México DF.

GUERRA, Humberto / RIVERA KRAKOWSKA, Octavio (2014): «Nancy Cárdenas: adaptación dramática e identidad lésbica», en Elena Madrigal / Leticia Romero Chumacero (eds.), *Un juego que cabe entre nosotras. Acercamientos a la crítica y a la creación de literatura sáfica*, Voces en Tinta, México DF, pp. 75-112.

HARMONY, Olga (2002, 26 de septiembre): «Bellas atroces», *La Jornada*, <goo.gl/oCwvB5>.

PICOS, Luz Elena (1981a): «Soy una guerrillera disfrazada de artista» [primera parte de una entrevista a Nancy Cárdenas], *El Mexicano en la Cultura*, s.n., s.p.

— (1981b): «Trabajar en provincia aumenta mi experiencia» [segunda parte de una entrevista a Nancy Cárdenas], *El Mexicano en la Cultura*, núm. 7836, pp. 1-2.

INTERIORES GAIS. RECUERDOS DE UN GAY ARGENTINO EN LAS DÉCADAS DE LOS 50, 60 Y 70 DEL SIGLO XX

Rubén Mettini Vilas

Cuando comencé a leer *Memoralia de aceras olvidadas* se puso en acción el recuerdo de mi vida en las décadas de los 50, 60 y 70 del siglo pasado. Me resulta singular porque, aunque José Santa Ana Porras se hallaba en Ciudad de México y yo vivía en Buenos Aires, existe una matriz común en la cultura que nos nutrió a ambos.

Al hacer mención de las películas europeas que veía y de las obras de teatro de temática homosexual que se montaban en su país, en muchos casos coinciden con los espectáculos que yo vi. Más adelante citaré algunas de estas concomitancias que pusieron en acción mis recuerdos.

De todos modos, Porras habla de calles y yo, en cambio, me centraré en interiores. Hasta mi militancia en el Frente de Liberación Homosexual, a partir del año 1972, mis experiencias estuvieron al margen de las calles. La intención de *Memoralia* es reconstruir una ciudad de México que, para el autor, ya no existe, rememorando los bares, cines, baños y zonas de ligue homosexual. Mi texto será más narrativo que descriptivo. Más confesional que ensayístico. Me basaré en la concatenación de mis recuerdos. Dejaré que el testimonio escrito revele sus propias conclusiones.

Los primeros recuerdos (1954-1958)

Al escribir estas páginas dejé que la memoria volara hasta las primeras reminiscencias sexuales, en los años 50. Me remontaré a mis seis años. Mis experiencias con el sexo fueron tempranas y quedaron muy nítidas. A veces me pregunto por qué, siempre, chicos y chicas estábamos tocándonos, por qué las zonas erógenas nos llamaban más la atención que jugar a la pelota o a las muñecas. Quizás porque viví en Avellaneda, un barrio proletario de la provincia de Buenos Aires donde, en cada casa, convivían muchos miembros de una familia, diversas generaciones, y esto facilitaba el contacto íntimo entre los chicos y los adultos.

Uno de los recuerdos más claros debe de ser de mis 6 años, jugando con una chica vecina en un zaguán. Me llamaba la atención que no tuviera, en el pubis, algo colgando, como tenía yo. ¿Qué era esa superficie lisa con una escisión? Yo intentaba sacar la piel de su vulva hacia afuera, porque intuía que dentro debía de tener un pene pequeño como el mío.

Con un primo algo mayor que yo siempre andábamos manoseándonos cuando dormíamos la siesta. En esa misma época de la curiosidad por la vulva, una tarde le mordí la pija a ese primo. Debía de creer que se trataba de un chupetín, un caramelo delicioso. Recuerdo a mi tía haciéndole baños de agua caliente y sal para suavizar la mordedura. La abuela decía que no nos dejaran meternos en la cama. Exclamaba: «Ya sé por qué estos dos se quieren ir a dormir la siesta». Yo no entendía por qué ella decía esas cosas. La abuela intuía el pecado, cuando yo ni lo sospechaba. No conseguía avergonzarme, porque no veía ningún mal en nuestros juegos infantiles.

A los 9 años hubo un hecho que me quedó muy grabado. Me hallaba dentro de un coche con unas vecinas de 10 o 12 años. Ellas empezaron a besarme y quisieron desnudarme. Me espanté. Salí corriendo, arreglándome la ropa. Conté a mis padres y tíos el «acoso sexual» que había sufrido y ellos rieron. Siempre recordaron la anécdota. A mí me quedó un auténtico pavor hacia la fogosidad de las chicas.

En una fiesta de fin de curso sentí una atracción muy fuerte por el padre de un compañero de escuela. Para situar los hechos en la cronología, corría el año 1958, cuando yo tenía 10 años. Se trata del más antiguo indicio de atracción por un hombre que conservo. Me viene a la cabeza el nombre y el apellido de mi compañero, que tenía mi edad, aunque él no me llamaba en absoluto la atención. Su padre debía de tener unos 33 años, la edad de los míos. En el salón de actos de la escuela, mientras los niños actuaban, yo no podía dejar de mirarlo. Él estaba sentado detrás de mí, tenía que darme la vuelta constantemente para observarlo. El recuerdo quedó sepultado y afloró mucho después en mi mente, cuando yo tenía la edad de ese padre y llevaba muchos años con plena consciencia de mi opción sexual.

En esos años, durante los Carnavales, en la calle principal del barrio, se hacía un desfile de murgas que llamábamos «corso». Además de los disfraces, de los juegos de agua, el papel picado y de la serpentina, para todo el barrio y, especialmente, para mí, el desfile tenía un atractivo especial: Miguelito, una rumbera que encabezaba la murga. Recurro a un apunte de mi diario personal para contar esos instantes:

Pasaba la comparsa con sus cantos satíricos. Delante de los tambores iba un transformista. Llevaba una malla ajustada y collares brillantes. De sus nalgas se elevaba un abanico de plumas, como si se tratara de un pavo real. Miguelito. Todos lo llamaban así. La familia esperaba el paso de Miguelito, que bailaba la rumba como las actrices Blanquita Amaro o Amelita Vargas y movía, enloquecido, cintura y caderas.

Miguelito era la encarnación de deseos recónditos. Hablo de la década de los 50 y todavía no había aparecido ningún grupo de liberación que definiera a esa vedette que bailaba frenética. Él contaba con esas horas de triunfo absoluto, el momento en que era adorado por todas las caras risueñas y sorprendidas que lo contemplaban al pasar. En ese largo instante, recorriendo el corso, era un chamán que concentraba la energía de todo el público.

En la vida cotidiana Miguelito era un puto y, como todos sabían lo que era, nadie se preocupaba demasiado por su opción sexual. Esto de que era un puto lo supe mucho después, a los 18 años. En aquel momento, Miguelito encarnaba lo fabuloso, despertaba la desmesurada fascinación por la vedette que desfilaba con su cola de plumas.

En esos años de infancia, las películas que más me impresionaron porque mostraban comportamientos perturbados, extraños para un niño, fueron dos: *Si muero antes de despertar* (1955), dirigida por Carlos Hugo Christensen y *Deshonra* (1952), de Daniel Tinayre. En la primera un hombre da caramelos a las niñas a la salida de la escuela, para acabar raptando a una de ellas. El tema de la pedofilia cuando uno tiene 8 o 9 años conmueve con particular fuerza. Esta película la repetían con frecuencia en los cines de Avellaneda. Mi madre y yo procurábamos no perdérnosla. Nos encantaba. *Deshonra* se desarrollaba en una cárcel, allí se presentaba una relación de lesbianas entre dos presas.

Entre los 12 y los 15 años no tengo recuerdos de contactos sexuales. Probablemente porque estaba sumido en la revolución de mis glándulas, en los cambios físicos que provocan las hormonas y en todas las inseguridades que despierta esa edad. Hasta entrada la adolescencia no aparece en mi memoria nada de la promiscuidad de la infancia.

El barrio industrial (1963-1968)

Avellaneda era un barrio de enormes dimensiones. Según el censo del año 1960 contaba con 326.531 habitantes. Durante esa década, se fueron definiendo las clases sociales. Los proletarios, aunque ellos no hubieran usado aún esta palabra, eran mecánicos, conducían camiones de carga, repartían leche, pan o aves de corral con sus carros. Muchos eran herreros. El caballo era aún un medio de transporte útil, la mayoría de las calles eran de tierra. Luego habría una pequeñísima burguesía configurada por maestros que, aunque siempre ganaban poco, fueron considerados de mayor prestigio, también profesores, algunos joyeros u otros oficios asociados a la orfebrería. Aquí también debo incluir a mi padre, que era funcionario público, y un funcionario contaba, cada mes, con un sueldo asegurado. Y por encima de estos, se hallarían los profesionales, doctores o dentistas y otros que eran propietarios de pequeñas empresas industriales, a veces fabricaban tornillos o tuercas, pero sus empresas resultaban muy rentables.

Era un barrio joven, con infinidad de inmigrantes, especialmente españoles e italianos, con casas que iban creciendo con los años, donde vivían abuelos, hijos y nietos. Incido sobre la promiscuidad en esos barrios. Existía una sexualidad muy fresca, muy espontánea. Hombres que mantenían relaciones con otros hombres, aunque, a la larga, estas prácticas no determinasen su opción sexual. No me atrevo a analizar el fenómeno, pues no soy sociólogo; no obstante, en España, hablé con argentinos que habían vivido en la Capital Federal en esas décadas y no habían tenido ningún contacto sexual con sus amigos.

A los 15 años pasaba las horas con los compañeros de mis primos, que tenían ya 17 o 18 años. Recuerdo que frecuentaban un club donde aprendían boxeo. Tenían cuerpos bien formados y comparaban sus musculaturas, como hacen ahora casi todos los hombres en los gimnasios. En aquel momento, boxear era un deporte de clase baja. Yo literalmente los perseguía. Era un impulso incontrolado. No pensaba demasiado en lo que hacía. Mi actitud tenía algo de acoso, pero nadie puede imaginar que un chico de 15 años acose a alguien mayor. Algunos de ellos terminaban teniendo relaciones conmigo. En la edad adulta, seguramente, fueron hombres casados, con hijos, que olvidaron completamente los escarceos homosexuales de los 18 años. Pienso que todo eso se vuelve relevante en mi mente porque me decanté por esa elección sexual: la atracción por los hombres.

Hay una relación que apareció con fuerza en mi memoria siendo ya adulto. Había quedado olvidada durante décadas. Me hice amigo de un vecino que trabajaba de marinero, debía de tener 22 años. Sabía conquistar a las mujeres y conocía bien las técnicas de seducción. No sé qué capricho lo llevó a interesarse por un chico de 15 años, muy guapo pero confundido. Una noche hizo un largo juego de persuasión, contándome sus levantes con chicas, haciendo que mi mano rozara su bragueta. Llevaba un pantalón blanco, típico de marineros, y la bragueta formaba un triángulo. Creo que, al cabo de media hora, los dos teníamos la cabeza perdida por el deseo y hubiéramos hecho cualquier cosa por quitarnos la ropa. Entramos en su casa en la noche oscura. Nos metimos en una habitación algo sórdida, estrecha, con un ropero inmenso y una cama con un colchón sin sábanas, sobre un somier herrumbrado que crujía. Me atraía, hubiera tenido una relación como tenía con cualquiera de los otros, pero él sacó un sostén y unas bragas del ropero y me preguntó si quería ponérmelas. Me quedé frío. No quería en absoluto travestirme para tener una relación. El recuerdo se hace vago. Creo que solo hubo una masturbación mutua. Lo cierto es que a los 15 comenzaba a tener claro que no buscaba jugar el papel de una mujer en una relación.

Esta historia tuvo un desenlace un par de años más tarde. Yo ya estudiaba en la universidad y era muy consciente de mis deseos. Una tarde de verano, el marinero volvió a casa. Fue un día en que mis padres estaban de vacaciones y me hallaba solo. Utilizó un recurso, unas clases de inglés que pretendía que le diera. Volvía, sin duda, para tener una relación. Insistió y yo no quise. Volvió a insistir. Parecía que esos escarceos con el chico de 15 años habían dejado una impronta en su espíritu. No sabía cómo mover mi voluntad. Al final se estiró en la cama, se quitó la ropa y suplicó: «Rubén, cogeme, cogeme». Yo estaba allí, de pie, frío, marmóreo, viendo cómo me entregaba su masculinidad —su concepto de masculinidad—, con la convicción de que no iba a ceder, mientras miraba su musculatura de marinero, su cabello rubio, su piel blanca. Seguí impertérrito, hasta que decidió marchar. Muchos años después me dio pena, no por él, sino por mí. Me pareció haber sido algo rígido. Naturalmente, él se casó y tuvo un hijo. Me llegaron noticias de su vida a través de conocidos.

En esos años en que, esencialmente, veía cine argentino hubo tres películas que no solo me marcaron en su momento, sino que me acompañaron en el recuerdo hasta el día de hoy. Las tres pertenecen al director Daniel Tinayre, que mencioné anteriormente. Tinayre hizo un excelente cine negro en las décadas de los 40, 50 y 60 del siglo pasado. Estos films debo haberlos visto entre los 12 y los 15 años. La primera es *La patota* (1960), donde un grupo de alumnos de barrio violan salvajemente, y por error, a una joven maestra que les da clases nocturnas. La segunda es *El rufián*, de 1961. Aquí una mujer adinerada comienza a tener relaciones con su chofer porque su marido es homosexual, se reúne con homosexuales adinerados y no la toca. En *Extraña ternura*, de 1964, la tercera película que recuerdo, un joven atractivo e inexperto tiene problemas en su relación con una cantante de cabaret porque su protector, un hombre millonario, siente una «extraña ternura» por él. Este film está basado en una novela de Guy des Cars llamada *Cette étrange tendresse*. Era comprensible que, en plena adolescencia, la temática de estos films argentinos impresionase mi sensibilidad.

***

A los 17 años, en el último curso de la escuela secundaria, me enamoré de un compañero. No me había ocurrido con ningún varón anteriormente. Las relaciones sexuales se acababan allí. No se nos ocurría darnos un beso con los chicos del barrio. En cambio, con él todo cambió. Podía pasar horas a su lado, dándole clases de matemáticas financieras o enzarzándonos en las charlas sosas de los adolescentes. Fue a los 17 años y, alguna noche, mientras él dormía, intenté robarle un beso. Nunca iba a poder corresponderme y no llegó a enterarse de mis sentimientos. Poco después se puso a noviar con una íntima amiga mía y nos fuimos distanciando. Ese chico me hizo patente, sin pretenderlo, que yo me decantaría por amar a los hombres. El deseo se había vuelto amor, había tomado otro cariz. Resultó el primer punto de inflexión en cuanto a ser consciente de mi homosexualidad. A ninguna chica la había querido como a él.

A partir de allí, me quedó claro lo que buscaría. He de decir que nunca tuve problemas de conciencia por desear o amar a los hombres. Cuando comencé a conocer homosexuales en el Frente de Liberación Homosexual, un tema que tocaré más tarde, muchos de ellos eran individuos traumatizados, que llevaban años haciendo terapia psicoanalítica con la esperanza de renunciar a su deseo y establecer una pareja con una mujer. Sufrían, mantenían un sexo compulsivo y, luego, caía sobre ellos una culpa que perduraba. En la literatura y en el cine aparecieron infinidad de personajes con este perfil. A diferencia de ellos, nunca me preocupé por mis deseos. Era algo que me pertenecía. Incluso tuve parejas femeninas y relaciones con mujeres, pero dentro de mí intuía que, a la larga, mi pareja sería una persona de mi mismo sexo. Jamás me torturé por mi opción sexual. Resulta raro que lo tuviera claro en el año 1967 cuando es ahora, a partir del 2010, cuando vemos jóvenes que viven su sexualidad sin conflictos.

***

A los 17 ya estaba estudiando en la Facultad de Economía y tenía una relación gay con un compañero. Un día, estudiábamos juntos en mi casa, acabábamos una lección que me había dado y, como agradecimiento, le di un beso suave en los labios. En aquel momento abrió la puerta papá. Tal vez iba a buscar alguna herramienta a su taller, que se hallaba junto a mi habitación. Aquí también transcribo un fragmento que escribí en mi diario personal sobre la sorpresa de mi padre:

> El día siguiente para papá fue una tortura. Pasó su día de trabajo debatiéndose sobre qué hacer, qué decirme, cómo corregir la falta, si censurar, si permitir. La confusión lo llevó a desear morirse, suicidarse quizás, aunque no lo iba a hacer. Amaba demasiado la vida para ejecutar un acto así.
>
> Cuando llegué a casa, aquella noche, habló conmigo intentando comprender, sin dureza, exigiendo una promesa mía para que no lo hiciera. Le prometí que no lo volvería a hacer, pero yo sabía que se lo juraba para darle paz a su ánimo. Quizás pasando el tiempo, él lo entendería. Era un hombre comprensivo con el ser humano, sus elecciones y sus debilidades. Yo iba teniendo una opción sexual bastante clara y, en lo profundo, me percataba de que no conseguiría modificarla.

A los 19 años, aunque las fechas sean algo erráticas, conocí a un chico de unos 25, vecino de mi barrio. Lo vi en el autobús de regreso a casa. Iba vestido con ropas de calidad, un abrigo de alpaca, una bufanda de lana merino, incluso guantes de cabritilla. Tenía un aire muy masculino y trabajaba en una empresa en el centro. Lo que ganaba le permitía vestirse así, aunque viviera en un barrio industrial. Esa noche fuimos a mi casa. Quedamos para la semana siguiente. Él vivía solo en una casa con jardín. Mientras estábamos charlando, en los preliminares de una relación, golpearon suavemente a la puerta. Mantuvo una breve charla y volvió a estar conmigo. Poco después, otra visita inoportuna golpeó a la puerta. Nuevamente, mantuvo una breve charla. Forzado por las circunstancias, me contó que eran los «chonguitos» del barrio. Después de dejar a sus novias, quedaban calientes y pasaban a visitarlo. Parecían hacer cola para ir a cogérselo. Esa vez también me quedé frío. Y tuve claro que no quería ser como esas mariquitas de barrio que mantenían relaciones con heterosexuales. Tenía que marchar. Irme a vivir al centro.

A los 20 años, a todos los varones les tocaba hacer el servicio militar. Durante un período, hubo un plan en que los chicos podían entrar, a los 19, en la Policía Federal, con el rango de agente conscripto. Eso evitaba el riesgo de tener que pasar dos años en la Marina o ser destinado a una provincia lejana. Fui agente y, luego de un período de instrucción, estuve como empleado en una oficina de ropa policial. Mi sorpresa fue encontrarme con un número ingente de homosexuales, tanto en la instrucción como en las oficinas. Allí se dio un noviazgo con otro agente de mi edad. Tengo recuerdos de relaciones sexuales, vestidos de policías, con los pantalones abiertos, la pistola colgando a un lado y la porra, al otro. Sé que esta confesión podría nutrir el argumento de una película porno, pero a mí nunca me dieron morbo los uniformes. Mi novio cayó enfermo y estuvo ingresado en el hospital de la Policía Federal. Evoco las reuniones en torno a su cama, con suboficiales jóvenes, gente culta, con carreras, y agentes como nosotros. Eran un verdadero *party*, donde se tiraban muchas plumas. Nadie hubiera imaginado que ese grupo de personas pertenecía a la policía. En realidad, los peores cargos en la Policía Federal eran los cabos. Gente de poca cultura, de extracción social baja y con un cargo de cierta autoridad que les permitía ejercerlo arbitrariamente. Ellos eran los encargados de las redadas, de los castigos, de las persecuciones y de las «coimas» o «mordidas» que pedían para dejar sin castigo cualquier hecho que consideraran contra la moral. Los comisarios también eran despiadados. Hay mucha gente que dice que, en Argentina, nunca hubo una mafia realmente organizada, porque la verdadera mafia estuvo siempre representada por la Policía Federal.

La vida en el centro (1968-1972)
En 1967 conocí a A., que sería mi pareja durante cuatro años y con quien me iría a vivir a la Capital, dejando el barrio, tal como llevaba tiempo soñando. Cito un fragmento de mi diario, escrito muchos años después, sobre esos primeros días de pareja porque, junto con él, eclosionó la cultura: la literatura, la filosofía, la música clásica y la ópera.

A. era exaltado, divertido, ingenioso y un auténtico vendaval de energía. La relación creció pronto. Tenía tres años más que yo. Nos encontrábamos en su buhardilla, abajo vivían sus padres y sus hermanas. Allí encerrados nosotros poseíamos los libros, los discos y la noche.

Los encuentros eran intensos e inagotables. A. saltaba de un aria de La bohème a un cuento de Cortázar, de un relato de Borges a una sinfonía de Brahms. La buhardilla representaba exactamente el rincón de la cultura que buscábamos. Lo teníamos todo allí. Marcábamos los libros de Prévert o de Albert Camus, las obras de Shakespeare o las novelas de Sartre. Luego comparábamos las frases de cada uno marcadas en el mismo libro.

Fuera de la buhardilla, caminábamos por la calle Corrientes, que fue «la universidad de la vida» para nosotros. Al margen de los estudios y la jornada de trabajo, hallábamos el tiempo libre para pasar las noches en los bares La Paz, el Foro o Politeama. En las mesas de estos bares se discutía sobre Marx, Lenin o Bakunin. Se reunían trotskistas y maoístas y, de nuevo, unos cuantos peronistas, en aquel momento, de izquierdas.

Luego, a partir de los 70, muchos jóvenes pasarían a la clandestinidad, formando parte de organizaciones como el Ejército Revolucionario del Pueblo, de tendencia maoísta, o Montoneros, que eran peronistas de izquierda.

En aquellos bares, la mayoría de jóvenes simplemente discutían y la acción se perdía en una dialéctica válida para la agilidad mental, pero nula para transformar el ámbito social. A. y yo nos hallábamos allí sobre todo por la cultura. En esos bares nos sumergíamos en lecturas o intercambiábamos libros, algunas noches leíamos un poema de Pessoa o un cuento de Marco Denevi, las crípticas poesías de Rimbaud o un relato de Horacio Quiroga.

En las calles, a partir del año 1968, aparecieron los primeros hippies. Habían estado en Londres y volvían fascinados con «la onda que tiraba la ciudad inglesa», tal como decían. Chicos que volvían de Estados Unidos y habían visto cantar a Janis Joplin.

En realidad, hasta entonces, los hippies eran seres extraños para mí. En el barrio no había, en la Universidad del Salvador, donde estudiaba Economía, tampoco. Fue en la calle Corrientes donde comencé a conectar con chicas de vestidos floreados largos hasta los tobillos y con chicos de abundantes melenas y camisas estampadas. Nosotros nos contagiamos de esa estética. En las fotos en que aparezco con A., él lleva una melena negra, larga y enrulada —se llamaba afro-look— y una blusa amplia y extensa como una túnica. Ambos usamos pantalones de botamangas de 20 centímetros y calzamos zuecos muy altos. Y muchas veces, cuando él iba por la calle con esos ropajes, no era raro que desde un coche le gritaran «maricón», aunque A. les daba poca importancia a esos insultos.

Fue en el año 1968 cuando alquilamos juntos un apartamento en el centro. Dejé el barrio cuando tenía 20 y ese fue otro punto de inflexión capital en mi vida, pero cuando se vive en la intensidad del momento, no se pueden determinar los puntos de inflexión de una existencia. Hay situaciones, amores, amigos, charlas, viajes y rupturas que se vuelven significativos después, cuando se analizan los hechos con la perspectiva que otorgan los años. A los 20, se vive en un presente eterno donde la misma dimensión llamada «tiempo» carece de importancia. Las transformaciones definitivas, las aspiraciones y las decisiones vitales tomarán sentido más tarde, con el correr del tiempo. En aquel momento, dejar a mis padres representaba un punto de inflexión. El departamento compartido con A., a esa edad, tenía un dulce sabor de libertad.

Seguiré hablando de «interiores gais» porque, hasta la llegada al Frente de Liberación Homosexual, nuestra vida en las calles con A. no estaba vinculada a la agitación política. Estábamos con gente de izquierdas, pero jamás militamos en esos partidos. Nunca se subrayaba nuestra opción sexual. El apartamento compartido estaba siempre lleno de amigas y amigos, especialmente los compañeros de A. de su carrera de Medicina. Las charlas duraban horas. Nunca tuvimos que especificar la relación ante ellos, porque todos la entendían y podíamos contarles con total confianza los problemas de pareja que nos surgían.

Quisiera hacer una especificación sobre el lenguaje que utilizábamos en esa época. Los otros llamaban «maricones» a los homosexuales, aunque nosotros no utilizábamos este término despectivo. Se decía: «Néstor entiende», «Marcelo es entendido». El «entiende» o «es entendido» eran las formas que mejor definían nuestra opción sexual. Cuando se hablaba de una pareja entre dos hombres, el término utilizado era *affair* —o su deformación «afferato»—. Así «Óscar y Pachi tienen un affair», «El afferato de Jorge y Raúl lleva mucho tiempo». Además, se utilizaba la forma más natural: «Alejandro y Pablo tienen una relación o una pareja». También en esos años se usaron mucho dos términos: «better» y «paqui». «Better» era para los gais. En inglés significa «mejor que», no sé mejor que qué, una comparativa a medias, quizás era la semilla del orgullo gay que surgió mucho tiempo después. La otra palabra, «paqui», era para los *straight*, los heterosexuales, supongo que era una forma de considerar «paquidermos» a los que «no entendían».

Ahora, cuando escribo, también me surge un problema con la terminología a usar. Tengo amigos que hacen investigación en temas *queer* y que rechazan la palabra «homosexual» porque está relacionada con la literatura médico-psiquiátrica. La palabra «gay» la registré por primera vez en mi diario de 1980, viviendo en Barcelona. En estas páginas voy empleando los términos «homosexual», «gay» o «entendido», sin notar demasiado sus diferencias.

En las fiestas que organizábamos en casa, algunos amigos traían marihuana. A. armaba unos cigarros muy finitos. Los *joints* o «agujas» —llamados así por su delgadez— daban la vuelta por el círculo de gente. Yo no fumaba marihuana. Iba a empezar más tarde, ya viviendo en Nápoles, en 1975. En ese momento era demasiado racional para perder la cabeza con un humo denso. Solamente fumaba cigarrillos y tomaba habitualmente anfetaminas. Tanto mi pareja como sus amigos tenían acceso a infinidad de medicamentos por sus estudios y prácticas de Medicina. Las anfetaminas me servían para mantenerme despierto en las noches anteriores a un examen, aunque al volver a casa, después de la prueba, el malhumor y el cansancio hicieran solo desear meterse en la cama a dormir. La bajada de la anfetamina resultaba bastante dura.

Nuestra mayor pasión en esos años fue la ópera. El Teatro Colón significaba nuestra segunda casa. Asistíamos, quizás, dos o tres veces por semana. A veces veíamos tres representaciones de una misma ópera. Las conocíamos palabra por palabra, aria por aria. Los teatros de ópera siempre resultaron el camino más fácil para conocer gente entendida. Cuando viajaba por Europa, sabía que encontraría entendidos con quienes ligar, fuera en la Ópera de Roma, en el San Carlo de Nápoles, en la Ópera de París, en el Liceo de Barcelona o en la Ópera de Viena,

Una de las actividades que traía aparejada la ópera, para los fanáticos, eran los cócteles de domingo a la tarde con algunos/as de los/las cantantes. En casa de algún amigo burgués, un grupo de homosexuales se reunía en torno a los divos. Se les hacían preguntas sobre la profesión, pero también se incidía en cotilleos, amistades o rencillas con otros divos. En Buenos Aires se hicieron cócteles con Fiorenza Cossotto y su marido Ivo Vinco, Joan Sutherland, Martina Arroyo, Carlo Bergonzi o Grace Bumbry. En realidad, en esas reuniones, las mujeres escaseaban. Aunque estos encuentros resulten extraños para quien no se halle entre los fanáticos de la ópera, son muy frecuentes en casi todas las ciudades que cuentan con un teatro de importancia y con temporadas operísticas significativas.

Una noche asistimos a una fiesta organizada por un amigo del Teatro Colón. El apartamento estaba en Barrio Norte. Entre fanáticos de la ópera, escuchando *Rigoletto, Tosca* o *Tannhäuser*, nos arrobábamos con la música, hacíamos bromas o nos encendíamos con chismes sobre las divas. Más tarde, surgieron del tocadiscos temas de Cat Stevens, de Carole King o de Simon and Garfunkel. A. y yo nos quedamos pasmados observando que esos chicos tan formales en la ópera bailaban juntos. Quisimos intentarlo, dimos dos vueltas abrazados, nos sobrevino una tremenda vergüenza y dejamos de bailar. Resulta casi absurdo que nos inhibiera tanto un baile entre hombres que, a día de hoy, no llama la atención de nadie. A. y yo íbamos aprendiendo, poco a poco, comportamientos de entendidos, frecuentando a los fanáticos de la ópera.

Existían varios cines de arte en la calle Corrientes. Asistíamos casi cada día, porque los ciclos de directores europeos nos mostraban formas de comportamiento muy diferentes a las nuestras. En esos años, cuando decíamos Europa, se nos representaba la panacea de la cultura. Soñábamos con llegar a París, a Londres o a Roma. España, sumida en 40 años de oscuridad, no nos llamaba la atención para nada. En el Cine Arte o en el Lorraine de la calle Corrientes veíamos los ciclos de Ingmar Bergman, François Truffaut o Jean-Luc Godard, pero también los films de todos los grandes directores italianos: Fellini, Pasolini, Bertolucci, los maestros del neorrealismo... Con el tiempo sentí que formé mi estética con ese cine. Y en este punto es donde siento que hay más contacto con José Porras. En esos años, él en México y yo en Argentina, estábamos formando el bagaje cultural que nos acompañaría siempre.

El FLH (1972-1974)

Mi relación con A. se rompió. Había sido demasiado intensa. Con él había vivido en una esfera de cristal llena de literatura, filosofía y ópera. Deseaba salir a la calle y descubrir tendencias. No me refiero a la moda. Había comenzado la década de los 70 y las tendencias que me interesaban eran sociales o políticas.

Un amigo, con quien había hecho el servicio militar en la Policía, me invitó a una reunión del Frente de Liberación Homosexual. No sabía ni lo que era. Me encontré con un grupo de entendidos que criticaban al gobierno militar, que hablaban de los disturbios de Stonewall en Greenwich Village en 1969, de la primavera de Praga y de las matanzas del 1968 en Tlatelolco, México. Además, reivindicaban una visibilidad del homosexual. Simplemente una visibilidad. Aún no se hablaba de «orgullo» gay.

Los militantes se agrupaban en células. El grupo de Profesionales se encargaba de elaborar el material teórico. Yo pasé a formar parte del grupo Eros, que se centraba en la acción callejera. En 1967 había nacido el grupo Nuestro Mundo con el propósito de defender los derechos de los homosexuales de izquierdas. De allí surgió el FLH. También existían otros tres grupos: Safo, de lesbianas, Bandera Negra, nutrido por anarquistas, y el grupo Emanuel, con gais de tendencia cristiana. En realidad, los más activos fueron los grupos Profesionales y Eros, diría que los otros resultaban meramente testimoniales. Eros debía de contar con unas 40 personas entre militantes y simpatizantes. En total, el FLH tendría unas 100 personas. Una cifra baja pensando en los grupos de liberación homosexual que iban surgiendo en Europa, pero tengamos en cuenta que se trataba de un movimiento nuevo y nacido bajo un gobierno militar.

A la cabeza del grupo Eros estaba Néstor Perlongher, el ideólogo del grupo. Pronto me apasioné leyendo a Herbert Marcuse y participaba activamente en las discusiones. Escribí algún artículo sobre el vínculo entre Marx y Freud en el pensamiento de Marcuse, usando la expresión «polimorfo perverso», que tanto nos gustaba en aquellos días.

Las acciones callejeras se basaban en lanzar panfletos o hacer pintadas por las calles del centro, intentando evitar que la policía nos detuviera. Las consignas decían:

Amar y vivir libremente en un país liberado
Machismo = Fascismo
El machismo es el fascismo de entrecasa
Soltáte
Por el derecho a disponer del propio cuerpo

Íbamos en grupos de dos o tres, con un nerviosismo extremo, avanzando por las calles de Corrientes o Florida, esperando el momento para hacer la pintada o arrojar los panfletos entre el gentío.

Además de los debates y la acción callejera, las reuniones semanales del grupo otorgaban seguridad a cada uno de nosotros. Nos encontrábamos allí con amigos que pensaban igual, que defendían los derechos de los diferentes.

Salir a la calle proclamando, así fuera en voz baja, que uno era homosexual, resultaba bastante peligroso. Ocupaba la presidencia *de facto* el general Lanusse. En aquel momento nos parecía el Demonio encarnado, aunque fue él quien, al final, convocó elecciones libres y abrió el camino a la candidatura de Héctor Cámpora.

Creo que ese efecto de edredón cálido fue la función principal del FLH en aquellos años. Todos éramos chicos que proveníamos de historias de silencio. Y allí podíamos contarnos nuestras vidas, compartirlas. Conseguíamos ser escuchados por gente que opinaba de la misma manera.

La simple existencia del Frente había cambiado la manera de sentir del homosexual. Cuando Reinaldo Arenas, Manuel Puig o Malva hablan de sus relaciones, el amante siempre es un heterosexual. No consiguen imaginar una pareja con otro como ellos. Otro entendido no les despierta deseo. Entre nosotros la mentalidad había cambiado. No solo queríamos mantener relaciones con otros homosexuales, sino que además soñábamos con amar a esa persona, crear una pareja.

Tal vez fue una suerte hallar un grupo de acción así, que evitaba —a quien no lo quisiera— arriesgarse al levante en lugares peligrosos, un cine, una estación de trenes o el baño de un bar. Especialmente porque siempre aparecían policías de civil en esos espacios y el resultado, en vez de un momento de goce placentero, se transformaba en una visita a una comisaría. Nosotros teníamos por primera vez la opción de meternos en la cama con nuestro amante, desearnos y quizás dormir juntos abrazados. El Frente también generaba un enjambre de lazos entre los miembros del grupo, amigos, noviazgos, relaciones sexuales o parejas.

***

En esos años aparecieron dos discotecas, situadas en la provincia de Buenos Aires, que congregaron a infinidad de homosexuales y lesbianas. En la capital resultaba casi imposible abrir un bar o una discoteca gay. En la Provincia, era permitido por acuerdos que tenían los dueños con la Policía Federal. Nosotros, los usuarios, estábamos al margen de esos sobornos —conocidos como «coimas»—. La primera se llamó Monalí y la siguiente Chelovekos, ambas situadas en Lanús Este, si la memoria no me falla. Eran espacios enormes, tal vez habían sido almacenes de mercaderías industriales. En los fines de semana se agrupaban unas 400 o 500 personas. Allí dentro daba la impresión de que todo era posible: bailar, beber, fumar marihuana, enamorarse... De tanto en tanto, llegaba la policía a última hora y llenaba una furgoneta con decenas de gais. En la Capital Federal las razias —como las llamaban— eran más frecuentes, tanto en la calle como en cualquier bar donde pudieran sospechar que se reunían homosexuales. La policía tenía que llenar un cupo de detenidos en los fines de semana y los gais resultaban los más vulnerables en estas redadas. Nunca me llevaron, solo oí historias sobre este tema. Los detenidos iban a comisaría y, al día siguiente, quedaban libres.

Los participantes del FLH tenían militancia en diversos grupos políticos, generalmente marxistas o anarquistas. Los trotskistas eran los comunistas que más sintonizaban con la participación de los homosexuales en sus filas. De todos modos, con las expectativas del regreso de Perón, la mayoría de los chicos pasaron a simpatizar o militar en la Juventud Peronista.

Cuando volvió la democracia y asumió la presidencia Héctor Cámpora, el 25 de mayo de 1973, muchos de los militantes del FLH —probablemente 15 o 20 personas— estuvimos con nuestra pancarta en la Plaza de Mayo, una tela extensa que tenía escrito: «Para que reine en el pueblo el amor y la igualdad». Se trataba de dos versos de la Marcha Peronista que tanto se volvió a cantar en aquellos días. Era la primera exhibición pública de los homosexuales, aunque ni las siglas ni la frase de la pancarta lo dejaran demasiado claro. La consigna del peronismo en ese momento era: «Cámpora al gobierno, Perón al poder». Era claro que el gobierno de Cámpora significaba una transición hacia el regreso de Perón de España y su ascenso al poder de la nación. En esas concentraciones y manifestaciones se volvía a sentir el latir de las multitudes: sindicatos y trabajadores, asociaciones, universitarios, viejos peronistas, izquierdistas, derechistas. Me parecía extraño que una figura pudiera aglutinar a gente tan diversa, grupos tan dispares, con sus carteles y pancartas. Todos ilusionados por ver aparecer al general, acompañado de su mujer, anunciando que las cosas cambiarían. Queríamos creer que toda esa multitud era «un solo corazón», como se acostumbraba a decir.

Poco tiempo después, aterrizó en el aeropuerto de Ezeiza el general con su mujer. Una manifestación multitudinaria avanzaba hacia el aeropuerto para recibirlos. Se calcula que allí se reunieron dos millones de personas. Cada grupo político seguía a su propia columna. Los militantes del FLH emprendimos el largo camino. El grupo llegó a Ezeiza, pero yo me descolgué en el camino. Tal vez fue una decisión afortunada.

La Juventud Peronista llevaba una masa ingente de gente del pueblo. El Comando de Organización del acto se situó cerca del palco. Los sindicalistas seguidos por sus filas se propusieron ocupar los lugares principales en torno a ese palco. Todos iban armados. La derecha y la izquierda peronista quedaron enfrentadas. Aquello se denominó «Masacre de Ezeiza». Un acto luctuoso que dejó 13 muertos y 365 heridos, según los datos que hallo en internet.

Más adelante, el Día del Trabajador, en el balcón de la Plaza de Mayo, Perón pronuncia estas palabras: «A través de estos veintiún años, las organizaciones sindicales se han mantenido inconmovibles y hoy resulta que algunos imberbes pretenden tener más mérito que los que durante veinte años lucharon». Los 21 años eran el tiempo de su exilio. Los imberbes eran los jóvenes de la Juventud Peronista. La derecha peronista aprovechó estas declaraciones para acusar a la izquierda de tener sus filas nutridas por drogadictos y homosexuales. Para desligarse de esa lacra, la JP lanza su nueva consigna: «No somos putos, nos somos faloperos, somos soldados de FAR y Montoneros». Esto produjo cierta desazón en el FLH: resultaba claro que la Juventud Peronista no quería contar con lesbianas u homosexuales entre sus militantes.

En 1976, el poder militar arresta a la presidenta Isabel de Perón y comienza el Proceso de Reorganización Nacional, llamado también «terrorismo de Estado». En ese período, desaparecieron militantes de izquierda, pero también intelectuales y homosexuales. El FLH, ante estas circunstancias políticas, puso fin a sus actividades y muchos de sus integrantes emigraron a Estados Unidos o a países europeos.

Hace poco me enviaron un boletín escrito por la gente del FLH de aquellos años. Allí se reseña un Congreso sobre la Opresión Sexual y la Liberación, organizado por el Partido Radical italiano, con la participación del Fuori (Movimiento de Liberación Homosexual Italiano) y el Movimiento de Liberación de la Mujer, que se celebró los días 25, 26 y 27 de abril de 1975 en la ciudad de Nápoles. En un fragmento dice: «Un delegado del FLH argentino, único representante no italiano presente, leyó una declaración por la que testimoniaba la adhesión de los homosexuales argentinos al Congreso, informaba sobre la situación represiva en nuestro país y llamaba a concretar la solidaridad homosexual internacional. Su intervención fue clamorosamente ovacionada». Más adelante hay un apunte que resulta casi cómico: «En su edición del 26 de abril, el diario fascista *Roma*, en un artículo sobre el Congreso, publicó que había hablado un argentino exiliado de su país por razones "penales", en evidente referencia al pene, en italiano».

Ese boletín me trajo el recuerdo del Congreso, el argentino era yo. Desde noviembre de 1974 vivía en Nápoles y allí organicé a los homosexuales amigos, que vivían una verdadera represión en el sur de Italia, para formar el Fuori de Nápoles. Un grupo que se conformó rápidamente, con la mecánica de reuniones semanales, a la manera del extinto FLH argentino.

Emigración (1974)

Gracias a una beca del gobierno italiano en Argentina, pude viajar a Nápoles y asistir a unos cursos de Desarrollo Económico allí. Mi viaje fue en noviembre de 1974. Pocos meses antes, viendo una manifestación contraria a la presidenta Isabel de Perón, intuí que el futuro del país se oscurecería, que sería peligroso vivir allí, no solo por ser homosexual, sino por haber estudiado en la Universidad del Salvador una carrera que contaba con muchos profesores de izquierda.

Cuando volví de visita al país, al cabo de un año, mi padre tuvo la misma intuición y me sugirió que volviera a Italia y me quedara un tiempo viviendo en Europa. Al comenzar la desaparición de militantes de izquierda, papá se apresuró a quemar, en el jardín de casa, libros como *El capital* u otros textos que yo había utilizado en la carrera. Era un secreto a voces que los militares hacían desaparecer a jóvenes, los torturaban y los mataban. Además, allanaban casas buscando cualquier testimonio de pensamiento peronista o comunista. En ese contexto, mi biblioteca resultaba de gran peligrosidad.

Como comenté antes, en Italia organicé el Fuori de Nápoles; fue una experiencia muy enriquecedora tanto para mí como para los numerosos gais del sur del país. En 1977 dejé Italia y me instalé definitivamente en Cataluña. Allí pasé a formar parte del FAGC

(Front d'Alliberament Gai de Catalunya), que se creó a partir de la muerte de Francisco Franco y que, en ese momento, aún se estaba organizando. Años después colaboré con las actividades del Casal Lambda, también en Barcelona, donde escribí, durante largo tiempo, artículos para su revista.

Aunque, nunca tuve conflicto con mi opción sexual, reconozco que los grupos de liberación homosexual me ayudaron a ser una persona feliz. A veces, cuando encuentro a antiguos militantes, coincidimos en que el FLH, el Fuori, el FAGC o el Casal Lambda, como todos los otros grupos de liberación, fueron lentamente abriendo el camino para que los jóvenes gais de la actualidad vivan su sexualidad sin problemas. Creo que valió la pena hacer ese trabajo de tantos años.

LAS GLORIAS DEL MALVIVIR
Alejandro Modarelli

Los restos de orines y de mierda, y como fondo el ruido del tren, avivaban los sentidos de los amantes de paso, que se apareaban contra natura entre las paredes de los retretes. No los detenía el intenso olor; al contrario, el tufo los ayudaba a separarse del mundo cotidiano. Así como los novios o esposos corrientes perfuman sus bendecidos placeres de rosas y jazmines que agonizan en floreros, los aventureros sarasas del baño de la estación cultivaban sobre la roña los capullos de su deseo clandestino.

«El amargo retiro de la Betty Boop», en
Rosa Prepucio. Crónicas de sodomía, amor y bigudí (2011)

A mediados de los 70, los homosexuales argentinos escucharon por primera vez que habían sido incluidos por la derecha católica en armas en el minucioso catálogo de los subversivos. Los contactos entre activistas del Frente de Liberación Homosexual (FLH) y organizaciones de izquierda develaban, para el fascismo vernáculo, un toque de *pink power* en la trinchera apátrida revolucionaria. Durante la presidencia agónica de María Estela Martínez, viuda de Perón (junio de 1974 a marzo de 1976), la revista *El Caudillo*, portavoz de la organización parapolicial Triple A —Alianza Anticomunista Argentina— llamó a «acabar con los homosexuales» (¿se trataba de un convite sexual o de exterminio?), esa plaga promovida por la «sinarquía internacional», lo que provocó las ironías alarmadas del FLH. En un artículo, se le asignó a Julio Cortázar un papel primordial en la avanzada sediciosa, debido a sus dotes de «homosexual físico e intelectual». El centelleante término «homosexual», puesto a operar en el lenguaje gris y paranoico de las fuerzas de seguridad y los oficios judiciales, permeaba la política de aquellos años. De los pastizales y las cercanías portuarias, o los antros subterráneos de perdición, pasábamos así a integrar la rebelión contra el orden natural de la Argentina.

Pocos años más tarde, el Jefe de la División Moralidad de la Policía Federal de la dictadura (1976-1983) aprovechó un discurso sobre patología social para definir como objetivo de la fuerza a su cargo «espantar a los homosexuales de las calles para no perturbar a la gente decente». La omnipresente palabra «subversión», así, extendía su imperio a las maricas que, hasta entonces, habían aprendido a ubicarse en el colectivo de artistas, tan generoso, y en la igual de imprecisa categoría de indecentes o amorales. Enfermos para la psiquiatría forense hasta hace apenas unas décadas, todavía éramos incapaces para ella de incorporar los dones de la Ley del Padre. Salvo en la menuda militancia sexo-revolucionaria, las prácticas lúbricas de las maricas de entonces (de la alcoba a la calle) influían de manera luciferina en la cultura y en la vida cotidiana. De padres a hijos circulaba la advertencia contra los «amanerados» difuminados en la muchedumbre que, de repente, se materializaban como demonios junto al mingitorio vecino en el baño de la Estación Retiro, o en los intervalos de las películas de vaqueros sobre la calle Lavalle, en esas horas de la tarde en que los muchachos bien encausados hacían un espacio para el relax solitario antes de regresar a casa o cuando se escapaban cual caperucitos de los rigores de la decencia, como del continente a la isla.

Si la mañana es la esfera de aparición de los decentes, el atardecer y la noche nos hace a las locas émulas de nosferatus en busca de saciar su rumano deseo. Criaturas de la huida, como nos nombró Marcel Proust, vamos ahí donde las colegas nos han dado el santo y seña de la joda urbana, o donde nos conduce el propio olfato como a los cazadores de tesoros su objeto anhelado. ¿De dónde debían, pues, espantarnos los sabuesos enmascarados de la Brigada de Moralidad; de qué sitios en los que habíamos decidido levantar y bajar la bandera de nuestra Sodoma portátil? No solo de las salas de cine, si algún buchón nos delataba al boletero. No solo de las calles, cuando nuestro andar ondulante y la esmerada marcación de nalgas nos hacía gritar lo que éramos. Había toda una pedagogía dentro de las brigadas de moralidad para conocer las técnicas de levante callejero y los intersticios del enredo homosexual. Un trabajo de campo siempre al filo de la caída en el pecado: el cazador cazado era un elemento del folclore de esos tiempos, cuando el fin obsesivamente perseguido no era la desaparición o el exterminio de los cuerpos maricas sino su vigilancia permanente y su violento paseo por las celdas correctivas, que no corregían nada que no fuera el mal olfato y el ojo, que cuando se es loca nunca deben errar su apuesta en las aguas servidas de la ciudad. ¿Qué hacer cuando una se confundía de presa y en el momento de estirar la mano a la bragueta de quien se demoraba al lado, la máscara del objeto deseado se caía y revelaba al «cana de moralidad»? Con unos pocos billetes de pesos argentinos la moral se volvía laxa; con unos cuantos se invertía. Y si una era joven y bonita, ay, tantas veces la heteronorma policiaca se disipaba en una boca ansiosa como la nuestra, que lo recibía.

En una época como la de la dictadura —y también un poco antes— los locales de sociabilidad homosexual eran casi inhallables, y cuando existía alguna discoteca o casa de baño, la clandestinidad era el único modo de supervivencia: duraban lo que el capricho o el chantaje de las comisarías permitían. Imagínese el lector que, a partir de la intensidad impresa a la represión, desde los tiempos de la viuda de Perón (1974-1976) hasta los estertores de la dictadura, las perlas secretas del sexo se cultivaban en los baños públicos, sobre todo aquellos de las estaciones ferroviarias, las fiestas privadas organizadas llamadas «party» en casas revestidas de ornato pop o *kitsch* (posibles, muchas veces, con la venia de algunos vecinos sobornados con regalos), o las célebres jodas en la isla de Tres Bocas en el delta de Tigre, de las que con frecuencia se partía a nado antes del alba y huyendo de la Prefectura Fluvial. De hecho, transportarse de la cuadrícula de la capital federal a la periferia aseguraba a los pequeñoburgueses no tanto una aventura más allá de los muros como la esperanza de un poder policial menos eficaz, debido a la disposición geográfica y mejor perspectiva de esas zonas, entre el rigor panóptico de las diagonales y avenidas y la extensa promesa de libertad al borde de los campos o los brazos del Río Paraná.

Las voces locas

Cartografía del deseo manflorido, los testimonios abundan en la mesa del día después. Se exagera, tanto en la narrativa de los triunfos como de las derrotas, recicladas en clave de humor. Una herramienta discursiva que incluía también episodios de violencia de la que se era víctima: una pedagogía de temple y resistencia contra los efectos del terror, si este inmovilizaba el Eros o lo recluía. Cuando una loca está encendida no existen las tormentas o las advertencias, ni tampoco policía que, en la «tetera» (baño público en el que se sabe que se practica sexo), no pueda dejarse llevar por sus encantos de sirena homosexual. Una tetera vigilada puede ser el sitio donde un Brigada de Moralidad sediento de desahogo deviene cómplice, y una comisaría —donde antes se tuvo que pasar el trapo por el piso—, la pista de baile en la que se conoce al próximo amor de verano.

El Mundial de Fútbol de 1978 trajo consigo el sistema de identificación inmediata llamada DIGICON, la modernización tecnológica de la represión urbana. Los patrulleros se comunicaban entre sí y con las centrales del panóptico para conocer la situación penal y contravencional de cualquier ciudadano detenido en la vía pública. De las largas colas que se suscitaban en torno a los autos policiales sobresalían las locas cuyo prontuario estaba salpicado de contravenciones (el famoso inciso H de los Edictos Policiales, que castigaba la oferta y demanda de sexo callejero pero a menudo servía de trampa o extorsión). De ese modo, se intentaba cumplir con la consigna de espantar a los «elementos antisociales» de las calles, desde las maricas a los vendedores ambulantes; desde pobres incómodos a posibles subversivos escapados de las listas de los servicios de inteligencia.

De los mingitorios a los patrulleros median pocos pasos. No obstante, las locas son siempre audaces. Decía la Turca que en los baños de la estación terminal de trenes de Retiro se armó un aquelarre el último día del mundial de fútbol del 78, cuando el equipo argentino salió campeón:

> Se estaba festejando el triunfo. Venían hordas de varones de todos lados, salían de los trenes, de las alcantarillas, con banderas, camisetas. Se llenó el baño y un grupo de locas nos quedamos ahí durante un buen rato, a ver si de tanta algarabía se ligaba algo. De pronto las luces se apagan; quedamos casi a oscuras. Era un sueño. Todos los tipos se pusieron a cantar y uno gritó a ver quién es el macho que me la chupa. Los disfrazados de machos aparecimos en seguida. Las mariquitas armamos en la tetera la contrafiesta del Mundial. (Rapisardi / Modarelli, 2001)

Muestras de heroísmo popular, aunque alternativo. Si en España los exdirigentes del autodenominado Frente de Liberación Homosexual Argentino en el Exilio (Héctor Anabitarte y Ricardo Lorenzo Sanz) habían conseguido, mediante contactos en los medios, que en la transmisión de un partido amistoso entre España y Argentina previo al mundial se filtrara en las pantallas de todo el planeta la imagen, en primer plano, de un enorme cartel donde habían escrito «Videla, asesino del pueblo argentino», las que sobrevivían en las calles de la dictadura seguían resistiendo el orden mortífero derramando esperma (y en las comisarías, sangre) como al grito de Eros Vence.

Eros vence, sí, sobre el orden de la muerte, de manera creativa, porque la resistencia es pura afirmación. Y en la ciudad y sus periferias (mucho más mansas) se abre a un combate gozoso. Se lucha con las metrallas y las bombas pero también con los flujos del deseo, cuya puesta en circulación acreditaban ciertos textos sobre sexualidad vigentes en esa época, como *Homosexualidad y sociedad represiva* de Guy Hocquenghem,[42] donde se analizaban los nexos entre la familia (por entonces tan denostada en su función castradora), el capitalismo y la obsesiva vigilancia del ano, órgano que, puesto a gozar, jaqueaba la sexualidad reproductiva y la prédica de no consumir lo que la economía no ofrece. Faltarían aún décadas para que el concepto de familia burguesa se resignificara en batallas por la obtención de un derecho civil. La familia LGTBI pasará a formar parte del vergel de la democracia liberal, en un proceso de asimilación al orden jurídico y a los llamados nichos de mercado. Cierto adocenamiento, se pensó, nos alejaría de la calle y, con suerte, reduciría los daños al erario público porque (ilusos los *think tank* anglosajones) la promiscuidad del solterito convocaba el virus del sida, y mejor gastar en armas que despilfarrar en laboratorios medicinales. En todo caso, el matrimonio LGTBI desequilibró a las instituciones religiosas arcanas y sirvió de pedagogía ética para la sociedad. Al menos antes de la actual bolsonarización de una parte del planeta,

---

[42] Traducción argentina de 1974 de *Le désir homosexuel* (1972). Una nueva versión española de este libro apareció en España en 2009, a través del sello Melusina.

cuando cuerpo, deseo y género vuelven a estar bajo amenazas teóricas y reactivas.

Machismo=fascismo y familia=opresión, consignas que definían aquel tiempo de una revolución cultural que se originó en el feminismo, siguió con la liberación sexual y se continúa o desvirtúa en el presente. Para Pier Paolo Pasolini, tan escéptico con la reconversión de la sexualidad en un deber dentro de la deriva del capitalismo tardío (Slavoj Žižek escribe sobre la obligación de gozar), la falta de permiso despertaba la pasión por la aventura, ciertos códigos de autopreservación y una multiplicidad de encuentros sensuales imprevistos. Ahí en las encrucijadas, y no en el espejo de lo mismo, habitaba un Otro. Justo en esta percepción de la vida cotidiana en la ciudad como teatro de hazañas eróticas e impredecibles se reconoce el homosexual que ha pasado los cincuenta años y añora aquello que, en estos tiempos de regreso del fascismo reprimido, vuelve a sonar fruto del demonio.

La peligrosa sumersión en el estanque del goce

Sobrevuelo de águila homosexual en el arrabal del deseo: acostumbradas a lidiar con el chongo que ofrecía sus servicios a cambio de dinero o protección inmobiliaria, las locas guiadas por la buena estrella trazaban rutas posibles en la ciudad, en busca del tesoro preciado: la masculinidad irrevocable. Pasarían varios años hasta que el modelo igualitarista gay llegase por avión desde el norte del planeta («si vos me cogés, yo te cojo. Perdóname, pero se trata de política sexual»). En los vínculos amatorios latinoamericanos aún existía el gozo de los opuestos y el rigor de las posiciones en la alcoba.

Pero ese «loco afán» —tomo el nombre del ya célebre libro del chileno Pedro Lemebel— requería de audacias cuerpo a cuerpo cuando el chongo levantado en la esquina del barrio de Constitución o en el banco más alejado de la Plaza Miserere (ay, y hasta al pie de la Torre de los Ingleses) pasaba, ya en la casa de la marica, del porrito compartido a la navaja en el cuello. En un santiamén todo quedaba claro, «a este no le basta con el pago sino que busca desalojarme» pero, querido: «antes de hundirme en el estanque, como escribe Néstor Perlongher, dejame beber el último cáliz de tu pija. Si una va a morir, que sea con la pérfida dignidad de haber sido penetrada».

Qué exquisita abyección la de las locas de aquellos años de aventura y caza, cuando toda la ciudad era un teatro de operaciones. Cuántas historias secretas pueblan con sus pétalos ensangrentados y un toque de rubor fantasmal los túneles eróticos de Buenos Aires. Las grandes capitales de América Latina narran un mismo relato que se multiplica. Solo los nombres y las circunstancias cambian, pero qué más da, si en esos tiempos todos los nombres que se usaban en el deambular eran falsos, tanto en el encuentro ambiguo con ese hombre que es policía de civil o simula serlo, como con otro que, en el juego de ajedrez de los mingitorios o en el recorrido de la avenida Santa Fe —que por décadas se conoció como el «putódromo»— aprendió los mismos consejos de supervivencia. Ciudad de Buenos Aires o Ciudad de México, en dictadura o en democracia restrictiva, el humor, como las canciones de Raffaella Carrá («*Pedro, Pedro, Pedro, ¡Pe!, el mejor de toda Santa Fe*») son la herramienta más inteligente para quitarle el veneno a las dificultades y amenazas de la vida cotidiana.

José Santa Ana Porras Alcocer, en *Memoralia de aceras olvidadas*, pasa revista a los mojones de la deriva homosexual en la Ciudad de México, en la época que nos convoca, y pinta la idiosincracia de los putos. Toma del personaje la Manuela de *El lugar sin límites* (novela del chileno José Donoso llevada al cine por el mexicano Arturo Ripstein) un *dictum* que cualquier loca de esos años podría haber suscripto: «Las mujeres hacemos cualquier cosa con tal de no estar solas». Hacemos cualquier cosa, hasta abrir «da puerta de calle al monstruo que mora en las esquinas» (Perlongher). Porque vivir en tiempos de represión convierte la vida en pura intensidad, una vagabunda entre el Eros y la muerte; y al lenguaje lo vuelve campo de metáforas. En fin, la memoria es una casa desvencijada que los homosexuales transformamos en paraíso perdido, como todo paraíso, donde la ficción de antiguas glorias tratan de pasar por alto o, mejor, resignificar, el estigma y la violencia recibida.

LA INVENCIÓN DE LA DIVA. HOMOSEXUALIDAD Y COMUNIDADES INTERPRETATIVAS EN EL CINE ARGENTINO CLÁSICO
Ernesto Meccia

La pasión de los homosexuales y los gais por las divas (del cine, la ópera y otras superficies de inscripción textual) es un fenómeno conocido que, hasta el momento, no ha merecido demasiada atención por parte de la crítica.[43] Probablemente, las divas y los fans aún sigan perteneciendo al universo de los «objetos indignos» de las Ciencias Sociales. Sin embargo, como sociólogo, quiero decir, como un intelectual particularmente atento a la sociabilidad, he observado con interés cómo las viejas películas y sus protagonistas mujeres funcionan como actantes facilitadoras de acción social y comunicación en distintos encuentros sociales, siendo indiferente que sean estos festivos o dramáticos. Un fenómeno que parece no interrumpirse a medida que nos acercamos a las generaciones actuales de gais. Aunque en las memorias de José Porras que convocan este volumen el cine ocupe un lugar privilegiado, su cinefilia no parece haber estado marcada por el culto de la diva al que quiero referirme en estas páginas, y que fue central en la educación sentimental de varias generaciones de varones homosexuales en las más diversas latitudes.

---

[43] Podrían citarse, entre las excepciones, los estudios de Richard Dyer (1986), David Halperin (2012) y Wayne Koestenbaum (2001) en torno a la figura de la «diva» tanto en el cine como en la ópera. En el ámbito en español, Alberto Mira se ha ocupado del tema en su libro *Miradas insumisas* (2008).

A partir de la cantidad de tiempo dedicado a hablar de las divas y de la calidad con que son incorporadas a las conversaciones mundanas, acaso se pueda conjeturar que, sin ellas, las reuniones hubieran sido algo bastante distinto o —extremando la aseveración— que fue severamente dañada una parte importante de la comunicación entre los participantes, como si a esa reunión que tenía todas las condiciones para ser exitosa, se le hubiera sustraído un complemento (un *plug in*) que la dejó un tanto ineficiente e inoperativa, un tanto vacía. Las divas, en efecto, alojan un conjunto de claves que, según decisión de sus seguidores, dan letra para interpretar situaciones que forman parte de sus experiencias pasadas, presentes y futuras. Justamente aquí encuentra su origen mi prolongado interés por la actriz argentina Mecha Ortiz (1900-1987) o, es mejor decir, por su «figura».

Quiero situar mejor mi interés. En las líneas anteriores me referí a cómo las divas son utilizadas como recursos de inteligibilidad personal y social en un momento en el cual ya habían adquirido esa condición. Sea por la intervención de las industrias culturales, por las transformaciones de las tecnologías de la comunicación y la información y —por supuesto— por la devoción de sus seguidores, esos personajes lograron formar parte, en una extendida actualidad, del patrimonio cultural de las sexualidades no hegemónicas. Hoy por hoy, en definitiva, los consumidores «saben» qué encontrar en las viejas películas de Hollywood y de la cinematografía clásica de mi país. En cambio, en este capítulo, yo quisiera abordar algo distinto, deseo retrotraerme a los momentos de la invención de una diva, a los instantes en que sus espectadores homosexuales decidieron —allá por los años 40— que esta actriz fuera la primera diva del pueblo homosexual en Argentina. Dicho no sea de paso: no se me escapa que ya he referido dos veces a la «decisión» de los espectadores; volveré sobre ello más adelante.

El espesor sociológico de lo expuesto me parece notorio: en Argentina, en los años 40, la homosexualidad era una «experiencia muda» (Meccia, 2011 y 2016) y ello en dos sentidos: primero, porque era hablada por la heteronorma (encarnada en instituciones como la psiquiatría, la medicina, la criminología y las religiones), y segundo, porque al no existir la institución contraria de la «salida del armario» (habría que esperar hasta los años 80) los homosexuales carecían de discursividad pública. Complementariamente, son sabidos los costos que las fuerzas represivas imponían a sus manifestaciones públicas. En consecuencia, si el silencio y la invisibilidad eran las marcas más notorias de la vieja experiencia homosexual, es interesante indagar qué podrían hacer sus protagonistas para adquirir algún grado de inteligibilidad social.

El posibilitador de la inteligibilidad (¿quién soy?, ¿cómo soy?) es el diálogo, sin el cual no hay comunicación ni intersubjetividad. Son los demás quienes nos otorgan la certidumbre de que existimos mediante su reconocimiento que —como puede inferirse— solamente puede tramitarse teniendo vida pública (Arendt, 1993). Pero si, como en nuestro caso, el diálogo con el exterior es una instancia en gran medida imposible y se está condenado a tener una vida inhumana (totalmente privada), es válido preguntar: ¿qué espejos fabricaban los homosexuales para reflejar algo de su vida y sus sentimientos, cuando todo alrededor era silencio y represión? ¿Qué superficies de inscripción utilizaban con tal fin? A poco que lo pensemos, más aún si pensamos en los homosexuales de buena parte del siglo XX, aparecerán los géneros masivos y populares, en especial, el cine. Y siguen las preguntas: ¿Las películas eran solidarias con esas vidas necesitadas de reflejo o fueron los espectadores quienes tuvieron buenos reflejos para «encontrarse» en obras que no les estaban destinadas? Y si lo último fuera lo más acertado: ¿Cómo podría aportar alguna evidencia el análisis empírico de las películas?

Desde el punto de vista de los estudios sociales de la comunicación, estos interrogantes llevan al siempre renovado tema de las audiencias y sus poderes, a la discusión de los grados de libertad interpretativa de los espectadores y —claro— a su contrario: los grados de prescripción interpretativa de los textos. Lo más interesante del caso que analizaremos es que a estas importantes cuestiones de discusión teórica se le suma otra, tal vez menos transitada en las investigaciones: cómo los grupos marginalizados pueden efectuar operaciones de identificación con los productos masivos y populares en condiciones de indigencia cognitiva y política.

A continuación ofreceremos, en primer lugar, una semblanza de Mecha Ortiz, una actriz de kilométrica carrera en el cine y el teatro en la que no estará ausente la evidente empatía de los homosexuales (algunos famosos) con ella; en segundo lugar, analizaremos su película más recordada y exitosa, *Safo, historia de una pasión* (1943), según los historiadores expertos y legos, la primera película erótica del cine argentino. Luego, a modo de ensayo, se intentará, si no demostrar, al menos sugerir razonadamente los elementos «presentes» en esta superficie textual que posibilitaron la invención de la primera diva del pueblo homosexual en Argentina, asumiendo que la invención respondía a demandas mudas de autopercepción e inteligibilidad de los espectadores homosexuales, o, mejor, a un intento de buscar «dobles» que, de alguna manera, hicieran menos solitaria y monologuista su situación existencial.

¿Cómo no hacer hablar a las divas si para los homosexuales todo era silencio fuera de la pantalla?: decir de muchos hechos sociales que no son creaciones *ex nihilo* es una afirmación también extensible a la entronización de algunas figuras del espectáculo masivo y popular.

Realizaremos el análisis activando algunos debates en torno a las culturas masivas y populares, a la instancia de la recepción y, especialmente, al papel de las «comunidades interpretativas» (también llamadas «comunidades de escucha»).

Misteriosa y *homofriendly*

Primero fue el misterio. Cuando filmó su primera película, aunque había hecho algo de teatro, Mecha Ortiz era bastante desconocida. La gente se preguntaba por esa señora que debutó en el cine a los 37 años (en 1937), de quien se decía que había decidido reanudar su antigua vocación por la actuación luego de que su marido (Julián Ortiz, un hombre vinculado a la oligarquía terrateniente y familiar directo del presidente argentino Roberto M. Ortiz) sufriera un terrible accidente mientras montaba a caballo, accidente que lo dejara en estado parapléjico hasta su muerte, acaecida en pleno apogeo artístico de esta actriz que nunca más volvió a casarse ni tuvo otro romance (al menos público).

Hubo también misterio a propósito de su relación con Florencio Parravicini, un famoso humorista de la época, de excéntricos gustos sexuales. El actor fue un espaldarazo en la carrera de Mecha y audaz *partenaire* dentro y fuera del escenario. Sobre finales de los años 80 y principios de los 90 (recién mudado a Buenos Aires por cuestiones de estudio) me tocó escuchar en varias reuniones, de boca de homosexuales adultos y adultos mayores, el mismo conjunto de anécdotas sexuales limítrofes (fetichistas) de las que nunca pude encontrar nada —ni siquiera un rastro— por escrito. Excitantes misterios de la transmisión intergeneracional de información de interés sexual. Parravicini se suicidió en 1941.

Pero además de la información borrosa sobre su vida personal, era de su misma figura de la que emanaba el misterio. Ortiz tenía un aura singular que la distinguía de las demás actrices de la época: la estatura elevada, la delgadez extrema, las frases irreparables que profería con su voz grave; aunque gran parte del misterio estaba en su forma de mirar. Tenía una mirada que mezclaba tristeza, melancolía, concupiscencia y unas ansias locas de recuperar en el presente el tiempo perdido. De recuperarlo, en sus películas más recordadas, junto a chongos menores que ella, a quienes hundía en relaciones clandestinas, sustraídas de las dulzuras de los romances burgueses que inundaban el cine argentino.

Miraba —perdida e inamovible— clavando la mirada en quienes serían sus amantes, levantando levemente la ceja derecha mientras entrecerraba apenas los ojos para mirar mejor, como una cazadora infalible, segura de su oficio. Los maricones que conocí en los años 90 me decían que parecía mentira que, en el set, esa señora de barrio Norte tirando a pacata, pudiera, sin embargo, profundizar tanto la mirada, darle un hálito de búsqueda sexual desprejuiciada, pegarle hondas pitadas al cigarrillo mientras miraba a un pendejo, adelantando cuál sería su próximo objeto de consumo irrestricto.

Los directores de cine supieron crear más misterio sobre el misterio: en varias de sus películas, ella tardaba en aparecer. Hasta entonces todo era de un enigma inquietante: los personajes se ponían a hablar de ella, casi siempre de un pasado plagado de desgracias de amor, de accidentes que dejaron lesiones físicas irreparables, de desarreglos mentales que incluían tratamientos medicamentosos; otra vez tardó en aparecer como una oscura viuda sospechada de haber provocado su estado civil.

Cuando finalmente irrumpía, la cámara registraba una auténtica epifanía: hacía *travelling* o *zoom* para mostrar esa entidad tan densa, con tanta emoción interior a punto de estallar, rebosante de ganas de comerse chongos jóvenes con independencia de cualquier variable civil o sentimental. Los directores sabían que filmaban sobre la base de un código emergente entre ella y el público (mujeres y homosexuales): mostrar su rostro era mostrar la inminencia de la desestabilización del lenguaje sentimental de todos los días; el signo inequívoco de que había comenzado a funcionar el reloj de una bomba de tiempo que iba a destruirlo todo. Nítidamente: Mecha Ortiz fue —además de la primera diva— la primera mujer fatal.

Se decía que era la Greta Garbo del cine argentino. Varios escritores y periodistas «cultos» insistían en atestiguar su carácter singular, que combinaba popularidad con distancia, éxito con misterio. El principal de ellos fue Manuel Puig, quien introdujo su nombre en varias de sus novelas. Tal vez quepa sugerir una distinción: la que separa a una «diva» de una «estrella». Las estrellas del viejo cine son figuras diáfanas y claras, transparentes criaturas de superficie («bonitillas», al decir de María Félix); en cambio, las divas son mujeres densas; de insondable profundidad y misterio, dueñas de un aura magnético que logra atraer poniendo distancia, como los tótems, según nos enseñaron los estudios de antropología religiosa.

De ahí que sean particularmente difíciles las comparaciones. Es imposible comparar a Mecha Ortiz con Mirtha Legrand (la bonitilla más afamada del cine de teléfonos blancos), pero tampoco con Zully Moreno (la más bella y glamorosa), ni con la excepcional Tita Merello (porque Mecha era popular pero raramente interpretaba personajes populares), ni con la polifacética megaestrella internacional Libertad Lamarque (y no solamente porque Ortiz no cantara). Desde el principio, Mecha fue otra cosa. Quienes la vieron en teatro afirmaban lo mismo con vehemencia, rememorando un ser de carisma incomparable.

Respecto de la distancia y la lejanía de Ortiz, Jacinto Pérez Heredia, el famoso productor de telenovelas, contaba que su confidente Tita Merello le dijo que una noche venía caminando por las calles de Buenos Aires y que, de repente, descubrió a Mecha cenando junto a Florencio Parravicini en una mesa de un restaurante. Merello quedó impactada, observaba a Mecha siempre de perfil, no obstante estar cerca de la ventana, como si el vidrio tuviera metros de espesor y la sustrajera del acontecer callejero: «Tita era la contracara de ese glamour, y se quedó un rato embobada, estudiándole los movimientos, leyéndole los labios a la Garbo argentina, que cenaba sin mirar hacia afuera, junto al vidrio de una ventana, como en una pecera de sirenas, espejismos y monstruos» (Pérez Heredia en Fernández Díaz, 2010: s.p.).

Desde el comienzo hasta los primeros años 50, Ortiz tuvo un gran predicamento en el mundo del cine, aunque el prestigio mayor lo ganó en el teatro, donde interpretaba un repertorio compuesto básicamente por autores extranjeros. Debutó en cine interpretando a la Rubia Mireya en un clásico de clásicos: *Los muchachos de antes no usaban gomina* (1937), de Manuel Romero. Realizó un total de 37 películas, casi siempre como protagonista, en una carrera que culminó en 1976. Entre las más famosas: la ya mencionada *Safo, historia de una pasión* (1943), prohibida para menores; *El canto del cisne* (1945); *Una mujer sin importancia* (1945), donde puede verse por primera vez en el cine vernáculo que una mujer le pegue un cachetazo a un hombre (Santiago Gómez Cou); *Las tres ratas* (1946); *Camino del infierno* (1946); *Madame Bovary* (1947) y *Pájaros de cristal* (1955).

De varias maneras, la actriz siempre tuvo resonancia en el universo de los muchachos que gustaban de los muchachos. Y los muchachos se movieron para hacerlo saber. En efecto, homosexuales notorios y/o notables de la época actuaron —es mi hipótesis— como representantes de una identificación mayor del pueblo homosexual con la diva. Mecha aparece en varios textos de Manuel Puig: *La traición de Rita Hayworth* (1968), *Boquitas pintadas* (1969), *The Buenos Aires Affair* (1973) y *El beso de la mujer araña* (1976). En las dos primeras, los personajes hablaban de ella cuando hacían contrastes entre la vida en Buenos Aires y los pueblitos de las provincias; quienes hablaban a través de Puig eran mujeres que padecían el encierro del campo abierto tanto como los homosexuales: «ya me estoy dando maña para aprovechar la noche viendo tantas cosas que hay en esta Buenos Aires de locura», dice Nené en *Boquitas pintadas* después de lamentar no haber conseguido entradas para ir a ver a «la Mecha Ortiz». Para esos personajes (y para el mismo Puig), los personajes que interpretaba Mecha representaban la promesa del cosmopolitismo geográfico y moral, la mundanidad ausente en la pampa húmeda. Habría que recordar que fue el mismo Puig quien pidió al director Leopoldo Torre Nilsson que la incorporase al elenco de la versión cinematográfica de *Boquitas pintadas*, en 1974. El crítico y productor Kado Kostzer, en *Personajes (por orden de aparición)* (2011: 174-175) refiere que la devoción de Puig tuvo una inmensa recompensa: la misma Ortiz le encargó a su modisto y amigo íntimo Eduardo Bergara Leumann que organizara una cena en su casa en homenaje a él. En rigor, la presencia de Puig en el momento de su gran despegue editorial fue también una recompensa —y tal vez más grande— para la diva, que había entrado en un estadio de seria y prolongada decadencia a partir de los años 60. En breve volveremos sobre este tema.

Mecha aparece en otros textos. Por ejemplo, hay unos pasajes en *Viaje prohibido* (1978), una novela sobre la adolescencia de Blas Matamoro (uno de los fundadores del Frente de Liberación Homosexual) en la que Mecha es la Mecha de las películas «prohibidas» (*Safo* y *El canto del cisne*). Un personaje dice que es «una meretriz madura y comprensiva que inicia a los adolescentes inexpertos» y que «baja llorando las escaleras, con un sofocante fondo de piano de Rachmaninov, hasta caer en un sofá *capitonné* enredada en sus propios encajes» (Matamoro, 1978: 83). Una frase en clave de maricón del *ancien regime* difícil de olvidar. De encajes y velos, casi metonímicamente, también escribía el refinado crítico teatral Ernesto Schoo para el diario *La Nación* sobre la «legendaria» o la «gran» Mecha Ortiz. Por su parte, Juan José Sebreli, en su bella autobiografía *El tiempo de una vida* (2005), escribió que su imaginación juvenil guardaba un lugar para ella porque lo «alucinaban las mujeres fatales, con sus miradas lánguidas y sus poses manieristas» comparándola con Greta Garbo y Marlene Dietrich.

Por fuera de los ámbitos de la «alta cultura», pude comprobar la cualidad *homofriendly* de Mecha Ortiz cuando, recién mudado a Buenos Aires, comencé a frecuentar los circuitos homosexuales. Circuitos semiintelectuales más o menos politizados, que contemplaban reuniones con diversas actividades: desde leer poesía o hacer talleres para la autoestima, hasta intercambiar información sobre los estragos que estaba haciendo el sida; actividades que, por lo general, eran previas al gran atractivo de la noche: la cena. En ese marco, si no era yo quien sacaba el tema, la misma dinámica conversacional, más tarde o más temprano, terminaba en el cine argentino y, dentro de esta galaxia, en Mecha Ortiz. Escuché referencias alucinantes. Los más viejos no tardaban en anclarla como tema de conversación. Uno de ellos me dijo que a pesar de que había debutado en cine teniendo cerca de 40 años, «no tenía comparación con ninguna, ni la tendrá. Hizo un carrerón. La Mecha siempre estuvo madura pero nunca se cayó del árbol». A otro le pregunté su opinión sobre su capacidad actoral. He aquí la respuesta (en una perfecta clave de teoría del aura): «yo no sé si la Mecha era buena o mala. Lo único que te puedo decir es que —de todas— solamente ella podía ponerse a leer la guía telefónica en un escenario con un vestido cualquiera y el teatro se caía abajo de aplausos». Luis, a quien seguí encontrando en los saunas durante mucho tiempo, cada vez que me encontraba me preparaba la escena final de *Pájaros de cristal*. A veces me abordaba desde atrás y decía «Al aeropuerto», indicación que la protagonista daba al chofer cuando salía del teatro en el que triunfaba —con novia nueva— el bailarín que había sido su amante y alumno, tanto como la bailarina. Luis decía que Irina Galowa (el personaje de Mecha) se había convertido en «un viejo puto», que enfrentaba con elegancia el desinterés del «chonguito». Justamente de ello daba cuenta el alucinante pedido al chofer. Luis decía que la había peinado varias veces en los años 70, en cada encuentro volvía a remarcarlo. Por último recuerdo lo que me dijo Andrés, un viejo canillita de Buenos Aires: «En la calle, si vos mirabas como la Mecha miraba a (Roberto) Escalada en *Safo* llamabas la atención de los tipos, y si le dabas con el dedo índice tres golpes al cigarrillo como hacía ella y el tipo sacaba su atado de puchos, era que te le podías acercar».

Los ejemplos de las resonancias de Ortiz en la sensibilidad homosexual de antaño podrían extenderse. Para terminar, tal vez sea ilustrativo consignar que la actriz intentó suicidarse debido a una acumulación de fracasos teatrales y a una violenta indiferencia por parte de los directores cinematográficos. Sí: la señora que había llenado salas con sus películas, la misma que había estrenado *Un tranvía llamado deseo* en el teatro, estaba sumida en una decadencia que parecía definitiva. El historiador Abel Posadas habla de una «reina sin trono» (2009: 16). En la detallada biografía del guionista de telenovelas Alberto Migré, Liliana Viola cuenta cómo la actriz comenzó a salir de la penosa situación: «en 1973, integrando una suerte de comando de rescate de una deprimida y al borde del suicidio Mecha Ortiz, en el que también actuaron Bergara Leumann, que la llevó a la Botica del Ángel, Manuel Puig insistiendo para que Torre Nilsson la incluyera en *Boquitas pintadas*, y el guionista Lozano Dana que la incluyó en el elenco de "Invitación a Jamaica", Migré la convoca para el papel de Malú, la tía de la nueva protagonista» de *Rolando Rivas, taxista* (Viola, 2017: 158). Posadas (2009: 16), más allá de la sugestiva metáfora, ofrece un paralelismo con la situación de otras divas en decadencia y su relación con los homosexuales: «A rescatarla llegaron Bergara Leumann en teatro y Carlos Lozano Dana y Alberto Migré en TV, para regocijo de la comunidad gay, de la cual se transformó en una especie de reina sin trono. El fenómeno era muy lucrativo en el Norte, donde viejas damas de la pantalla habían visto de qué modo los homosexuales las resucitaban».

Esperando haber ilustrado adecuadamente la «relación» entre los muchachos de antes y la diva (por lo que puede verse, una relación consolidada), lo que nos resta es aportar alguna reflexión sobre cómo la relación pudo gestarse; por qué ella y no otra actriz se convirtió en la primera diva del pueblo homosexual, por qué los muchachos de antes tomaron esa decisión. Para eso es necesario ir a «su» película.

Comunidades interpretativas. Un texto a medida

Safo, historia de una pasión (1943) es una película de Carlos Hugo Christensen (1914-1999). Fue prohibida para menores de 16 años en una cinematografía hegemonizada por comedias y melodramas inofensivos. Se la considera, como señalamos antes, la primera película erótica del cine argentino. Tuvo enorme repercusión. Luego, durante muchos años, estuvo perdida. Como suele suceder, en su ausencia la gente la recordó más y, de paso, eso ayudó para que Mecha se sintiera acariciada mientras transcurría su prolongada decadencia, de la que relativamente pudo salir en el final de su carrera.

Safo consagró a Christensen como un director que aportaba la novedad de modernizar el melodrama amparándose en nociones psicológicas y apelando al simbolismo para textualizar al «hombre» y la «mujer». No sabemos cuán consciente estaba de esto pero el interesado en la historia social del cine no puede resistirse a pensar cuestiones de género en esta obra, sindicada no sin frecuencia, de misógina. Al respecto, bien vale visitar el artículo en que Adrián Melo (2008) realiza una interesante lectura paralela entre la vida y el arte del director.

En la película, desde el principio, se opta por la sobresimbolización. Los títulos desfilan sobre un fondo inequívoco: la escultura de una mujer desnuda y una telaraña. También brinda información escrita para que no queden dudas de que lo que se verá encierra una advertencia: «versión cinematográfica de la obra maestra que Alphonse Daudet dedicó a sus hijos y escribió para enseñanza moral de la juventud de todos los tiempos». Recién entonces comienza a escucharse el famoso vals que introduce al espectador en la expectativa de algo sinuoso y tenebroso, cuya finalización da paso a un preludio en el que vemos que un joven abandona la campaña y se va a la gran ciudad con un tío dispuesto a introducirlo en el universo masculino de la joda asimétrica.

A trece minutos de empezada la película, por fin, se la ve. La aparición de Safo en la fiesta que da un gran bacán[44] es deslumbrante: esa mujer a la que no se le mueve un pelo será la dueña de todos los resortes. Los muchachos de antes vieron ahí una escena perfecta de levante homosexual. En pose totémica, Safo aparece al lado de una escultura desnuda, en lo alto de una escalera. Como si fuera un muchacho homosexual de antes, con la mirada experta y discreta para lograr su objetivo en medio de un gentío propenso a escandalizarse, divisa a un muchacho que la cámara muestra de espaldas, mientras alternativamente se la ve a ella mirándolo y fumando. En realidad, parece que lo está fumando a él, que imagina y disfruta un consumo futuro. La escena se interrumpe cuando ella hace el gesto de ir a su captura. El marco de todo esto es el gentío y el anonimato; el director casi no registra diálogos entre los asistentes a la joda. La joda es joda. Lo que sigue es un diálogo increíble. El chongo está en una terraza, quiere volver al salón. Ella lo detiene en la puerta y le dice: «Por aquí no se pasa». «¿Por qué?», pregunta él. «Porque no quiero.» El pibe obedece, retrocede y se apoya en una baranda. Ella, convertida ya en su sombra, se le pega hombro a hombro y le clava una pregunta, que parece una orden: «¿Tan fácil se renuncia a un deseo?». Dueña absoluta del *timing*, hace avanzar el diálogo hacia donde quiere, preguntándole por qué se aburre, con tanta compañía. «No conozco a nadie, no soy de Buenos Aires.» La cara se le ilumina; tiene delante suyo al chongo ideal: «¿Provinciano, entonces? ¿Y allí los hombres no saben divertirse? ¿Son todos tan callados como vos? ¿Cómo hacen entonces para conquistar una mujer?». «Y... como todos», responde el provinciano. Safo ya había triunfado:

---

[44] En el lenguaje coloquial rioplatense, a principios del siglo XX, y según dan cuenta varias letras de tangos, «bacán» funcionaba como un sustantivo que aludía a un varón de posición económica alta, de espíritu mundano y moral no convencional. Con menos frecuencia, también se aplicaba a la mujer.

«Vení, me lo vas a explicar bailando». Vuelve el vals, el director oscurece la escena y comienza el incendio.

Tal vez en ese momento nacía la primera diva de la comunidad homosexual argentina; los muchachos de antes no disponían hasta entonces de una «pantalla» donde vieran reflejado su propio *savoir faire* y su fragilidad ante la belleza de los chongos, esa fragilidad que a veces les hacía perder el orgullo. En una escena, sin pedir permiso, Safo se le instala en el departamentito al chongo, cuando llega le pregunta si le incomoda, el chongo le contesta que no la esperaba y Safo responde, bajando los ojos: «Sí... debí ser más orgullosa». Al mismo tiempo, desde el punto de vista femenino, probablemente nacía una imagen que permitía a las señoras de clase media tramitar sus fantasías sexuales «desviadas».

La trama pone precios a la pasión. Desde el baile se van a casa del muchacho. Safo pregunta en qué piso vive (no existían aún los ascensores). El muchacho, que habita en el último, ofrece llevar entre sus brazos al ícono, envuelto en gasas y tules. La escena muestra el cansancio en los descansos de la escalera y a Safo dándole energía con besos cuando lo ve flaquear. Por supuesto, llega consumido y el sexo aún está por venir. Pero nada importa a la protagonista, que se lo reclama con inflexibles miradas mientras una luz tenue se va apagando. «Cuídese de Safo... se adhiere a los hombres como el molusco a las piedras», indica un personaje. Es interesante remarcar esa escena ya que el director insiste. En otra película (*Los pulpos*, de 1948) el protagonista moría en las escaleras mientras iba en busca de la mujer que lo había enloquecido y engañado mil veces, una prostituta. Difícil sustraerse a esta marcación del carácter femenino: las mujeres pesan, cuestan, comprometen la respiración, se las encuentra «arriba».

La mujer que se textualiza en *Safo* no tiene antecedentes vernáculos. La protagonista es mostrada como una actancia que contamina y penetra de múltiples formas. Hay una escena en la que el muchacho regresa a su casa. Adentro está instalada su amante. La cámara la muestra de espaldas no solamente ocupando el espacio gracias a una buena iluminación sino fumando, otra vez fumando. Si en la fiesta se la veía fumando a través de la boca (comiendo, podríamos decir, al amante), aquí se la muestra tirando humo; importa el humo y no el ente que lo produce. El olor del humo es índice de que alguien estuvo. Es un signo existencial que coloniza el espacio. Pero el director va más lejos: mientras le tira el humo encima no deja de mirar al muchachito, quien, de a ratos, mientras escribe (¡a su mamá!), apenas se atreve a mirarla. Una rareza. Cuando en las películas argentinas aparecía el galán, la mujer bajaba la mirada como signo deferente, habiendo reconocido la «autoridad» masculina. En *Safo*, realmente impresiona ver a la protagonista invertir el reconocimiento doblegando la mirada masculina. Los muchachos de antes habrán sabido ver; esos muchachos que tenían que bajar la cabeza en tantas circunstancias de su vida real, aquí se encontraron con una maestra de la mirada, experta en domesticar la mirada de los varones. Habrán quedado encandilados. La gratitud hacia la diva recién construida se iba a extender por muchos años.

Más arriba nos habíamos preguntado cómo los grupos marginalizados pueden efectuar operaciones de identificación con los productos masivos y populares en condiciones de indigencia cognitiva y política. El caso de *Safo* parece bastante instructivo. Si bien por un lado están la «intención del autor» y la «intención de la obra» en la producción de los textos, es claro que también existe la «intención de los lectores», en nuestro caso los espectadores homosexuales de viejo cine argentino. Umberto Eco (1995) dio bastante contenido a la discusión de cuál de las intenciones tendría más fuerza para producir un texto. Él se inclinaba por la «intención de la obra», pensaba que si bien los lectores interpretan el texto, la verdad más evidente es que el texto mismo se esfuerza en transportar a los consumidores hacia el sentido que exalta.

Los esfuerzos de Eco se referencian en una postura anti-subjetivista de la interpretación a la que es fácil adherir. Sin embargo, para el caso de los productos de la cultura masiva y popular que analizamos y, sobre todo, teniendo en cuenta la situación social de sus consumidores (recordemos: homosexuales en los años 40), nos parece una postura un tanto reduccionista. Habría que prestar más atención a la capacidad de los consumidores para hacer de una superficie discursiva un texto en alguna medida, a medida. Es la interpretación del usuario la que produce el texto y no el texto (la obra) el que espera la interpretación del usuario.

El libro del sociólogo Ken Plummer *Telling Sexual Stories. Power, Change and Social Worlds* (1992) presenta un caso revelador. Cuenta la historia de un joven gay que tenía desde pequeño fantasías *bondage*, una práctica sexual que no tenía un lugar dentro del espacio de lo decible. Aun así, el joven siguió alimentando sus fantasías y lograba reconocerse como tal. A ese efecto, le servían los libros y las revistas que tenían imágenes del famoso ilusionista y escapista Harry Houdini (1874-1926), quien se sometía a diversas pruebas bajo el agua atado y/o encadenado, de las que salía victorioso. Y es que pareciera que, en realidad, y aun a pesar de circunstancias de indigencia simbólica, los sujetos tienen iniciativa para hacer aparecer espejos de sus fantasías, representantes de su intimidad. Tal vez como este joven, los espectadores de *Safo* andaban por aquel mundo silenciado en busca de un representante que, de alguna manera, los dotara de un rostro. Solo que en vez de Houdini impreso se encontraron con ella en la pantalla.

El nacimiento de la diva lleva a pensar —otra vez— el concepto de «interpretación». ¿Las películas tenían atributos que los espectadores homosexuales debían interpretar? ¿O era el mismo acto de interpretación homosexual el que le imprimía atributos a las películas? Según pudimos ver con *Safo*, al menos desde nuestra lectura, la película no estaba destinada de ninguna forma al público que nos ocupa. Sin embargo, fue el primer texto cinematográfico «homosexual» y este privilegio fue producto de una decisión de los espectadores homosexuales. Pero por «espectador» no deberíamos ver un exceso de subjetivismo que carga el acto de interpretación en los individuos, al contrario. Pensando puntualmente en la situación social de quienes vieron *Safo*, lo que tendría que postularse no es un individuo interpretante sino una «comunidad interpretativa» (Fish, 1982; Jauss, 1987) o una «comunidad de escucha» (Plummer, 1992), en los dos casos, comunidades de apropiación.[45]

Hablamos de una comunidad para dar a entender que las interpretaciones no pueden ser tan azarosas, ni tan diferentes, que su rango de variabilidad está acotado y ello porque —previamente— lo que está acotada socialmente es la situación biográfica de quienes forman parte de esa comunidad (Schultz, 1974). La atención homosexual que acaparó *Safo* acaso haya sido el correlato del conjunto de interpretaciones que aquellos muchachos ya hacían en la vida real. El anonimato, la clandestinidad, el sexo signado por la diferencia de edad, la atracción por los chongos, el sueño del chongo provinciano, entre otros, eran, desde antes de entrar en la sala cinematográfica, relevancias en su vida cotidiana (Schultz, 1974).

Lo que hicieron esos espectadores al ver *Safo* no fue interpretar en la oscuridad de la sala «la película de Carlos Hugo Christensen basada en una novela de Alphonse Daudet», sino proyectar sobre lo proyectado su universo de experiencias y su horizonte de expectativas. En definitiva, los muchachos de antes «usaron» a la diva para verse y reconocerse (aunque sea un poco). De allí que en párrafos anteriores haya referido taxativamente a la relación de los mucha-

---

[45] En 2003, el cineasta argentino Goyo Anchou estrenó una peculiar *remake* de *Safo* con una modulación radicalmente «underground» y burlesca. Si bien no es comparable con lo que exponemos en el capítulo por muchos motivos (el principal de ellos, el público a las que ambas estaban destinadas), es interesante la mención ya que la película sigue siendo objeto de apropiación por parte de algunas sensibilidades LGTBI.

chos de antes con la diva y no a la relación de la diva con los muchachos de antes.

Con ella se hicieron su película y armaron un texto propio. Y así la mecha quedó encendida.

Referencias bibliográficas

ARENDT, Hannah (1993 [1958]): *La condición humana* (trad.), Paidós, Barcelona.

DYER, Richard (1986): *Heavenly Bodies: Film Stars and Society*, St. Martin's Press, Nueva York.

ECO, Umberto (1995 [1992]): *Interpretación y sobreinterpretación* (trad.), Cambridge University Press, Cambridge.

FERNÁNDEZ DÍAZ, Jorge (2010, 9 de enero): «El chico que amaba a Greta Garbo», *La Nación*, <goo.gl/EHFLBn>.

FISH, Stanley (1982): *Is There a Text in This Class? The Authority of Interpretive Communities*, Harvard University Press, Cambridge.

HALPERIN, David (2012): *How to Be Gay*, Harvard University Press, Chicago.

GRIMSON, Alejandro / VALERA, Mirta (1999): *Audiencias, cultura y poder. Estudios sobre televisión*, Eudeba, Buenos Aires.

JAUSS, Hans (1987): «El lector como instancia de una nueva historia de la literatura», en José Antonio Mayoral (ed.), *Estética de la recepción*, Arco, Madrid, pp. 59-85.

KOESTENBAUM, Wayne (2001): *The Queen's Throat: Opera, Homosexuality and the Mistery of Desire*, Da Capo Press, Nueva York.

KOSTZER, Kado (2011): *Personajes (por orden de aparición)*, El Jilguero, Buenos Aires.

MATAMORO, Blas (1978): *Viaje prohibido*, Sudamericana, Buenos Aires.

MECCIA, Ernesto (2009, 18 de septiembre) «Mecha encendida», *Página/12* (suplemento *Soy*), <goo.gl/m7qBPK>.

— (2011): *Los últimos homosexuales. Sociología de la homosexualidad y la gaycidad*, Gran Aldea, Buenos Aires.

— (2016): *El tiempo no para. Los últimos homosexuales cuentan la historia*, Eudeba-UNL, Santa Fe / Buenos Aires.

— (2016, 18 de marzo): «Diva prohibida para menores», *Página/12* (suplemento *Soy*), <goo.gl/kBNGfk>.

MELO, Adrián (2008): «*¿Tan fácil se renuncia a un deseo?* Una lectura homoerótica de los filmes de Carlos Hugo Christensen en Argentina», en Adrián Melo (ed.), *Otras historias de amor. Gays, lesbianas y travestis en el cine argentino*, Lea, Buenos Aires, pp. 45-66.

MIRA, Alberto (2008): *Miradas insumisas. Gays y lesbianas en el cine*, Egales, Barcelona / Madrid.

ORTIZ, Mecha (1992): *Mecha Ortiz por Mecha Ortiz*, Moreno, Buenos Aires.

PLUMMER, Ken (1995): *Telling Sexual Stories. Power, Change and Social Worlds*, Routledge, Londres.

POSADAS, Abel (2009): *Damas para la hoguera. VII: Mecha Ortiz*, Escuela Nacional de Experimentación y Realización Cinematográfica, Buenos Aires.

SCHULTZ, Alfred (1974): *El problema de la realidad social*, Amorrortu, Buenos Aires.

SEBRELI, Juan José (2005): *El tiempo de una vida*, Sudamericana, Buenos Aires.

VIOLA, Liliana (2017): *Migré. El maestro de la telenovela que revolucionó la educación sentimental de un país*, Sudamericana, Buenos Aires.

WOLF, Sergio (1994): *Cine Argentino. La otra historia*, LetraBuena, Buenos Aires.

HOMOEROTISMOS EN EL CUENTO MEXICANO DE LOS 60 Y 70 DEL SIGLO XX

Víctor Saúl Villegas Martínez

En la literatura mexicana, el cuento ha sido uno de los géneros más versátiles que ha expresado, a lo largo de las dos últimas centurias, diversas representaciones de identidad, religión, política y sexualidad. Sin lugar a dudas, desde la gestación del México independiente, este subgénero ha acompañado notablemente el desarrollo del país, por lo que a través de este artefacto literario pueden observarse con claridad las particularidades de cada etapa histórica: desde el establecimiento de un Estado hasta el cuestionamiento de las bases más intrínsecas de la nación, sin olvidar el paso por las incontables revoluciones y cambios ideológicos que modificaron por completo la sociedad. Al respecto, Luis Leal (2011: 11), en su famosa *Breve historia del cuento mexicano*, comenta:

> El cuento, por razones íntimamente asociadas al modo de ser del escritor mexicano, y que sería difícil exponer en esta somera introducción, ha alcanzado en México un desarrollo superior. Tal vez se deba esta preferencia por el cuento al hecho de que, como el soneto, sea una forma literaria cerrada. Dichas formas, según la acertada observación de Octavio Paz, se adaptan admirablemente al carácter del mexicano. Sea como fuere, el hecho es que el cuento, desde finales del siglo XIX, ha podido competir con otros géneros. Su forma ha obtenido, en nuestros días, una perfección comparable a la poesía.

Cabría agregar que el cuento también ha asestado duros golpes a las conciencias mexicanas porque, de manera rápida y certera, cuestiona las bases de los diferentes dispositivos de poder: como vehículo literario es capaz de irrumpir sin miramientos en las representaciones hegemónicas.

Ahora bien, resulta interesante advertir la forma en la cual este género se ha movido con perspicacia en el terreno de los tabúes sexuales. Es preciso recordar aquí cómo, durante el Modernismo, el cuento sacudió con firmeza las costumbres consideradas inamovibles o cómo, con los escritores de la llamada Generación de Medio Siglo, logró introducir temas en la literatura mexicana que, hasta ese momento, eran prácticamente inexistentes, verbigracia la exploración de la sexualidad femenina, el cuestionamiento del poder de la masculinidad o la disidencia sexo-genérica. Desde estas coyunturas un tanto insidiosas, el cuento consolidó entonces su poder de transmisión de ideologías diferentes y contestatarias.

En especial, en el caso de la disidencia sexual, el cuento ha logrado que los/las lectores/as se introduzcan, sin miramientos, en la existencia, deseo y vicisitudes de todos/as aquellos/as sujetos/as considerados/as al margen o, en el peor de los casos, ni siquiera considerados/as. Pudiera parecer así que este tema es propio del siglo XX —incluso, de sus últimas décadas—; sin embargo, la representación del homoerotismo en el cuento mexicano es, si bien tímida, muy anterior. Así lo evidencian los relatos «Manolito el pisaverde» (1838) de Ignacio Rodríguez Galván, «Aventura de carnaval» (1895) de Amado Nervo o «La excursionista» (1889) de Federico Gamboa, en los cuales el homoerotismo aparece esbozado indirectamente.

La disidencia sexual, entonces, se ha expresado en este subgénero con suavidad al principio y con mucha rudeza conforme se acerca a la actualidad. Sobre todo, a partir de la segunda mitad del siglo XX, esta rudeza aparece en las décadas de los 60, 70 y 80: en cada uno de estos periodos, el cuento mexicano se asoma cada vez más al tema homoerótico, algunas veces en forma esquiva y en otras frontalmente. José Santa Ana Porras Alcocer menciona en *Memoralia de aceras olvidadas. Una semblanza gay de la ciudad de México*, los cuentos que se destacaron por la representación de la disidencia sexual en sus respectivas historias y que, por ende, tuvieron un impacto significativo en el público gay que consideró estos textos como parte de su propia afirmación.

Algunos de los textos con contenido homoerótico mencionados por Porras y que corresponden a las décadas de los 60 y 70 son «Los amigos» (1962) de Juan Vicente Melo, «El viaje de Berenice» (1962) de Jorge López Páez, «A la víbora de la mar» (1964) de Carlos Fuentes, «Cabecita blanca» (1971) de Rosario Castellanos y «Flavio» (1974) de Jorge Arturo Ojeda. En consecuencia, la diégesis abordada en cada uno de estos textos se transforma de un acercamiento indirecto o ambiguo a uno contundente, amoroso y profundamente erótico conforme avanzan los años. Mario Muñoz (2014: 17) refiere sobre este tema:

> Desde la perspectiva actual, da la impresión de que a partir de los setenta la moral oficial se hubiera ablandado en la fiscalización de los espectáculos y las publicaciones a extremos impensables diez años antes. A su modo, el país vivía la euforia del «destape». Los desnudos femeninos comenzaron a proliferar en el cine, los teatros de variedades y las revistas de espectáculos. En cambio, la televisión mantuvo una actitud hermética por ser el principal vehículo de entretenimiento de la familia.

Con lo expuesto, puede advertirse que la década de los 70 resulta un parteaguas en la sociedad mexicana al impulsar cambios notables en la moralidad imperante. Claro está que estas modificaciones son dadas también por los acontecimientos que ocurren, por esos mismos años, en Europa y los Estados Unidos, sobre todo los que tienen que ver con el auge del movimiento feminista, la revolución sexual y, en general, el desarrollo de la contracultura. En este sentido, Porras alude a cierta relajación moral que se consolida, en mayor medida, en la Ciudad de México, espacio que otorgaba de manera amplia y generosa las posibilidades de realización de los más recónditos deseos, que en el caso de la disidencia sexual se manifestaban en un andar urbano constante para *encontrarlo a él*: ese joven que podría saciar los apetitos amorosos y, sobre todo, sexuales, aunque solo fuera en un encuentro furtivo.

Ese encuentro con la pasión y el afecto disidente se manifiestan con ambigüedad y dureza en el cuento ya mencionado de Melo, «Los amigos», en el que, afectivamente, desde el título ya puede hallarse esa camaradería disfrazada, pero que tiende a convertirse en algo más que eso. En este relato, los protagonistas —Enrique y Andrés— tienen una «amistad» muy cercana que, debido a las normativas morales de su tiempo, no logra realizarse por completo. El narrador relata a la perfección este deseo no concretado:

> Sentía el brazo de Andrés apretando el suyo, el pecho subiendo y bajando con calma, el calor obediente al ritmo de la respiración. El aire se llenaba de la presencia de ellos, de un momento distinto, un chasquido de la lengua, un alzar de hombros o una risa que no tenía antes el aire. Les gustaba mirar sus dos sombras desproporcionadas, alargarlas o empequeñecerlas cuando aceleraban el paso o lo retenían en otro más calculado. Iban a un café, a un cine, a un concierto. Se contaban lo que habían hecho durante el día, los libros leídos, el curso de sus estudios; a veces, comprendían el valor y el significado de sus silencios, de sus frases inconclusas, de los ademanes que implicaban algún sobreentendido. Y entonces caminaban callados hasta que Andrés decía, de pronto, algo que no tenía nada que ver con lo que se habían dicho antes y todo tomaba un aspecto insólito. Se des-

pedían junto a la reja oxidada y cuando se iluminaba el pequeño rectángulo del tercer piso, Enrique regresaba a su casa. El día terminaba con un leve desasosiego pero todo comenzaría mañana, a las ocho y media. (Melo, 2007: 56)

Los dos personajes conocen ese afecto que tanto los seduce y abochorna; no obstante, llegar a concretarlo implicaría una circunstancia punible para ellos y prefieren evitarla.

Desde el comienzo del texto, el narrador menciona la muerte de Andrés, cuyo cadáver fue encontrado en su apartamento y fue una noticia muy señalada por la prensa; Enrique, a partir de este acontecimiento, anda errabundo por las calles, pero su objetivo es siempre llegar a las ocho y media de la noche para observar la ventana del departamento de Andrés e imaginar todavía su presencia en ese sitio. Cabe mencionar que el narrador acota que justo a esa hora la rutina consistía en que Enrique emitía un sonido como señal para que Andrés bajara de su edificio y se produjera el encuentro tan ansiado.

Sin embargo, el cuento no se inclina solamente a explorar el deseo o el afecto compartido entre Andrés y Enrique, se orienta, a su vez, a describir las sensaciones de culpa que este último personaje manifiesta ante la muerte del ser amado; en consecuencia, cuando Enrique lee el periódico para advertir la vigencia de la noticia de la muerte de Andrés, se siente satisfecho al darse cuenta de que su nombre no aparece en el diario: cualquier vínculo que pudiera delatar la relación entre ambos sería, para Enrique, catastrófico. Alfredo Pavón (2007: 12-13) señala al respecto:

En «Los amigos», las afinidades emotivas y estéticas posibilitan el nacimiento del amor entre Andrés y Enrique, pero no bastan para fundar definitivamente la caricia y el diseño de los venturosos días por venir. Enrique, el seducido, acepta la tentación homosexual, pero jamás desafiará el orden heterosexual en el que ha vivido. Esta dualidad lo obliga a vivir en el desasosiego, que se eternizará en su interior, intensificándose a partir de la muerte de Andrés. Desde este doloroso deceso, buscará reconstruir su vida interior, si bien terminará por asumir que es ya el portador del mal y la vergüenza, como lo indican su continuo roer los instantes compartidos con Andrés: el obligado tránsito por las calles, cafés, bares, salas de concierto; el retorno a los objetos, ruidos, olores y seres que constituían el microuniverso de su amigo. El amor culpable es su condena, el círculo nefando en el cual habrá de revivir por siempre su incapacidad para entregarse al otro, para recorrer las otras veredas de la pasión.

Si en «Los amigos» el temor al acercamiento homoerótico fue el impedimento para establecer un lazo afectivo mayor, en el caso de «El viaje de Berenice» de Jorge López Páez, la consigna es totalmente opuesta, ya que los personajes no tienen impedimento alguno en declarar su deseo y llevar a cabo una vida fuera de cualquier tipo de amago con respecto a la sexualidad. Así, este relato señala cómo un grupo de amigos homosexuales de la década de los 60 —Patricio, Aurelio, Manuel y Pablo— recibe cordialmente en México a Berenice, una joven extranjera que destella belleza, moda y sofisticación. El portavoz de este grupo, Patricio, hace todo lo posible para que la chica acepte pasar el fin de semana en Tequisquiapan con ellos y consolidar todavía más su amistad.

Desde el principio del cuento, pareciera que la diégesis estará centrada exclusivamente en cómo Berenice acepta la invitación y, posteriormente, la manera en la cual se relacionará con sus amigos; no obstante, al final el narrador hace saber al lector, de modo inesperado, una segunda historia absolutamente homoerótica que se fue desarrollando de manera sutil e imperceptible. Sin embargo, en la primera historia hay ya un señalamiento claro de la homosexualidad de los personajes, en especial en el caso de Aurelio y Pablo, quienes mantienen una relación afectiva desde hace varios años.

Con respecto a Patricio y Manuel, la homosexualidad está señalada mediante guiños como la soltería y la admiración por lo femenino; en este punto, resulta importante recordar lo que Carlos Monsiváis (2010: 113) observa sobre la identidad del sujeto gay: «Los gays aman a las divas, sean de Hollywood, de la ópera, del cine mexicano o de la canción popular, y de ellas desprenden el tono fársico o el melodramático, y por ellas adquieren lo esencial del repertorio (el museo) de gestos que conforma una cultura y eleva a sus "altares" a lo vulnerable y lo absurdamente bello». En el cuento esto es comprobable mediante la rotunda admiración del grupo de amigos hacia Berenice: a cada momento le reiteran su asombro por el vestuario, modales o belleza.

Como se dijo anteriormente, el texto de López Páez desarrolla dos historias. En la más evidente, el narrador privilegia el recuento de un fin de semana exquisito en un elegante hotel —que recuerda las «fiestas de ambiente» señaladas por Porras con base en su lectura de *Los inestables* (1968) de Alberto X. Teruel—; sin embargo, este fin de semana posee nubarrones que acaban con el carácter placentero, ya que Berenice, a quien fue dedicado todo este viaje por los cuatro amigos, apenas convive con quienes la han invitado y podría decirse que desprecia su compañía con poca amabilidad.

Durante la estancia en el hotel de Tequisquiapan, Berenice reiteradamente evade a sus amigos debido a prolongados paseos con el general Carrera, un personaje que irrumpe en la historia sin que nadie conozca su origen, solo que se trata del dueño del hotel y que, de algún modo, se ha acercado a Berenice para cortejarla y ella, sin miramientos, lo ha aceptado. La circunstancia resulta muy incómoda para Patricio, Aurelio, Manuel y Pablo, quienes inmediatamente lo toman como una ofensa y discuten la posibilidad de retornar a la ciudad y dejar a Berenice en la compañía del general. Hasta aquí, la historia visible del cuento está centrada, sobre todo, en un desencuentro entre amigos; sin embargo, a pesar de esta circunstancia, hay un toque festivo, ya que los cuatro personajes, mientras esperan a Berenice, comparten tragos animadamente en el bar o la piscina del hotel.

La sorpresa del relato ocurre casi al final, cuando los cuatro amigos, decepcionados por la actuación de Berenice, discuten el regreso; justo en este momento, emerge la historia oculta:

> Se oyeron pasos en el corredor, continuó Patricio, repitiendo la frase anterior:
> —Muchachos, yo no quería decirles esto...
> —Bueno ¿qué es? Dilo —dijo irritado Manolo.
> —Pues es que recibí este recado —continuó Patricio, al tiempo que sacaba un papel de su bolsa.
> —¿De quién? —preguntaron todos.
> —Del general —dijo malicioso Patricio—. Me lo puso en la palma de la mano cuando tiró el vino. Patricio pasó el papel a Manolo. Este leyó: «Pasaré, Patricio, por tu cuarto esta noche. No pongas el cerrojo». (López Páez, 1962: 110)

Es evidente que, durante el tiempo que el general pasaba con Berenice, planeó el encuentro con Patricio, quien de alegre modo acepta dejarlo pasar a su habitación: «Se sirvieron más copas. Después Patricio, discreto, anunció que se iba a acostar. Se terminaba la botella cuando oyeron los pasos del general rumbo al cuarto de Patricio» (111).

Este desenlace afortunado es muy diferente al flagelo constante al que se somete Enrique, el personaje de «Los amigos»: mientras que en «El viaje de Berenice» hay festejo, relaciones de pareja y encuentros sexuales consumados; en el relato de Melo prevalece una interiorización de la normatividad heteropatriarcal que se manifiesta en el rechazo constante a la consumación del acontecimiento erótico, la sensación de culpa y el terror a ser descubierto por los demás.

Estas dos perspectivas permiten corroborar de qué manera se vivía la homosexualidad en la década de los 60 y, a su vez, advertir cómo las libertades sexuales iban ganando terreno en algunos sectores de la sociedad mexicana.

En el caso del cuento «A la víbora de la mar» de Fuentes, se advierte también la presencia de cierto optimismo en cuanto a la concepción de una relación afectiva entre dos varones, similar a la que existe en «El viaje de Berenice»: la aceptación de la disidencia sexual por parte de los personajes de ambos textos habla entonces de cómo la literatura iba creando ya ese discurso de apertura. No obstante, es importante notar que, en el cuento de Fuentes, los personajes homosexuales —Jack y Harry— no pertenecen a la sociedad mexicana, sino que son estadounidenses, circunstancia que podría confrontarse con la mirada conservadora de la protagonista, Isabel, quien sí es mexicana y actúa muy apegada a la estricta moral familiar y religiosa que se le ha inculcado desde pequeña.

Este relato es también muy provocativo, ya que se atreve a mostrar a dos hombres desnudos en una cama, de lo cual se infiere que acaban de tener un encuentro sexual (aunque los fragmentos en los que el homoerotismo aparece señalado de forma directa son muy breves en comparación con el resto del cuento, que posee una extensión notable). En dicho pasaje, el narrador describe lo siguiente:

Abrió lentamente la puerta, sonriendo. Isabel se detuvo en el umbral. Lovejoy se hizo a un lado y en seguida se colocó detrás de Isabel, mirando sobre el hombro de la mujer hacia la cabina apenas iluminada por la lámpara de noche que dibujaba, y aun parecía subrayar, las siluetas desnudas, recostadas en la cama, dormidas, abrazadas, fatigadas, rubias: Isabel miró el perfil recortado de los dos hombres que dormían sin inquietud, el uno frente al otro. Lovejoy se tapó la boca con la mano y su risilla no perturbó el sueño de los amantes. Cerró la puerta con suavidad. (Fuentes, 2013: 222)

Este cuento, al igual que el de López Páez, entrelaza también dos historias que llevan la narración a un punto de sorpresa. Isabel es una «solterona» mexicana adinerada que decide realizar un viaje en barco para relajarse un poco y tomar unas vacaciones muy merecidas por el trabajo desempeñado durante largos años. A lo largo de este viaje conoce a Harry, quien la seduce y, en cuestión de días, toman la decisión de casarse; ante esto, Isabel se siente la mujer más afortunada del mundo por contraer nupcias con un joven culto y atractivo, quien presume además de ser acaudalado. La historia subrepticia está en la máscara y celada creadas por Harry, que no corresponde para nada con la imagen que Isabel posee: este joven es, en realidad, un oportunista y estafador, que ha actuado proverbialmente para engañar a Isabel y robarle una cantidad de dinero considerable, la cual gastará con su pareja —Jack, camarero del mismo barco— en Nueva York, una vez que se haya abandonado a la mexicana en Miami. Esto se descubre en una discusión que Jack y Harry mantienen y en la que no solo se aprecia una burla hacia Isabel, sino también un tono amoroso muy libertario, en el que afirman su forma de vida despreocupada y su sexualidad sin temores.

Fuentes obsequia al lector un cuento que pudiera dar una clave de la moral mexicana de su tiempo: por un lado, una protagonista muy anclada en una concepción moral hermética y, por otro, un par de personajes que desafiarían dicha perspectiva con una vida mucho más relajada. Ambos representan esa dualidad del México de los 60, en el que impera una visión absolutamente conservadora en cuanto a la disidencia sexual, mientras que, en el espacio de lo privado, poco a poco se va gestando un cambio que terminará por irrumpir de forma paulatina en lo público.

Un cuento que también aborda la relación entre el espacio público y el privado en cuanto a la concepción de la disidencia sexual es «Cabecita blanca» de Rosario Castellanos. Este texto, publicado al inicio de la década de los 70 (1971) y que puede entenderse como un punto de coyuntura con el decenio anterior, plantea la manera en la que una madre observa a sus hijos desde una hermética moral que la ciega: Justina, la protagonista, hace un recuento de su existencia mientras observa con detenimiento y encanto la fotografía de un postre en una revista. Narrado con una ágil ironía y sátira, dicho recuento permite a los/as lectores/as asistir a la lista de acontecimientos que integran la vida de una esposa abnegada, madre ejemplar, viuda respetada y abuela olvidada.

Para el tema de la disidencia sexual abordada en este trabajo, el relato de Castellanos es de suma importancia, debido a que el hijo mayor de Justina, Luisito, es un personaje del que fácilmente se logra deducir su homosexualidad, sin embargo, para la madre, esta no debe existir y, por ende, la oculta o minimiza. Tal objetivo se logra principalmente, como ya se mencionó, con el uso de la ironía: el narrador se regodea en contar desde la perspectiva de Justina, pero la manera de articular el discurso hace que se lea lo opuesto a lo que esta protagonista desea creer. En consecuencia, aunque Justina tenga todas las pruebas de la homosexualidad de su hijo no las acepta porque ni siquiera se atreve a nombrarla. Nada de lo que pueda estar fuera de su concepción moral del mundo le pasa por la mente, y si acaso llega a suceder, de inmediato es sustituida por otra idea más pertinente con tal perspectiva.

Vale la pena anotar aquí la descripción que el narrador hace de Luisito:

> Se veía hecho un cromo con su ropón de encaje y con sus caireles rubios que no le cortaron hasta los doce años. Era muy seriecito y muy formal. No andaba, como todos los otros muchachos de su edad, buscando los charcos para chapotear en ellos ni trepándose a los árboles ni revolcándose en la tierra. No, él no. La ropa le dejaba de venir, y era una lástima, sin un remedio, sin una mancha, sin que

pareciera haber sido usada. Le dejaba de venir porque había crecido. Y era un modelo de conducta. Comulgaba cada primer viernes, cantaba en el coro de la Iglesia con su voz de soprano, tan limpia y tan bien educada que, por fortuna, conservó siempre. Leía, sin que nadie se lo mandara, libros de edificación.

La señora Justina no hubiera preferido más pero Dios le hizo el favor de que, aparte de todo, Luisito fuera muy cariñoso con ella. En vez de andar de parranda (como lo hacían sus compañeros de colegio, y de colegio de sacerdotes ¡qué horror!) se quedaba en la casa platicando con ella, deteniéndole la madeja de estambre mientras la señora Justina la enrollaba, preguntándole cuál era su secreto para que la sopa de arroz le saliera siempre tan rica. (Castellanos, 1971: 54-55)

Esta cita evidencia la conducta del hijo que, por la convención mexicana, estaría emparentada con el afeminamiento y, por esta causa, con la homosexualidad. Incluso, el padre, Juan Carlos, regaña a Luisito por cualquier motivo, lo cual hace detonar la ira de Justina en su defensa. Aquí puede verse con claridad cómo el padre se aferra a ese modelo de masculinidad que debe ser alcanzado a toda costa, mas como el hijo no lo consigue, la frustración es inmediata y termina siempre en reprimendas. Incluso, a partir de este momento, Juan Carlos se aleja con frecuencia de la casa para evitar más conflictos y solo regresa ocasionalmente mientras está sano; una vez que cae enfermo su retorno a la casa resulta inevitable, pero solo para ser cuidado devotamente por Justina.

La homosexualidad de Luisito se hace aún más evidente cuando crece y tiene un trabajo bien remunerado en un negocio de decoración —empleo que, desde el imaginario colectivo sobre la disidencia homosexual, feminiza aún más al personaje—. De este modo, Luisito logra su independencia y alquila una vivienda en la que puede realizar su vida al margen de su familia:

Para desengañarla Luisito la llevó a conocer su departamento. ¡Qué precioso lo había arreglado! No en balde era decorador. Y en cuanto a servicio, había conseguido un mozo, Manolo, porque las criadas son muy inútiles, muy sucias y todas las mujeres, salvo la señora Justina, su mamá, son muy malas cocineras.

Manolo parecía servicial: le ofreció té, le arregló los cojines del sillón en el que la señora Justina iba a sentarse, le quitó de encima el gato que se empeñaba en sobarse contra sus piernas. Y, además, Manolo era agradable, bien parecido, y bien presentado. Menos mal. Se había sacado la lotería con Luisito porque lo trataba con tantos miramientos como si fuera su igual: le permitía comer en la mesa y dormir en el couch de la sala porque el cuarto de la azotea, que era el que hubiera correspondido, tenía muy buena luz y se usaba como estudio. (57-58)

Este fragmento de «Cabecita blanca» revela claramente la sexualidad de Luisito, señalando incluso la presencia de su pareja, Manolo, a quien hace pasar ante su madre como un sirviente. Sin embargo, aunque la descripción de la homosexualidad sea muy evidente, Justina la niega por completo y se cierra a ver a su hijo solo como un joven soltero con gustos refinados. Sobre esta circunstancia de la negación de la disidencia sexual, Monsiváis (2010: 51) señala: «Lógica del ocultamiento: lo que no se nombra no existe, y lo nada más filtrado, y muy despreciativamente, en las conversaciones, es sórdido de suyo. Eso obliga a una gran inocencia, fingida y real. Mientras el escándalo no ilumine el asunto, el recelo es categoría desconocida, y por tanto, la homosexualidad es impensable. No hay sospecha si la abominación es inconcebible».

Luisito no sería el único personaje disidente que aparece en el cuento de Castellanos: su hermana, Lupe, también practica una conducta poco ortodoxa para la moral de Justina, aunque, al igual que en el caso de Luisito, la negación es inflexible: «¿Por qué Lupe nunca correspondía a las invitaciones haciendo que sus amigas vinieran a la casa? ¿Para no dar molestias? Pero si no era ninguna molestia, al contrario...» (Castellanos, 1971: 63). La otra hermana, Carmela, no escapa a esta consigna de la ruptura de las «buenas costumbres» y, a pesar de haberse casado y tener hijos, es abandonada por el marido y su manutención proviene, según se deja entrever, del ejercicio de la prostitución:

> Carmela se mantenía sola y le pedía a la señora Justina que la ayudara cuidando a los niños. [...] A la señora Justina le molestaba que Carmela pareciera tan exagerada para arreglarse y para vestirse y que estuviera siempre tan nerviosa. Por más que gritaba a los niños no la obedecían y cuando ella los amenazaba con pegarles ellos la amenazaban, a su vez, con contarle a su tío a qué horas había llegado la noche anterior y con quién. (61)

Así, la imagen de la «cabecita blanca» —madre intachable a la que todos los hijos recurren en tiempos de apuros y que considera su existencia únicamente en virtud del sacrificio por la solidez de la familia— se consolida con este personaje que posee una progenie con formas de vida muy alejadas de lo esperado por una moral estricta. Nuevamente, en este texto hay una alegoría con respecto a la sociedad mexicana al colocar a una madre abnegada —que sería la representante del dispositivo de género hegemónico—, frente a tres personajes que desafían dicha concepción. La pregunta ahora radicaría en qué punto este hilo va a romperse o hasta cuándo durará la resistencia de la madre —y la negación de la sexualidad de sus hijos—. Como se dijo, es primordial traer a colación que el cuento se publica en ese cambio de década: Justina cederá el paso a los hijos, quienes, al morir la madre, no tendrán ya motivos para ocultarse; así, la disidencia sexual en México paulatinamente se irá haciendo más explícita, como menciona

Porras en su recuento de la vida gay en la capital, que pasa de lo prohibido a lo tolerable.

Tres años después de «Cabecita blanca», en 1974, aparece el cuento «Flavio» de Jorge Arturo Ojeda dentro del volumen *Documentos sentimentales*, aunque, como observa Porras, fue publicado un año antes en la revista *Plural*. Este texto de Ojeda resulta muy singular, puesto que plantea la existencia de un personaje hermoso y arrogante, que vive solo para el cultivo de su belleza; goza con observarse frente al espejo y ser halagado por los demás: «Muy usualmente se contempla en el espejo del gimnasio, y cuando está rendido de fatiga, antes de salir, dura casi media hora sentado en una banca donde cambia todos los perfiles, prueba las luces que le favorecen, eléctricas o naturales; y de lado o de frente, conteniendo el aire o desguanzado, todas las poses le comprueban día a día la belleza que ha adquirido» (Ojeda, 1974: 67).

Aunado a la contemplación de sí mismo del personaje, el narrador no escatima en descripciones largas y exquisitas: Flavio se convierte entonces en un arquetipo de la belleza y representa innegablemente el homoerotismo. Así, este personaje, que al principio del cuento manifiesta un deseo heterosexual, exhibe la disidencia cuando mantiene un encuentro íntimo con Ana, una chica que lo admira y desea con firmeza. En este punto, el lector puede percatarse de cómo Flavio adquiere una indumentaria y modales femeninos, a la vez que delata la existencia de un sujeto que es su amante:

Va al clóset y saca del fondo oculto del último cajón un envoltorio pequeño; lo desata y sacude una tela amarilla; se pone una bata.

—¡Qué preciosidad! —grita Ana al tocar el tejido liviano—. ¡Es como para mí!

Flavio pasea con su bata amarilla transparente, bordada y con olanes; coquetea en diversos movimientos.

—¡Flavio! —grita Ana estupefacta—. ¡No pensé que tuvieras esos gustos! A mí me daría vergüenza irla a comprar. No me explico cómo tienes esas cosas. Vivir para creer. Esto es el colmo. ¡No me vayas a salir con tu domingo siete cuando ya me estaba ilusionando!

—Me la regaló Amado. Tiene bonito nombre, ¿no?

—¡Flavio! ¡Qué asco! De tu vida haz lo que quieras pero no juegues doble conmigo!

—¿Qué hay entre tú y yo? —pregunta Flavio con las cejas arqueadas.

—Hay una relación, un afecto.

—No, querida.

[...]

—¡Ya quisiera yo usar de esa crema!

—La uso pocas veces; sólo en circunstancias grandes: hoy vuelve de viaje Amado.

—¿Quién es Amado?

—Amado es Amado. ¿Te interesaría conocerlo?

(Ojeda, 1974: 70-71)

En este cuento el homoerotismo no está cubierto con un velo de «normalización»; por el contrario, Flavio encarna la posibilidad de asumir una disidencia sin temores, al grado de hacérselo saber directamente a su posible «novia». Incluso, el cuento plantea también, aparte de la homosexualidad y el travestimiento de Flavio, un acto sadomasoquista cuando Ana decide retornar al departamento de este y culminar el acto sexual que quedó a la mitad.

El cuento de Jorge Arturo Ojeda cuenta además con una característica importante de la narrativa de temática homoerótica: el culto al cuerpo del varón. Esta exaltación del cuerpo de Flavio convierte al texto en una oda a la belleza del hombre que no necesariamente está ceñida a lo «masculino», es decir, en la representación corporal de Flavio hay siempre un toque de feminidad que apunta todavía más hacia el erotismo entre varones. Por otro lado, resulta imprescindible, para entender el funcionamiento de la historia, la frase que Flavio le dice a Ana: «A pesar de todo, Flavio le susurra que él es más hermoso que ella» (70). De este modo se manifiesta también un notorio narcisismo, muy explotado a lo largo de toda la tradición literaria de tema homoerótico. Este narciso mexicano precisa ser halagado tanto por hombres como por mujeres y dominar, mediante su poder de atracción, a todos los sujetos que aparecen a su alrededor: así, Amado y Ana le obsequian regalos, están a su disposición y le rinden pleitesía.

Esta circunstancia de rendirle «tributo» a un personaje por su belleza es una constante en la narrativa de Ojeda; otro ejemplo aparece en el cuento «Mapache», del volumen *Personas fatales*, publicado un año después de *Documentos sentimentales*. En este texto, al igual que en «Flavio», se aprecia el culto a la belleza del varón mediante la exaltación del personaje: «Era más de media noche y Mapache no aparecía. Viernes: ¿Habrías decidido pasar el fin de semana en Cuernavaca, quizá en Acapulco? ¿Estás en alguna fiesta? Eres tan agradable que cualquiera te invita y te obsequia» (Ojeda, 1975: 19). Sin embargo, a diferencia de «Flavio», donde aparece el travestimiento pero la disidencia sexual se marca únicamente mediante la presencia de Amado, en «Mapache» el encuentro sexual sí es descrito de manera directa, en una de las escenas más homoeróticas de la narrativa breve mexicana:

> Clodio se acercó y besó a Mapache en la boca. Cada uno comenzó a desvestirse por su cuenta, echando camisa y pantalón, calzoncillos y calcetines, hasta que se hizo un montón de ropa sobre la silla. Clodio se retiró al centro de la habitación y Mapache le dijo qué bonito tienes el cuerpo, fuerte y esbelto; Clodio se acercó a acariciarle el rostro y las piernas diciendo estás precioso; los dos se tocaban apenas la piel de la espalda y el pecho, con la ternura de quien no se atreve a aproximarse

y al fin acaricia, como los dedos que rozan la superficie del agua serena de un estanque. Los dedos de Mapache se hundieron en el cabello espeso de Clodio sintiendo la frescura de la hierba verde. Como el rostro fatigado descansa en la piel de la bestia salvaje que recubre una pared, del mismo modo sintió Clodio el pecho velludo de Mapache, cuando acercó la oreja y escuchó los latidos excitados. Clodio se tendió a lo largo sobre la cama y Mapache decía qué bonito cuerpo tienes, al tiempo que se recostaba poniendo la mejilla en la espalda de Clodio y preguntaba no tienes a nadie más que a mí, entre la gente que tratas en el club, cuando juegan y se bañan, y Clodio decía que no, aunque hay jóvenes fuertes y hermosos, todos son hombres muy serios, y Mapache susurraba inquiriendo si no tienes a nadie de los que van al café de los artistas y los actores, y Clodio respondiendo que no, que a nadie conocía aparte de Mapache, comenzó a recorrerle el cuerpo: besó las cinco uvas de los dedos en que termina el trozo del árbol pulido, luego mordió el muslo de potro, puso la nariz entre el pasto y lamió la columna sólida. Mapache pasó la mano con levedad por el cuello de Clodio y dijo maravilloso entre un suspiro. Clodio reposó la cabeza en el hombro de Mapache, que se hallaba hundido en el almohadón, y los dos dormitaron unos minutos. Mapache dijo si yo soy el único para ti, en un abrazo rendido, efusivo y final, solamente tú existes para mí. Se miraron a los ojos inmóviles entre la tiniebla que creaban las cortinas con la luz de la luna. (Ojeda, 1975: 67-68)

«Mapache» constituye un texto que celebra el homoerotismo y lo coloca frente a los/as lectores/as a través de dos personajes que disfrutan su pasión deliciosamente, aunque la relación no terminará de manera afortunada y lo trágico —otro rasgo común en los finales de las historias de contenido homoerótico, como en «Los amigos»— aparecerá para destruir este enamoramiento.

Como se ha visto en este recorrido, el cuento mexicano de tema homoerótico de las décadas de los 60 y 70 presenta diversas particularidades que van desde el temor a la exhibición del deseo —autohomofobia— hasta la manifestación más directa del acto sexual entre dos varones, sin olvidar el paso por la doble moral, la lógica del ocultamiento, el narcisismo, la homosexualidad trágica y el afeminamiento. Desde «Los amigos» hasta «Flavio» y «Mapache», la representación del homoerotismo cobra un inusitado auge conforme pasan los años; incluso podría decirse que algunos de los cuentos, si bien muestran lo que ocurría en la sociedad mexicana de ese tiempo, también anticipan los cambios que acontecerán más adelante en el país. Tal sería el caso de «Cabecita blanca» o «Mapache», donde la homosexualidad va desplazando paulatinamente, pero de forma contundente, al discurso hegemónico implantado por el dispositivo de género.

El cuento puede considerarse entonces un vehículo literario que, como se señaló al principio de este trabajo, acompaña de manera directa los cambios operados en México en diversas esferas. En el caso de la disidencia sexual, el relato funciona de manera ejemplar al mostrar rápidamente, frente al público lector, una nueva concepción erótica que le permite remover el tabú y el rechazo de todo aquello que es considerado marginal. Estos relatos posibilitaron también el establecimiento de una tradición literaria que dio continuidad al trabajo ya generado por la novela y la poesía; así, junto con estos dos géneros, el cuento ayudó a que, desde México, fueran aportados numerosos textos a un contra-canon de literatura hispanoamericana disidente.

Referencias bibliográficas

CAPISTRÁN, Miguel / SCHUESSLER, Michael K. (2010): *México se escribe con J. Una historia de la cultura gay*, Planeta, México DF.

CASTELLANOS, Rosario (1971): «Cabecita blanca», en *Álbum de familia*, Joaquín Mortiz, México DF, pp. 47-64.

FUENTES, Carlos (2013 [1974]): «A la víbora de la mar», en *Cuentos completos*, Fondo de Cultura Económica, México DF, pp. 178-224.

LEAL, Luis (2009): *Breve historia del cuento mexicano*, UNAM, México DF.

LÓPEZ PÁEZ, Jorge (1962): «El viaje de Berenice», en *Los invitados de piedra*, Universidad Veracruzana, México DF, pp. 82-111.

MELO, Juan Vicente (2007 [1962]): «Los amigos», en *Los muros enemigos*, Universidad Veracruzana, Xalapa, pp. 51-65.

MONSIVÁIS, Carlos (2010): *Que se abra esa puerta: crónicas y ensayos sobre la diversidad sexual*, Paidós, México DF.

MUÑOZ, Mario (2014): «Literatura mexicana de transgresión sexual», en Mario Muñoz / L. G. Gutiérrez (eds.), *Amor que se atreve a decir su nombre: antología del cuento mexicano de tema gay*, Universidad Veracruzana, Xalapa, pp. 9-27.

OJEDA, Jorge Arturo (1974): «Flavio», en *Documentos sentimentales*, Mester, México DF, pp. 66-72.

— (1975): «Mapache», en *Personas fatales*, Mester, México DF, pp. 51-78.

PAVÓN, Alfredo (2007): «Cuentística del pordiosero amor», en *Los muros enemigos*, Universidad Veracruzana, Xalapa, pp. 9-14.

VILLEGAS MARTÍNEZ, Víctor Saúl (2018): *El personaje gay en seis cuentos. Un acercamiento crítico desde la perspectiva de género, los estudios gay y la teoría queer*, Universidad Veracruzana, Xalapa.

NOVELAS QUE SE ATREVÍAN A DECIR SU NOMBRE (O LO INTENTABAN)[46]

Jorge Luis Peralta

En 1952, el italiano Carlo Coccioli (1920-2003) publicó en Francia *Fabrizio Lupo*, novela clave por su representación explícita y normalizada de la «homosexualidad». En las antípodas de los retratos injuriosos y patologizantes de la tradición homofóbica, pero alejada también del malditismo de autores como Jean Genet —que emplazaba el sexo entre varones en los dominios de la marginalidad y del delito—, Coccioli parecía esforzarse en afirmar que el «homosexual» era un sujeto como cualquier otro, vale decir, que solo lo diferenciaba del «heterosexual» la peculiaridad de sus preferencias eróticas y afectivas. *Fabrizio Lupo* vino a establecer el modelo del homosexual puro, aspirante a una unión basada en valores (hetero)normativos como monogamia y fidelidad. Había que diferenciarse de la mala homosexualidad que representaban las «maricas» escandalosas y el submundo del ligue callejero y los contactos sexuales ocasionales.[47] Menos real que necesaria para obtener la apro-

---

[46] Este trabajo forma parte del proyecto «Diversidad de género, masculinidad y cultura en España, Argentina y México» (FEM2015-69863-P MINECO-FEDER) del Ministerio de Economía y Competitividad de España.
[47] En una entrevista concedida en 1996 por la publicación del libro autobiográfico *Por qué yo soy yo*, Coccioli se refirió a *Fabrizio Lupo* en los siguientes términos: «Por primera vez en la literatura, por lo menos en la occidental, se trataba el tema de la homosexualidad como un problema de amor, una forma de amor, una manera de amor. No era

bación de sectores potencialmente reaccionarios, esta representación idealizada impregnaba de respetabilidad e incluso de santidad —pero en un sentido inverso al de Jean Genet (1910-1986), ya que Coccioli era católico— a unos personajes que fuera de la literatura no eran —ni querían ser— ni tan respetables ni tan santos, como prueban las memorias de Salvador Novo (1904-1974) y Elías Nandino (1900-1993), para el caso mexicano, o las de Paco Jaumandreu (1919-1995), Malva (*ca.* 1923-2015) o Fernando Noy (1951-), para el argentino.[48]

La versión española de *Fabrizio Lupo* apareció tan solo un año después en México en la Compañía General de Ediciones, en la que también se había traducido, por la misma época, *El homosexual en Norteamérica*, de Donald Webster Cory (seudónimo de Edward Sagarin, 1913-1986), otro clásico pregay,[49] uno de los pocos textos simpáticos a los que podía acudir el lector homo en medio de una

---

ni un libro pornográfico a la Jean Genet, ni un libro moralista a la André Gide, ni un libro poético a la Jean Cocteau, los tres grandes maestros de estos temas en Francia, que han coexistido juntos casi: Genet, que hacía de la homosexualidad una especie de destino negro, de cosa terrible, de catástrofe, con un placer particular; Cocteau, que jugaba, como hizo toda su vida, simpático, agradable, muy amigo mío, y Gide, que era un viejo señor, mucho más grande que yo, de modo que apenas si lo alcancé a saludar una vez. No era un libro escandaloso» (Coccioli en Rivera, 1996: s.p.).

[48] Sobre *Fabrizio Lupo*, ver el minucioso análisis de Antonio Marquet (2012), quien subraya la importancia de incluir la novela «dentro de la historia de la literatura mexicana. En primer lugar por la resonancia y el influjo que tuvo en la literatura mexicana. Por otro lado, porque su autor, Carlo Coccioli, se estableció en nuestro país donde vivió medio siglo» (60).

[49] Utilizo este término porque, tal como argumentaré más adelante, la identidad y el movimiento «gay» —atravesados por la reivindicación política y la lógica del «orgullo»— recién comenzaron a articularse, tanto en México como en Argentina, a partir de los años 70 y 80. Pregay, en consecuencia, remite a sujetos, prácticas y textos que se organizaban en torno a otros paradigmas, como «homofilia» y «homosexualidad».

marea de literatura (seudo)científica abundante en «anormalidades» y «desviaciones».[50] Coccioli fijó México como su lugar de residencia a partir de 1953 (aunque pasaba varios meses al año en París) y muchos de sus libros se publicaron, vertidos al español, en ese país, aunque no llegó a obtener el reconocimiento que deseaba (Coccioli en Rivera, 1996: s.p.). Abelardo Arias (1908-1991) —escritor y editor argentino— pudo acceder a Coccioli a través de sus traducciones mexicanas, pero es más factible que tomara conocimiento de su obra en algunos de los viajes que realizó regularmente a Europa entre los años 50 y 70. *Viaje latino. Francia, Suiza y Toscania*, una crónica de viaje publicada en 1957, dedicaba un extenso capítulo al encuentro con Coccioli en París. Dos años más tarde, en 1959, la editorial Tirso, que Arias codirigía con Renato Pellegrini en Buenos Aires, y que fue una de las primeras en Latinoamérica en difundir literatura de temática homoerótica (Peralta, 2012), dio a conocer un libro del italiano, *Los fanáticos. Auto de fe*, pieza teatral ambientada en México en la que el autor volvía a plantear el tema del homosexual virtuoso sometido a un ambiente hostil. Como en *Fabrizio Lupo*, la clausura exigía la muerte del protagonista, en parte cediendo a los parámetros de la homofobia (el cuerpo homosexual *debe* morir), en parte trazando una especie de martirologio doblemente significativo por la pureza de la víctima (el cuerpo de un homosexual puro *no debería* morir). La solapa de *Los fanáticos* indicaba que sobre el fondo del choque entre dos Américas —la criolla y la rubia— estallaba «el tema de la HOMOFILIA, con esa dignidad en el tratamiento de la que Coccioli dio muestra en FABRIZIO LUPO».

---

[50] El sociólogo argentino Juan José Sebreli (2003: 27) señaló que «el impulso para aludir al tema de la homosexualidad provino de Proust y de la pionera *El homosexual en Norteamérica* (1951) de Donald Webster Cory», hecho que prueba, además, que las traducciones mexicanas de este autor y de Coccioli circularon también en Argentina (de hecho, todavía se consiguen ejemplares en librerías de usados o a través de la página *Mercado Libre*).

***

«Homofilia» no era solo una palabra mucho menos comprometedo-
ra y explícita que «homosexualidad» —o su sinónimo hoy en desuso,
«homosexualismo»— y que podía, por lo tanto, pasar desapercibida
entre lectores no entendidos. Era eso, sin dudas, pero remitía sobre
todo a una actitud compartida, a un posicionamiento ideológico que
fomentó sinergias y solidaridades entre sujetos disidentes de las más
diversas procedencias. Fue homófilo el mundo pregay, anterior al
Orgullo, a las reivindicaciones elocuentes y los discursos combati-
vos. Fue homófila la literatura empeñada en limpiar al «homosexual» de pluma y tendencias promiscuas. Fueron homófilos los
llamados «entendidos»: respetables y cultos caballeros que deseaban
y amaban a otros varones sin hacer alardes ni llamar la atención de
quienes, por otro lado, no querían saber nada de esas intimidades
sospechosas. De acuerdo con Jonathan Dollimore en *Sexual Dissidence* (1991: 3-19), Oscar Wilde y André Gide propiciaron —a través
de sus figuras y de sus obras— dos tradiciones homosexuales dife-
renciadas que atravesaron todo el siglo XX: una estética transgresiva
y antiesencialista en el caso de Wilde, una ética transgresiva y esen-
cialista en el caso de Gide. Los homófilos se ubicaron decididamente en el linaje gideano: fueron, en este sentido, descendientes de
Corydon antes que de Dorian Gray. Las múltiples traducciones lati-
noamericanas de la obra de Gide entre los años 30 y 50 ratifican su
magisterio y ascendencia: no pocos homosexuales de aquella época
habrán encontrado en las páginas de *El inmoralista* [*L'Immoraliste*,
1902] o *Si la semilla no muere...* [*Si le grain ne meurt...*, 1926] un modelo
posible para evadir la moralidad dominante. El triunfo de la homofilia sobre el malditismo genetiano (cultivado solitariamente, en Argentina, por Carlos Correas) o el «loqueo» a lo Wilde que derivará
en distintas inflexiones de lo *camp* —de Luis Zapata a Manuel Puig,
de Copi a Luis Montaño— se puede localizar, tanto en México co-

mo en Argentina, entre los años 50 y 60, ya que a partir de la década de 1970 los buenos modales homófilos serán dejados definitivamente atrás por una nueva generación mucho más combativa (Rapisardi / Modarelli, 2001; Laguarda, 2009).

La «prehistoria» de las representaciones del homoerotismo incluye, también en los dos países, un antecedente aislado a comienzos del siglo XX: *Los 41. Novela crítico-social* (1906) de Eduardo Castrejón en el caso mexicano, *Los invertidos* (1914) de José González Castillo, en el argentino. Por un lado, una novela moralizante que recrea un episodio real ocurrido pocos años antes —en 1901— y que implicó una visibilización pionera de sexualidades disidentes en la capital mexicana. Por otro, una pieza dramática que también remitía a la realidad (su protagonista se inspiraba en un conocido juez de la época) y que coincidía en mostrar figuras, espacios y prácticas de una «homosexualidad» consustancial al nuevo paisaje urbano, radicalmente modificado por la inmigración. Ambos textos aspiraban a censurar, pero al mismo tiempo no podían evitar *mostrar* y, por esa misma vía, dar entidad literaria a un tema hasta entonces prácticamente inefable (aunque las huellas del homoerotismo literario se puedan remontar a ejemplos del siglo anterior en los dos países).[51] Los dos se emplazan, además, desde una mirada ajena a la «homosexualidad», buscando convencer a lectorxs y espectadorxs de alinearse en un Nosotros horrorizado frente a la depravación de Ellos, o quizá habría que decir Ellas, por la insistente ecuación entre homosexualidad y afeminamiento. Sin embargo, no puede afirmarse el éxito rotundo de esta empresa, porque el mundo de las «maricas»,

---

[51] Para un panorama de la presencia del homoerotismo masculino en la narrativa mexicana del siglo XIX ver el artículo de Chaves (2010); para el caso argentino, se pueden consultar las monografías de Melo (2011) y Peralta (2017).

además de horror, causa cierta extraña fascinación que por momentos pone en riesgo la cruzada moralizadora. El universo de estos personajes, descritos como extravagantes y perversos, llega a resultar también inquietantemente atractivo. Aunque trazadas por la pluma del Otro, esas figuras parecen imponer su propia pluma: de allí que una genealogía de la irreverencia «marica» deba remontarse, necesariamente, hasta ellas.

Transcurren varias décadas hasta que las letras mexicanas y argentinas vuelven a dar cuenta de disidencias homoeróticas —y conviene subrayar que tuvo que pasar todavía más tiempo para que comenzaran a visibilizar otras formas de disidencia más marginales aún, como las lesbianas o trans—. Ese dilatado silencio no responde únicamente a mecanismos de censura y autocensura —que desde luego estaban operando— sino también al hecho de que las subculturas homosexuales urbanas no se consolidaron hasta mediados del siglo XX: que las huellas literarias de su existencia comiencen a multiplicarse a partir de la década de 1960 confirmaría que recién en ese momento se afirmó, así fuera precariamente, una identidad «homosexual». Hubo relaciones «homosexuales», por supuesto, desde mucho tiempo antes, pero la gestación de un universo propio, con su red de espacios de encuentro y códigos de sociabilidad no se habría producido hasta esa fecha. La idea de ser un tipo particular de persona y pertenecer, por lo tanto, a un grupo diferenciado dentro de la sociedad señaló un cambio crucial y abrió la senda a las futuras luchas por los derechos de las minorías sexuales, que en ambos países se iniciaron, con desigual fortuna, durante los años 70. Las limitaciones que se suelen achacar a los textos pioneros derivan, evidentemente, de las tensiones puestas en juego a la hora de nombrar y narrar por primera vez deseos, cuerpos y experiencias proscritos por la moral dominante. Había que inventar un lenguaje, unos modelos narrativos, capaces de disputar sentidos con los relatos que, bajo el magisterio de la Iglesia, la Medicina y la Ley, ubicaban la homosexualidad en los campos del pecado, la patología o el delito. En el esfuerzo por «hacer ver» realidades hasta entonces soslayadas, muchos escritores cedieron a las presiones ambientales y acataron algunas cláusulas tácitas —el «homosexual» debía sufrir mucho y, en la instancia del desenlace, morir, preferentemente por suicidio— e incluso se apropiaron de —y reprodujeron— la lógica vincular heteronormativa (amor, monogamia, fidelidad) con el objetivo de elevar y dotar de respetabilidad las relaciones homosexuales. José Toledo, Alberto Teruel, Eduardo Ales son resabios, en este sentido, de Fabrizio Lupo, personajes, todos ellos, que por momentos hacen hablar a la «homosexualidad» con la voz del enemigo. El fracaso de ese intento de ventriloquia puede ser visto, no obstante, como etapa necesaria del proceso que condujo a nuevas modalidades de (auto)figuración textual del homoerotismo.

Ciertamente, la crítica mexicana coincide en señalar *El vampiro de la colonia Roma* (1979) de Luis Zapata (1951-) como la novela que marca un antes y un después, y la crítica argentina hace lo propio con *El beso de la mujer araña* (1976) de Manuel Puig (1932-1990).[52] Aunque se trata de dos novelas muy diferentes —la primera se centra en la andanzas de un «chichifo» (varón que se prostituye con otros varones); la segunda describe la convivencia en prisión de un homo-

---

[52] Sobre estas dos novelas la bibliografía es muy abundante; remito al trabajo de José Maristany (2010), que sitúa *El beso de la mujer araña* como último eslabón de una serie textual en la que se manifiesta el proceso de resubjetivación individual y colectiva que tuvo lugar, a su juicio, entre los años 60 y 70. En el caso de Zapata, ver el artículo de Laguarda (2007), para quien el éxito de *El vampiro de la colonia Roma* se vincula con que ofreció un importante elemento de identificación para los sujetos que comenzaron a llamarse a sí mismos gais hacia finales de la década de 1970.

sexual afeminado y un militante de izquierdas—, ambas se afirman en el uso de la lengua: las transcripciones de varias cintas en las que Adonis García hace el relato de su vida constituyen el texto que leemos en *El vampiro*; mientras que *El beso de la mujer araña* se compone en su mayor parte de los diálogos que mantienen Molina y Arregui en la celda que comparten. Diferentes formatos, pero una misma voluntad de que el «homosexual» cuente y se cuente, un mismo apego a las marcas de la oralidad, una misma fascinación por los materiales provenientes del cine y de la cultura popular. Para llegar, sin embargo, a esta lengua casi mimética —«marica», «gay», «queer» o como se prefiera denominarla— hubo que pasar primero por otras lenguas, tentar otras formas y posibilidades de expresión.

La *Memoralia* de José «Pepe» Porras rescata del olvido, precisamente, una extensa lista de cuentos y novelas que «se atrevieron a decir su nombre» o que, como mínimo, lo intentaron. Una gran dificultad para abordar el posible impacto de textos de temática homoerótica en lectores homosexuales de otras épocas radica en la escasez de testimonios: bien podía ocurrir que esos libros que hoy nos resultan tan sorprendentes —dada su audacia— pasaran desapercibidos para muchos de aquellos a quienes estaban dirigidos, por las más variadas razones. En ese sentido, el testimonio de un lector como Porras —que no solo leyó *todo* lo que había que leer, sino que es capaz de evocarlo con exactitud casi enciclopédica— resulta revelador. Todas las novelas mexicanas que comento en estas notas son puntualmente recobradas por la memoria del autor. Clave para su lectura es el hecho de que más allá de su valor literario, estas novelas devolvían imágenes (positivas y negativas) en las cuales reconocerse: la ciudad *leída* era también la ciudad *vivida*. Refiriéndose, por ejemplo, a *Los inestables* de Alberto Teruel, Porras sostiene que la novela «nos recuerda: no es lo mismo crecer como heterosexual que crecer como homosexual». La narrativa pregay tuvo, entonces, un decisivo rol formativo, al proponer tramas por fuera de la lógica heteronormativa y patriarcal. Quizás hoy hayan «envejecido», pero fueron de rabiosa actualidad para quienes, como nuestro autobiógrafo, pudieron leerlas y encontrarse, para bien y para mal, entre sus páginas.

Años antes de que el *Vampiro* de Zapata y la *Mujer Araña* de Puig partieran las aguas de la representación «homosexual», un raro trío de textos inauguraba el terreno. Curiosamente, *El diario de José Toledo* de Miguel Barbachano Ponce (1930-), *41 o el muchacho que soñaba en fantasmas* de Paolo Po (seud. de Manuel Aguilar de la Torre, 1926-2003)[53] y *Asfalto* de Renato Pellegrini (1932-2012) vieron la luz el mismo año: 1964. En el caso mexicano, la novela de Barbachano Ponce tiende a ser considerada la primera de temática homosexual en el país, aunque en sentido estricto la de Po se publicara unos meses antes;[54] en el caso argentino, otra novela previa de Pellegrini, *Si-*

---

[53] Paolo Po/Manuel Aguilar de la Torre escribió otras dos novelas publicadas en la misma editorial, Costa-Amic, durante la década de 1960: *Los tarados del siglo XX* e *Historia de un millón de muchachos. Una generación degenerada*, esta última de temática homoerótica. Según el actual responsable de la editorial, existe la intención de volver a publicar estas novelas de Po y otras publicadas por el sello en los años 60 y 70, y que también abordaron la homosexualidad (Teposteco, 2016a).

[54] No pude leer esta novela, de difícil acceso actualmente. De acuerdo con Schneider (1997: 74), «su personaje, nada escandaloso, más que en fantasmas se revela en un sinnúmero de líricas fantasías, ensoñaciones que más que humanas se transforman en literarias. Novela próxima a lo religioso, no mundana, cargada de angustias, de dobleces donde un dolorido joven se debate, se contempla, se contradice en imploraciones a Dios y a la vez en blasfemias. Hay más desahogos atormentados que planteamientos reales. Se siente mucha mano de narrador por no decir demasiada, pocas dudas entre normalidad y «anormalidades» donde su autor se cura en salud con un epígrafe que invoca el amor y termina aceptando el designio como voluntad divina». Ver también el estudio que sobre esta novela realizó Rocha Osornio (2012) y la nota de Teposteco (2016b) acerca de la identidad del autor.

ranger (1957), ya abordaba subrepticiamente el tema —y lo mismo cabe decir de textos de José Bianco, Abelardo Arias y Manuel Mujica Lainez— pero *Asfalto* constituye sin duda el hito inicial de la representación explícita del homoerotismo en la novela argentina.[55] A estos textos pioneros se añadirían otros dos hacia finales de la década, ambos en México: *Los inestables* de Alberto X. Teruel (seud. de Octavio Barona, 1924-1998) en 1968 y *Después de todo* de José Ceballos Maldonado (1919-1995) en 1969. Los riesgos de publicar este tipo de literatura en ese momento histórico resultan evidentes por las dificultades que los autores debieron afrontar antes y después de la salida de sus libros. Como destaca Luis Mario Schneider (1997: 74), el uso de seudónimos por parte de escritores mexicanos sugiere «"temor" a dar el rostro en un tema por entonces totalmente tabú». También era difícil que una editorial estuviese dispuesta a publicar estos materiales: Barbachano Ponce financió él mismo *El diario de José Toledo* y Pellegrini dio a conocer sus novelas en la editorial que codirigía con Abelardo Arias. Otro riesgo importante era la censura: *Asfalto* fue procesada por obscenidad y si bien el autor resultó absuelto, se mantuvo alejado de los círculos literarios y no volvió a publicar hasta la década de 1990. Que muchos de estos textos sean hoy difíciles de conseguir —o prácticamente inhallables— contribuye al olvido en que han caído junto con sus autores, sumado al hecho de que la literatura posterior pudo ir *mucho más lejos* en su exploración de géneros y sexualidades transgresoras. Sería erróneo suponer, sin embargo, que esta literatura no tiene valor literario —cuando mucho, documental— y que los mundos que describe se inscriben unívocamente en una forma de comprensión de la «homosexuali-

---

[55] En el campo de la narrativa breve, fue pionero el cuento «La narración de la historia» de Carlos Correas, publicado en una revista universitaria en 1959 y procesado, al igual que *Asfalto*, por «obscenidad». Con respecto a México, el panorama de cuentos y relatos de temática homoerótica masculina es muy amplio y diverso; ver al respecto los trabajos de Muñoz (2011), Villegas Martínez (2011) y Reséndiz Oikión (2018).

dad» que ya hemos superado. Al articular esos mundos, las novelas pregais ensayan diversas posibilidades, acuden a varias tradiciones disponibles, afirman valores pero también los contradicen; no ofrecen, en definitiva, miradas tan esquemáticas o estables como se suele presuponer. Son mucho más raras (¿*queer?*) de lo que sospechamos, porque no saben todavía lo que son (o quieren ser): están en el proceso de descubrirlo.

Ciudad y homosexualidad fluyen y confluyen en la novelística pregay. El protagonista de *Asfalto*, un adolescente provinciano llamado Eduardo Ales, llega a Buenos Aires y descubre —*se* descubre— en el frenético caos de calles, pensiones, bares y baños públicos de la capital porteña. Una misma trayectoria guía los pasos de Alberto Teruel por el DF en *Los inestables*.[56] Ambos han tenido una mínima experiencia homosexual en sus provincias de origen, pero será la ciudad el escenario idóneo de sus exploraciones. Seres puros «devorados» por ambientes sórdidos, tanto Eduardo como Alberto fracasan en sus búsquedas: el primero porque rechaza la posibilidad de un vínculo amoroso con otro hombre y apuesta por un improbable futuro «heterosexual» (Brant); el segundo porque se consagra a un ideal irrealizable: la pareja homosexual forjada a imagen y semejanza de la hetero. El telón de fondo, en ambas, son múltiples hombres que deambulan por la ciudad ligando, en busca de contactos sexuales ocasionales, sin pausa y sin culpa.[57] Como si los hubiesen colo-

---

[56] No encontré bibliografía crítica sobre esta novela, pero la nota de Teposteco (2016c) ofrece valiosa información sobre su autor.

[57] Resulta interesante destacar que el modelo de relación que prevaleció antes de la consolidación de lo «gay», el modelo jerárquico en el que el homosexual afeminado, «da loca», se relacionaba con hombres presuntamente heterosexuales, muy varoniles y que en general desempeñaban el rol activo en los intercambios sexuales —conocidos popularmente como «chongos» en Argentina y «chacales» o «mayates» en México—

cado en la novela equivocada, la utópica perfección de Eduardo y Alberto no hace sino intensificar el realismo del paisaje homoerótico que los rodea. Tal vez la única forma de presentar ese paisaje era negándolo, convirtiéndolo en el reverso de un modo más auténtico y ordenado de experiencia homosexual. Pero manifestar rechazo por los «vicios» y «depravaciones» de la gran ciudad no implica que no pudieran resultar atractivos y deseables a posibles lectores. En tal sentido, Pellegrini y Teruel habrán facilitado a más de uno —acaso involuntariamente— un mapa o «manual de instrucciones» para reconocerse y encontrar a sus iguales. Eduardo y Alberto «terminan mal», pero sus compañeros de ruta no: allí descansa en buena medida la ambigüedad de estas novelas.

Si los protagonistas de *Asfalto* y *Los inestables* descubrían en un doble movimiento el espacio urbano y la sexualidad fuera de la norma, el de *Después de todo*, Javier Lavalle, llega al DF huyendo del escándalo que desataron en Guanajuato sus aventuras homosexuales con jóvenes alumnos.[58] La dinámica entre la ciudad de provincia y la gran metrópoli se actualiza continuamente en el ir y venir narrativo entre pasado y presente que sirve de hilo conductor a la novela. Sin embargo, el presente desde el cual escribe el personaje —evocando los acontecimientos que derivaron en su salida forzada de Guanajua-

---

prácticamente brilla por su ausencia en las novelas de esta época. Eduardo Ales, descrito como un joven masculino, se relaciona en general con hombres más grandes, también masculinos, al igual que Alberto Teruel; las «locas» aparecen siempre como figuras secundarias. En *Después de todo*, el protagonista se vincula con muchos personajes que encajarían en el perfil del «chacal», pero él se ocupa de dejar en claro que no es una «loca». Solo en *El diario de José Toledo* se esboza este tipo de relación, pero despojada de connotaciones sexuales.

[58] Agradezco a Saúl Villegas Martínez, quien tuvo la amabilidad de enviarme una copia de esta novela.

to— no se caracteriza por la exploración de los ambientes homoeróticos de la capital; al contrario, Lavalle apenas sale de la pensión en
la que vive: su tiempo se divide entre la escritura de las memorias;
llamados y visitas de jóvenes a los que ya no puede pagar por sus
servicios sexuales (no tiene trabajo) y una relación tormentosa con
un adolescente, Rolando, que parece interesarse cada vez más en su
noviazgo con una mujer. Si es verdad, como afirma Víctor Torres,
que el protagonista de esta novela rompe con los personajes homosexuales que le precedieron «pues no busca perdón ni aceptación»
(2010: 91), no debe pasarse por alto que también incluye «el trillado
patrón de la crónica patética de encuentros desastrosos, persecuciones, y destrucción emocional y física» (Foster, 1991: 104). El relato
—a manera de «álbum»— de los diferentes amantes que tuvo a lo
largo de su vida se entrecruza en ciertos pasajes con la descripción
de fracasos amorosos que condujeron al protagonista al borde de la
obsesión y la desesperación, especialmente su relación con Leonardo en Guanajuato y con Rolando en DF. La frecuentación de múltiples parejas sexuales se retrata sin ningún vestigio de culpa o
perturbación (en las antípodas de *Los inestables*), pero al mismo
tiempo se despliega un torturado discurso amoroso que vuelve a in-
vestir el vínculo homosexual de tragedia y patetismo.[59] En este sentido, la orgullosa y por momentos desafiante autobiografía de Javier
Lavalle no está tan lejos, *después de todo*, del diario de José Toledo.

Señalada comúnmente como la primera de temática homosexual
publicada en México, *El diario de José Toledo* se apoya en un falso for-

---

[59] En este sentido, vale la pena establecer la comparación con las memorias de Elías
Nandino (2000), quien también da cuenta de múltiples parejas sexuales y sentimentales, pero aceptando sin dramatismo que las relaciones tienen una duración determi-
nada: «El amor no es eterno, pero el tiempo que es amor, es cielo e infierno a la vez,
es decir, un martirio gozoso» (137).

mato autobiográfico para dar voz al testimonio de un muchacho atormentado por el final de su relación sentimental con otro, Wenceslao; relación vivida, como tantas otras en esa época (los años 50), en los oscuros confines del armario. El truco del «diario íntimo» encontrado por el autor en la calle sirve de marco, y entre el relato en primera persona del cuaderno y la narración objetiva que lo completa y diversifica se teje una constelación de experiencias marcadas por la vergüenza, el sufrimiento, la culpa, el fracaso y la doble vida. Otra vez el final trágico —José Toledo se suicida— y otra vez la ambivalencia: ¿se mata por amor, y entonces el final es trágico como podría serlo en una historia de amor convencional (es decir, heterosexual)?, ¿se mata como consecuencia de la homofobia que lo rodea?, ¿se mata porque el homosexual *debe morir*? Para Marina Pérez de Mendiola (1996: 198), el desenlace no constituye un castigo a la transgresión del personaje y el texto de Barbachano Ponce se muestra cómplice con él en dos sentidos: por un lado, plantea cada una de las partes de la novela como «suplementos» codependientes (en el sentido derrideano) que establecen una dialéctica orientada a socavar convenciones literarias y sociales; por otro lado, inscribe la homosexualidad como masculinidad no fálica «ofreciendo otros paradigmas de identidad sexual» (197). José Toledo es, en efecto, la clase de homosexual afeminado del que tienden a abjurar otras novelas de la época. Identificado con lo femenino como otras tantas «locas», Toledo abraza paradigmas ajenos —«heterosexualidad» y «catolicismo»— posiblemente con la idea de que al desexualizar y universalizar su experiencia le será dada la aprobación social. Esa «imitación» puede tener un elemento subversivo, como sugiere Pérez de Mendiola (194), pero no deja de conducir a la alienación. Por vías distintas, entonces, tanto el monógamo José Toledo como el promiscuo protagonista de *Después de todo* chocan con el muro infranqueable del Amor.

***

La repetición de patrones argumentales, temáticos e ideológicos de una novela a otra no debe resultar sorprendente: podría decirse que, «hijas de su tiempo», atraviesan los mismos lugares comunes, en la tensión entre socavar la homofobia reinante y sucumbir a algunos de sus mandatos. Leemos en *Asfalto*:

> Homosexual. ¿Qué era, en verdad, un homosexual? No seguramente uno de esos putos de mierda que andan buscando encamarse con media humanidad. ¿Entonces? ¿Tenía yo algo de común con ellos?, ¿me parecía, aunque más no fuera en algo, a Barrymore, al doctor, a los tipos del asfalto, a Ricardo? [...] ¿Puede ser uno homosexual así, como soy yo? (Pellegrini, 2004: 193).

Y en *Los inestables*:

> —¡Maricón! Había dicho el señor refiriéndose a él... ¡A él!... Lo había catalogado como a uno de «esos»; al igual que el mozo de doña Carmelita, del que el propio Jaime y él también se habían expresado en términos tan despectivos y ridículos y del que tanto se burlaban debido a sus ademanes retorcidos y amanerados, y por sus miradas de «deseo» que lanzaba a todos los hombres bien parecidos del pueblo... ¿Él, igual que Salvador? ¿Tan sólo un maricón?... (Teruel, 1968: 27)

La excepción —*El diario de José Toledo*— confirma la regla y todas las novelas insisten en afirmar la masculinidad: «homosexualidad», en el universo homófilo, no es lo mismo que «mariconería». Al mismo tiempo, y porque para poder marcar la diferencia deben explicitarla, los autores no tienen otro remedio que hacer entrar en escena a las «locas», y por mucho que los narradores y los personajes las censuren, resulta claro que viven su género y su sexualidad de manera libre y desprejuiciada; muchas veces, de hecho, aparecen exactamente como lo opuesto de los atribulados protagonistas. Concluir que estas novelas son, como mucho, una pintoresca «reliquia» de tiempos muy oscuros que hemos dejado afortunadamente atrás, implica desconocer que en su interior hablan muchas voces, se entretejen múltiples discursos y perspectivas, no siempre coherentes y no únicamente «trágicos», «esencialistas» o «pasados de moda». Hasta se podría decir —volviendo a las citas anteriores— que la pregunta que se hacen los personajes no tiene que ver solo con performances de género masculinas o afeminadas; en un sentido más profundo, se están preguntando qué son, o si son eso que les dicen que son. Más que establecer y dar por cerrada la identidad, estas novelas la interrogan, tantean sus límites, exploran sus posibilidades: realizan, en definitiva, un gesto *queer*.

Debo a Pepe Porras el descubrimiento de *Los inestables* y de otras tantas piezas literarias que su prodigiosa memoria recupera en las páginas que abren este volumen. Durante mi estadía en Ciudad de México, en junio de 2017, tuve la oportunidad de conversar con él y el privilegio de que me regalara ejemplares y fotocopias de muchas de esas raras joyas difíciles de encontrar. Siguiendo sus consejos, recorrí largamente las librerías de la calle Donceles buscando tal o cual título. Quiero agradecerle, por tanto, la generosa invitación a descubrir y recorrer una geografía literaria que, más allá de su valor estético, convoca espacios, personajes y prácticas de los que ya no quedan casi rastros. Las notas aquí esbozadas han querido dar cuenta de mi interés por ese pasado a la vez remoto y familiar. Los «homosexuales» y «maricas» del Buenos Aires y del DF de los años 60 no tienen nada que ver con «nosotros» y al mismo tiempo no dejan de interpelarnos, como si las novelas que los tienen de protagonistas *también* hablaran de nosotros. Cabe destacar aquí la propuesta de Didier Eribon (2012: 129) sobre el diálogo que puede llegar a establecerse entre disidentes «pasados/as» y «futuros/as»:

Acordémonos de Gide cuando en *Los alimentos terrestres* se dirige a un muchacho del porvenir; acuérdense de Monique Wittig en *El cuerpo lesbiano* y de su llamamiento a la creación de una cultura lesbiana... Y los que se reconocen en las señales a ellos dirigidas, los que se agrupan y se inventan en torno a unas señales y a partir de ellas, conciben y constituyen como su historia (particular y común) estos textos del pasado que reclamaron y crearon un futuro que es ahora su presente. La memoria del grupo va al encuentro de lo que fue algún día una anticipación, para constituirla como su pasado, su referencia.

Resulta imprescindible, a mi juicio, que un archivo latinoamericano gay/marica/joto/cuir —o como prefiramos denominarlo— incluya estas novelas pioneras; que nuestra «memoria de grupo» abrace también sus tímidos —y no tan tímidos— intentos por rehuir los mandatos de la heterosexualidad obligatoria. Los textos de la era pregay nos recuerdan experiencias y sentimientos que no han dejado de constituir subjetividades fuera de la norma desde entonces y hasta nuestros días. Son, en este sentido, un testimonio tanto de lo que hemos logrado, como de lo que todavía tenemos que conquistar.

Referencias bibliográficas

ARIAS, Abelardo (1957): *Viaje latino. Francia, Suiza y Toscania*, Buenos Aires, Tirso.

BARBACHANO PONCE, Miguel (1988 [1964]): *El diario de José Toledo*, Premiá, Puebla.

BRANT, Herbert (2004, otoño), «Homosexual Desire and Existential Alienation in Renato Pellegrini's *Asfalto*», *Confluencia. Revista Hispánica de Cultura y Literatura*, vol. XX, 1, pp. 120-134.

CASTREJÓN, Eduardo (seud.) (2010 [1906]): *Los 41: novela crítico-social,* ed. Robert McKee Irwin, UNAM, México DF.

CEBALLOS MALDONADO, José (1969): *Después de todo,* Diógenes, México DF.

CHAVES, José Ricardo (2010): «Afeminados, hombrecitos y lagartijos. Narrativa mexicana del siglo XIX», en Michael K. Schuessler / Miguel Capistrán (eds.), *México se escribe con J,* Temas de Hoy, México DF, pp. 65-85.

COCCIOLI, Carlo (1953 [1952]): *Fabrizio Lupo,* trad. Aurelio Garzón del Camino, Compañía General de Ediciones, México DF.

— (1959): *Los fanáticos. Auto de fe,* Tirso, Buenos Aires.

DOLLIMORE, Jonathan (1991): *Sexual Dissidence. Augustine to Wilde, Freud to Foucault,* Clarendon, Oxford.

ERIBON, Didier (2012): «Vidas atormentadas. El futuro de una herencia», *Ayer. Revista de Historia Contemporánea,* 3, pp. 111-130.

FOSTER, David William (1991): *Gay and Lesbian Themes in Latin American Writing,* University of Texas Press, Austin.

GONZÁLEZ CASTILLO, José (2015 [1914]): *Los invertidos,* estudio preliminar de Mónica Villa, Corregidor, Buenos Aires.

JAUMANDREU, Paco (2014 [1975-76]): *La cabeza contra el suelo. Memorias,* Caballo Negro, Córdoba.

LAGUARDA, Rodrigo (2007, primavera-otoño): «*El vampiro de la colonia Roma:* literatura e identidad gay en México», *Takwá,* 11-12, pp. 173-192.

— (2009): *Ser gay en la ciudad de México. Lucha de representaciones y apropiación de una identidad, 1968-1982,* Instituto Mora / CIESAS, México DF.

MALVA (2010): *Mi recordatorio. Autobiografía de Malva,* Libros del Rojas, Buenos Aires.

MARISTANY, José Javier (2010): «Fuera de la ley, fuera de género: escritura homoerótica y procesos de subjetivación en la Argentina de los 60-70», en José Javier Maristany (coord.), *Aquí no podemos hacerlo. Moral sexual y figuración literaria en la narrativa argentina (1960-1976)*, Biblos, Buenos Aires, pp. 185-241.

MARQUET, Antonio (2012): «Castrejón, Cóccioli y Novo: La novela gay en la primera mitad del siglo XX», *Literatura mexicana*, vol. 17, 2, pp. 47-72.

MELO, Adrián (2011): *Historia de la literatura gay en Argentina. Representaciones sociales de la homosexualidad masculina en la ficción literaria*, Lea, Buenos Aires.

MUÑOZ, Mario (2011): «La literatura mexicana de transgresión sexual», *Amerika*, 4, <goo.gl/kLp4FJ>.

NANDINO, Elías (2000): *Juntando mis pasos*, Aldus, México DF.

NOVO, Salvador (2008 [c. 1945]): *La estatua de sal*, Fondo de Cultura Económica, México DF.

NOY, Fernando (2018): *Peregrinaciones profanas*, Sudamericana, Buenos Aires.

PELLEGRINI, Renato (2004 [1964]): *Asfalto*, Tirso, Buenos Aires.

PERALTA, Jorge Luis (2012): «Ediciones Tirso y la difusión de literatura homoerótica en Latinoamérica», en Francisco Lafarga / Luis Pegenaute (eds), *Lengua, cultura y política en la historia de la traducción en Hispanoamérica*, Academia del Hispanismo, Vigo, pp. 191-200.

— (2017): *Paisajes de varones. Genealogías del homoerotismo en la literatura argentina*, Icaria, Barcelona.

PÉREZ DE MENDIOLA, Marina (1996): «*El diario de José Toledo*: A Queer Space in the World of Mexican Letters», en David W. Foster / Roberto Reis (eds.), *Bodies and Biases. Sexualities in Hispanic Cultures*, University of Minnesota Press, Mineápolis / Londres, 184-202.

PO, Paolo (seud.) (1964): *41 o el muchacho que soñaba en fantasmas*, Costa-Amic, México DF.

PUIG, Manuel (2015 [1976]): *El beso de la mujer araña*, Seix Barral, Barcelona.

RAPISARDI, Flavio / MODARELLI, Alejandro (2001): *Fiestas, baños y exilios. Los gays porteños en la última dictadura*, Sudamericana, Buenos Aires.

RESÉNDIZ OIKIÓN, Ernesto (2018): «La jotería es puro cuento», en Michael K. Schuessler / Miguel Capistrán (coords.), *México se escribe con J* (2.ª ed. ampliada), DeBols!llo, Ciudad de México.

RIVERA, Héctor J. (1996, 13 de abril): «Aparece "¿Por qué yo soy yo?", una entrevista autobiográfica», *Proceso*, <goo.gl/SRprDU>.

ROCHA OSORNIO, Juan Carlos (2012, otoño): «El *performance* del insulto en los albores de la novela mexicana de temática homosexual: *41 o el muchacho que soñaba en fantasmas* (1964) de Paolo Po», *Cincinnati Romance Review*, 34, pp. 97-11.

SCHNEIDER, Luis Mario (1997): *La novela mexicana entre el petróleo, la homosexualidad y la política*, Nueva Imagen, Ciudad de México.

SEBRELI, Juan José (2003): *Buenos Aires, vida cotidiana y alienación seguido de Buenos Aires, ciudad en crisis*, Sudamericana, Buenos Aires.

TEPOSTECO, Miguel Ángel (2015, 19 de diciembre): «Paolo Po: La historia oculta del autor de la primera novela gay mexicana», *El Universal, Confabulario*, <goo.gl/fk521n>.

— (2016, 10 de febrero): «La editorial Costa-Amic, en busca de la renovación», *El Universal*, <goo.gl/CxFQrS>.

— (2016, 25 de junio): «Identidades secretas y la homofobia interiorizada: el caso de Alberto X. Teruel», *El Universal, Confabulario*, <goo.gl/ZqHQtr>.

TERUEL, Alberto X. (seud.) (1968), *Los inestables*, Costa-Amic, México DF.

TORRES, Víctor Federico (2010): «Del escarnio a la celebración. Prosa mexicana del siglo XX», en Michael K. Schuessler / Miguel Capistrán (coords.), *México se escribe con J*, Temas de Hoy, México DF, 86-100.

VILLEGAS MARTÍNEZ, Víctor Saúl (2011): *El personaje gay en seis cuentos mexicanos. Un acercamiento crítico desde la perspectiva de género, los estudios gay y la teoría queer*, Universidad Veracruzana, Xalapa.

WEBSTER CORY, Donald (seud.) (1952 [1951]): *El homosexual en Norteamérica: estudio subjetivo*, trad. Alfredo Sánchez Luna, Compañía General de Ediciones, México DF.

ZAPATA, Luis (2017 [1979]), *El vampiro de la colonia Roma. Aventuras y desventuras de Adonis García*, Random House Mondadori, Ciudad de México.

SOBRES LOS/AS AUTORES/AS

Humberto Guerra es doctor en Literatura Hispánica por El Colegio de México. Ejerció la docencia en el Programa Universitario de Estudios de Género de la UNAM, donde dirigió el Seminario de Formación en Investigación en Diversidad Sexual, y actualmente es profesor-investigador del Departamento de Política y Cultura de la Unidad Xochimilco de la Universidad Autónoma Metropolitana. Sus líneas de investigación se enfocan en los géneros dramático y narrativo mexicanos de la segunda mitad del siglo XX. Asimismo, trabaja los géneros autorreferenciales, en especial la autobiografía, y los estudios de diversidad sexual en las letras y artes mexicanas. Entre sus monografías puede citarse *Narración, experiencia y sujeto. Estrategias textuales en siete autobiografías mexicanas* (Bonilla Artigas, 2016).

Mauricio List Reyes es profesor investigador en el Colegio de Antropología Social de la Benemérita Universidad Autónoma de Puebla (México). Sus investigaciones se han centrado fundamentalmente en los estudios de las homosexualidades masculinas. Es miembro del Comité Técnico Académico de la Red Temática de Estudios Transdisciplinarios del Cuerpo y las Corporalidades. Entre sus monografías dedicadas a los estudios de género, la sexualidad y queer, pueden citarse *Jóvenes corazones gay en la Ciudad de México* (Universidad Autónoma de Puebla, 2005), *Hablo por mi diferencia. De la identidad gay al reconocimiento de lo queer* (Eón, 2009), *El amor imberbe. El enamoramiento entre jóvenes y hombres maduros* (Eón, 2010), *La sexualidad como riesgo. Apuntes para el estudio de los derechos sexuales en el contexto del neo-*

conservadurismo (La cifra, 2014) y *David Bowie: el esteta que cayó a la tierra. Corporalidad y expresión artística* (con J. de la Cruz Bobadilla, La Cifra, 2016). Igualmente, ha editado y coordinado diversos volúmenes y monográficos sobre este mismo ámbito, como por ejemplo *Florilegio de deseos. Nuevos enfoques, estudios y escenarios de la disidencia sexual y genérica* (con A. Teutle, Eón, 2010), *Lo social de lo sexual. Algunos textos sobre sexualidad y desarrollo* (Eón, 2011) y *Tratado breve de concupiscencias y prodigios* (con F. Giménez, La Cifra, 2016).

Elena Madrigal es doctora en Literatura Hispánica por El Colegio de México. Actualmente coordina la Maestría en Traducción y es profesora investigadora de la misma casa de estudios. En su proyecto de estudios de traducción indaga sobre la figura del escritor-traductor. Ha publicado dos monografías sobre Julio Torri. Coeditó *Un juego que cabe entre nosotras. Acercamientos a la crítica y a la creación de la literatura sáfica* (con L. Romero, Voces en Tinta, 2014). Es también autora del volumen de microrrelatos *Contarte en lésbico* (Alondras, 2013).

Ernesto Meccia es doctor en Ciencias Sociales, magíster en Investigación en Ciencias Sociales y licenciado en Sociología por la Universidad de Buenos Aires. Se desempeña como profesor ordinario de grado y posgrado en la Universidad de Bueno Aires y en la Universidad Nacional del Litoral. Estudia la homosexualidad masculina desde un enfoque sociológico buscando sinergias con otras disciplinas, especialmente con los estudios sociales del discurso y la etnografía de la comunicación. Sus aproximaciones a la homosexualidad están influenciadas por intereses cognoscitivos que trascienden al tema en sí mismo, entre otros las dinámicas generales de la discriminación social, las relaciones entre cambio social y cambio personal, los procesos contemporáneos de individuación y la articulación entre micro, meso y macrosociología. Publicó los libros *La cuestión* *gay. Un enfoque sociológico* (Gran Aldea, 2006), *Los últimos homosexuales. Sociología de la homosexualidad y la gaycidad* (Gran Aldea, 2011) y *El tiempo no para. Los últimos homosexuales cuentan la historia* (Eudeba / UNL, 2016). También ha escrito numerosos capítulos de libros y artículos en revistas científicas. Es columnista en el suplemento *Soy* del diario *Página/12*.

Rafael M. Mérida Jiménez es profesor Serra Húnter de Literatura española y de Estudios de género en la Universitat de Lleida. Sus cursos e investigaciones abordan un amplio grupo de temas y obras de las letras hispánicas, con especial atención a los estudios sobre las mujeres y las sexualidades. Es miembro de ADHUC–Centre de Recerca, Teoria, Gènere, Sexualitat (Universitat de Barcelona). Entre sus monografías dedicadas a los estudios de género, la sexualidad y queer, pueden citarse *Damas, santas y pecadoras* (Icaria, 2008), *Cuerpos desordenados* (UOC, 2009), *Los géneros de la violencia. Una reflexión queer sobre la violencia de género* (con O. Arisó, Egales, 2010) y *Transbarcelonas. Cultura, género y sexualidad en la España del siglo XX* (Bellaterra, 2016). Igualmente, ha editado diversos volúmenes y monográficos sobre este mismo ámbito, como, por ejemplo: *Sexualidades transgresoras. Una antología de estudios «queer»* (Icaria, 2002), *Diàlegs gais, lesbians, queer* (con J. Acebrón, Universitat de Lleida, 2007), *Mujer y género en las letras hispánicas* (Universitat de Lleida, 2008), *Manifiestos gays, lesbianos y queer. Testimonios de una lucha (1969-1994)* (Icaria, 2009), *Queerencias. Literaturas hispánicas y estudios LGBTQ* (dossier de *Lectora. Revista de dones i textualitat*, 11, 2011), *Minorías sexuales en España (1970-1995)* (Icaria, 2013), *Hispanic (LGT) Masculinities in Transition* (Peter Lang, 2014), *Las masculinidades en la Transición* (con J. L. Peralta, Egales, 2015), *Memorias, identidades y experiencias trans: (in)visibilidades entre Argentina y España* (con J. L. Peralta, Biblos, 2015), *Masculinidades disidentes* (Icaria, 2016) y *Ocaña. Voces, ecos y distorsiones* (Bellaterra, 2018).

Rubén Mettini Vilas se licenció en Filología Románica por la Universidad de Barcelona. Inició su carrera literaria con varios libros escritos en lengua catalana, entre los que pueden mencionarse *10 + 1 nit* (finalista del Premio Sonrisa Vertical, 1990), *Ocells en la nit* (Premi Ciutat d'Alcoi, 1992) y *La rara perfecció del triangle* (1999). Obtuvo el Premio Odisea por la novela *Tres noches* (Odisea, 2009). Otras obras suyas publicadas en español son *De vidas encastradas* (Laertes, 1998), *Baile de máscaras* (Nihil Obstat, 1999), *Emma y sus sueños olvidados* (en colaboración con Yoly Hornes, Seleer, 2012), *Invocación a las tinieblas* (Carena, 2015) y *Helena herida* (Multiverso, 2017).

Alejandro Modarelli es autor del libro de cuentos *El universo no debe repetirse* (Fondo Nacional de las Artes, 1985) y de dos volúmenes de crónica: *Rosa prepucio: crónicas de sodomía, amor y bidugí* (Mansalva, 2011) y *La noche del mundo* (Mansalva, 2016). En colaboración con Flavio Rapisardi, publicó la investigación *Fiestas, baños y exilios. Los gays porteños en la última dictadura* (Sudamericana, 2001). Ha participado en los volúmenes *Otras historias de amor. Gays, lesbianas y travestis en el cine argentino* (Lea, 2009) y *Un cuerpo: mil sexos. Intersexualidades* (Topía, 2010). Colabora en el suplemento *Soy* del diario *Página/12* y en la revista de cine *Kilómetro 111*.

Jorge Luis Peralta es doctor en Teoría de la Literatura y Literatura Comparada por la Universidad Autónoma de Barcelona. Actualmente se desempeña como profesor en la Universidad Nacional de La Pampa (Argentina). Sus áreas de interés son las literaturas hispánicas, los estudios gais y lesbianos y la teoría queer. Coeditó los volúmenes *Las masculinidades en la Transición* (Egales, 2015) y *Memorias, identidades y experiencias trans. (In)visibilidades entre Argentina y España* (Biblos, 2015), ambos con Rafael M. Mérida Jiménez, y *Cuerpos minados. Masculinidades en Argentina* (EDULP, 2017), en colaboración con José J. Maristany, así como el monográfico *Among Others: Queer Perspectives in Hispanic World* (2017) para *InterAlia. A Journal of Queer Studies* (con L. Smuga y R. M. Mérida Jiménez). Es autor de *Paisajes de varones. Genealogías del homoerotismo en la literatura argentina* (Icaria, 2017), galardonado con el Premio Àdhuc y de *La ciudad amoral. Espacio urbano y disidencia sexual en Renato Pellegrini y Carlos Correas* (EDUVIM, 2019, en prensa).

José Santa Ana Porras Alcocer nació en Huitzuco, estado de Guerrero (México), en 1949. Obtuvo la licenciatura en Letras Hispánicas de la UNAM en el año 2000. A lo largo de su trayectoria desempeñó diferentes oficios y actividades: cadenero, vendedor de piso, agente de ventas, vendedor ambulante, mecanógrafo, oficinista, corrector de tesis, reseñista, profesor de bachillerato, colaborador en libros de texto, responsable de revistas académicas e impartidor de cursos a profesores de nivel medio y básico en diversas ciudades del país.

Saúl Villegas Martínez es doctor en Letras por la Universidad Autónoma Metropolitana. Actualmente se desempeña como profesor investigador en la Universidad Veracruzana (Xalapa, México). Su línea de investigación está enfocada en la aplicación de los estudios de género y la teoría queer a la literatura hispanoamericana, especialmente narrativa. Forma parte del cuerpo académico Estudios de Lengua y Literatura Hispanoamericanos. Ha publicado diferentes artículos sobre su línea de investigación. Es autor del libro *El personaje gay en seis cuentos mexicanos* (Bonilla Artiga, 2018).

Títulos de la Colección G

Identidad y diferencia. Sobre la cultura gay en España
Juan Vicente Aliaga y José Miguel G. Cortés

Galería de retratos. Personajes homosexuales de la cultura contemporánea
Julia Cela

El libro de los hermosos
Edición de Luis Antonio de Villena

En clave gay. Todo lo que deberíamos saber
Varios autores

Lo que la Biblia realmente dice sobre la homosexualidad
Daniel H. Helminiak

Hombres de mármol. Códigos de representación y estrategias de poder de la masculinidad
José Miguel G. Cortés

Hasta en las mejores familias. Todo lo que siempre quiso saber sobre la homosexualidad de sus hijos, familiares y amigos pero temía preguntar
Jesús Generelo

De Sodoma a Chueca. Una historia cultural de la homosexualidad en España en el siglo XX
Alberto Mira

La marginación homosexual en la España de la Transición
Manuel Ángel Soriano Gil

Sin derramamiento de sangre. Un ensayo sobre la homosexualidad
Javier Ugarte Pérez

Homosexualidad: secreto de familia. El manejo del secreto en familias con algún miembro homosexual
Begoña Pérez Sancho

10 consejos básicos para el hombre gay
Joe Kort

Teoría Queer. Políticas bolleras, maricas, trans, mestizas
David Córdoba, Javier Sáez y Paco Vidarte

El pensamiento heterosexual y otros ensayos
Monique Wittig

El Kamasutra gay
Sebas Martín y Diego J. Cruz

Lecciones de disidencia. Ensayos de crítica homosexual
Xosé M. Buxán Bran

Los homosexuales al rescate de la civilización. Una historia verdadera y heroica de cómo los gays salvaron el mundo moderno
Cathy Crimmins

Primera Plana. La construcción de una cultura queer en España
Juan Antonio Herrero Brasas (ed.)

El vestuario de color rosa. Semblanzas de deportistas LGTB
Patricia Nell Warren

Sin complejos. Guía para jóvenes GLTB
Jesús Generelo

El marica, la bruja y el armario. Misoginia gay y homofobia femenina en el cine
Eduardo Nabal Aragón

Ética marica. Proclamas libertarias para una militancia LGTBQ
Paco Vidarte

Madres lesbianas en México. Una mirada a las maternidades y familias lésbicas en México
Sara Espinosa Islas

Amor sin nombre. La vida de los gays y las lesbianas en Oriente Medio
Brian Whitaker

Una discriminación universal. La homosexualidad bajo el franquismo y la transición
Javier Ugarte Pérez (ed.)

Tal como somos. Un libro de autoayuda para gays, lesbianas, transexuales y bisexuales
Manuel Ángel Soriano

Por el culo. Políticas anales
Javier Sáez y Sejo Carrascosa

Las circunstancias obligaban. Homoerotismo, identidad y resistencia
Javier Ugarte Pérez

La juventud homosexual. Un libro de autoayuda sobre la diversidad afectiva sexual en las nuevas generaciones LGTB del siglo XXI
Manuel Ángel Soriano Gil

Después de Ganímedes. Una aventura para hombres gays en transición de la juventud hacia la vida adulta y la senectud
Juan Carlos Uríszar

Judith Butler en disputa. Lecturas sobre la performatividad
Patrícia Soley-Beltran y Leticia Sabsay (eds.)

Reyes sodomitas. Monarcas y favoritos en las cortes europeas del Renacimiento y Barroco
Miguel Cabañas Agrela

Nuevas subjetividades / sexualidades literarias
María Teresa Vera Rojas (ed.)

La carne y la metáfora. Una reflexión sobre el cuerpo en la teoría queer
Gerard Coll-Planas

Transexualidad, adolescencia y educación: miradas multidisciplinares
Octavio Moreno y Luis Puche (eds.)

Dibujando el género
Gerard Coll-Planas y Maria Vidal

Desconocidas & Fascinantes
Thais Morales & Isabel Franc (eds.)

Transexualidades. Otras miradas posibles
Miquel Missé

Resentir lo *queer* en América Latina: diálogos desde/con el Sur
Diego Falconí Trávez, Santiago Castellanos y María Amelia Viteri (eds.)

No al futuro. La teoría queer y la pulsión de muerte
Lee Edelman

París era mujer. Retratos de la orilla izquierda del Sena
Andrea Weiss

Placer que nunca muere. Sobre la regulación del homoerotismo occidental
Javier Ugarte Pérez

Desobediencias. Cuerpos disidentes y espacios subvertidos en el arte en América Latina y España: 1960-2010
Juan Vicente Aliaga y José Miguel G. Cortés

Las masculinidades en la Transición
Rafael M. Mérida Jiménez y Jorge Luis Peralta (eds.)

Desde el tercer armario. El proceso de reconstrucción personal de los hombres gais separados de matrimonio heterosexual
Bernardo Ruiz Figueroa

Chicas que entienden. In-visibilidad lesbiana
Mª Ángeles Goicoechea Gaona, Olaya Fernández Guerrero, Mª José Clavo Sebastián y Remedios Álvarez Terán

Políticas trans. Una antología de textos desde los estudios trans norteamericanos
Pol Galofre y Miquel Missé (eds.)

¿Quién soy yo para juzgarlos? Obispo y sacerdotes opinan sin censura sobre la homosexualidad
Sebastián Medina

Apocalipsis queer. Elementos de teoría antisocial
Lorenzo Bernini

Cuerpos en escena. Materialidad y cuerpo sexuado en Judith Butler y Paul B. Preciado
Martín A. De Mauro Rucovsky

La cultura de la homofobia y cómo acabar con ella
Ramón Martínez

Transeducar. Arte, educación y derechos LGTB
Ricard Huerta

De puertas para adentro. Disidencia sexual y disconformidad de género en la tradición flamenca
Fernando López Rodríguez

Bifobia. Etnografía de la bisexualidad en el activismo LGTB
Ignacio Elpidio Domínguez Ruiz

Lo nuestro sí que es mundial. Una introducción a la historia del movimiento LGTB en España
Ramón Martínez

El arte queer del fracaso
Jack Halberstam

Maternidad lesbiana: del deseo a la realidad
Remedios Álvarez Terán, María José Clavo Sebastián, Olaya Fernández Guerrero y Mª Ángeles Goicoechea Gaona

Inflexión marica. Escrituras del descalabro gay en América latina
Diego Falconí Trávez (ed.)

Las teorías queer. Una introducción
Lorenzo Bernini

Trans*. Una guía rápida y peculiar de la variabilidad de género
Jack Halberstam

A la *conquista* del cuerpo equivocado
Miquel Missé

Cuando muera Chueca. Origen, evolución y final(es) de los espacios LGTBI
Ignacio Elpidio Domínguez Ruiz

He venido a reclutaros. Textos y discursos de Harvey Milk
Jason Edward Black & Charles E. Morris III

Que otros sean lo normal. Tensiones entre el movimiento LGTB y el activismo queer
Leandro Colling

Cómo superar un bollodrama
Paula Alcaide

Antes del orgullo. Recuperando la memoria gay
Jorge Luis Peralta (ed.)